Ex Libris

FJB

Kerstin Gier

Silber

Das erste Buch der Träume

Roman

※ | FJB

2. Auflage: Juli 2013

Erschienen bei FISCHER FJB

© S. Fischer Verlag GmbH, Frankfurt am Main 2013
Umschlaggestaltung bürosüd© unter Verwendung einer Illustration
von Eva Schöffmann-Davidov
Satz: Dörlemann Satz, Lemförde
Druck und Bindung: CPI – Clausen & Bosse, Leck
Printed in Germany
ISBN 978-3-8414-2105-0

Für F.
Es ist immer wieder schön, mit dir zu träumen.

What if you slept
And what if
In your sleep
You dreamed
And what if
In your dream
You went to heaven
And there plucked a strange and beautiful flower
And what if
When you awoke
You had that flower in your hand
Ah, what then?

SAMUEL TAYLOR COLERIDGE

1

Der Hund schnüffelte an meinem Koffer. Für einen Drogenspürhund war er ein erstaunlich flauschiges Exemplar, vielleicht ein Hovawart, und ich wollte ihm gerade die Ohren kraulen, als er die Lefzen anhob und ein bedrohliches »Wuff« von sich gab. Dann setzte er sich hin und drückte energisch die Nase an die Kofferwand. Der Zollbeamte schien darüber genauso erstaunt zu sein wie ich, er schaute zweimal vom Hund zu mir und wieder zurück, ehe er nach dem Koffer griff und sagte: »Na, dann wollen wir doch mal schauen, was unsere Amber da aufgespürt hat.«

Na, großartig. Kaum eine halbe Stunde auf britischem Boden, und schon wurde ich verdächtigt, Drogen zu schmuggeln. Die echten Schmuggler in der Reihe hinter mir freuten sich bestimmt gerade diebisch, dank mir konnten sie nun unbehelligt mit ihren Schweizer Uhren oder Designerdrogen durch die Absperrung spazieren. Welcher Zollbeamte mit Verstand winkte denn ein fünfzehnjähriges Mädchen mit blondem Pferdeschwanz aus der Reihe anstatt beispielsweise dieses nervös wirkenden Typs mit dem verschlagenen Gesicht da hinten? Oder dieses verdächtig blassen Jungen mit strubbeligen Haaren, der im Flugzeug schon eingeschlafen gewesen war, bevor wir die Startbahn erreicht hatten. Kein Wunder, dass der jetzt so schadenfroh grinste. Seine Taschen waren wahrscheinlich gestrichen voll mit illegalen Schlaftabletten.

Aber ich beschloss, mir nicht die gute Laune verderben zu lassen, schließlich wartete hinter der Absperrung ein wunderbares neues Leben auf uns, mit genau dem Zuhause, das wir uns immer erträumt hatten.

Ich warf meiner kleinen Schwester Mia, die schon neben der Absperrung stand und ungeduldig auf- und abwippte, einen beruhigenden Blick zu. Alles war gut. Kein Grund zur Aufregung. Das hier war nur die letzte Hürde, die zwischen uns und besagtem wunderbaren neuen Leben stand. Der Flug war tadellos verlaufen, keine Turbulenzen, also hatte Mia sich nicht übergeben müssen, und ich hatte ausnahmsweise mal nicht neben einem fetten Mann gesessen, der mir meine Armlehne streitig machte und nach Bier stank. Und obwohl Papa wie üblich bei einer dieser Billigflug-Airlines gebucht hatte, die angeblich immer zu wenig tankten, war das Flugzeug nicht in Schwierigkeiten geraten, als wir über Heathrow mehrere Warteschleifen hatten drehen müssen. Und dann war da noch dieser hübsche, dunkelhaarige Junge gewesen, der auf der anderen Seite in der Reihe vor mir gesessen und sich auffällig oft nach mir umgedreht und mich angelächelt hatte. Ich war kurz davor gewesen, ihn anzusprechen, aber dann hatte ich es gelassen, weil er in einem Fußball-Fanmagazin blätterte und beim Lesen die Lippen bewegte wie ein Erstklässler. Derselbe Junge starrte jetzt übrigens ziemlich neugierig auf meinen Koffer. Überhaupt starrten alle neugierig auf meinen Koffer.

Ich sah mit großen Augen zu dem Zollbeamten auf und setzte mein allernettestes Lächeln auf. »Bitte … wir haben keine Zeit, der Flieger hatte schon Verspätung, und wir haben noch eine Ewigkeit am Gepäckband gewartet. Und draußen steht unsere Mum, um meine kleine Schwester und mich abzuholen. Ich schwöre feierlich, in meinem Koffer befindet sich nur jede Menge dreckige Wäsche und …« Weil mir in exakt diesem Augenblick einfiel, was sich sonst noch in diesem Koffer befand, verstummte ich kurzzeitig. »… auf jeden Fall keine Drogen«, ergänzte ich dann etwas kleinlaut und sah den Hund vorwurfsvoll an. So ein dummes Tier!

Ungerührt hievte der Zollbeamte den Koffer auf einen Tisch. Ein Kollege öffnete den Reißverschluss und klappte den Deckel auf. Sofort war allen Umstehenden klar, was der Hund gerochen hatte. Denn ganz ehrlich – dafür brauchte man nun wirklich keine empfindliche Hundenase.

»Was zur Hölle …?«, fragte der Zollbeamte, und sein Kollege hielt sich die Nase zu, während er mit spitzen Fingern anfing, einzelne Wäschestücke zur Seite zu räumen. Für die Zuschauer musste es so aussehen, als würden meine Klamotten bestialisch stinken.

»Entlebucher Biosphärenkäse«, erklärte ich, während

mein Gesicht vermutlich eine ähnliche Farbe annahm wie der weinrote BH, den der Mann gerade in den Händen hielt. »Zweieinhalb Kilo Schweizer Rohmilchkäse.« Ganz so schlimm stinkend hatte ich ihn allerdings nicht in Erinnerung. »Schmeckt besser als er riecht, ehrlich.«

Amber, der dumme Hund, schüttelte sich. Ich hörte die Leute kichern, die echten Schmuggler rieben sich garantiert gerade die Hände. Was der hübsche dunkelhaarige Junge tat, wollte ich lieber gar nicht wissen. Wahrscheinlich war er einfach nur heilfroh, dass ich ihn nicht nach seiner Handynummer gefragt hatte.

»Das nenne ich mal ein wirklich geniales Versteck für Drogen«, sagte jemand hinter uns, und ich sah zu Mia hinüber und seufzte schwer. Mia seufzte ebenfalls. Wir hatten es wirklich eilig.

Dabei war es äußerst naiv von uns zu denken, nur der Käse stünde noch zwischen uns und unserem wunderbaren neuen Leben – in Wirklichkeit verlängerte der Käse lediglich den Zeitraum, in dem wir felsenfest glaubten, ein wunderbares neues Leben vor uns zu haben.

Andere Mädchen träumen vermutlich von anderen Dingen, aber Mia und ich wünschten uns nichts sehnlicher als ein richtiges Zuhause. Für länger als nur ein Jahr. Und mit einem eigenen Zimmer für jede von uns.

Das hier war unser sechster Umzug in acht Jahren, das bedeutete: sechs verschiedene Länder auf vier verschiedenen

Kontinenten, sechsmal neu an einer Schule anfangen, sechsmal neue Freundschaften schließen und sechsmal »auf Wiedersehen« sagen. Wir waren Profis im Ein- und Auspacken, beschränkten unseren persönlichen Besitz stets auf ein Minimum, und es ist wohl leicht zu erraten, warum niemand von uns Klavier spielte.

Mum war Literaturwissenschaftlerin (eine mit zwei Doktortiteln), und beinahe jedes Jahr nahm sie einen Lehrauftrag an einer anderen Universität an. Bis Juni hatten wir noch in Pretoria gelebt, davor in Utrecht, Berkeley, Hyderabad, Edinburgh und München. Unsere Eltern hatten sich vor sieben Jahren getrennt. Papa war Ingenieur und ähnlich ruhelos veranlagt wie Mum, das heißt, er wechselte seinen Wohnsitz genauso oft. Wir durften also nicht mal unsere Sommerferien an ein und demselben Ort verbringen, sondern immer dort, wo Papa gerade arbeitete. Im Moment arbeitete er in Zürich, weshalb diese Ferien vergleichsweise herrlich gewesen waren (inklusive diverser Bergtouren und eines Besuchs im Biosphärenreservat Entlebuch), aber leider waren nicht alle Orte, an die es ihn schon verschlagen hatte, so schön. Lottie sagte manchmal, wir sollten dankbar sein, dass wir durch unsere Eltern so viel von der Welt kennenlernen würden, nur, ganz ehrlich, wenn man mal einen Sommer am Rande eines Industriegebietes in Bratislava zugebracht hat, hält sich die Dankbarkeit doch sehr in Grenzen.

Ab diesem Herbsttrimester nun unterrichtete Mum am

Magdalen College in Oxford, und damit war ein großer Wunsch von ihr in Erfüllung gegangen. Sie träumte schon seit Jahrzehnten von einem Lehrauftrag in Oxford. Mit dem kleinen Cottage aus dem 18. Jahrhundert, das sie etwas außerhalb gemietet hatte, war auch ein Traum von uns in Erfüllung gegangen. Wir würden endlich sesshaft werden und ein richtiges Zuhause haben. Im Maklerexposé hatte das Haus romantisch und gemütlich ausgesehen und so, als steckte es vom Keller bis zum Dachboden voller wunderbarer gruseliger Geheimnisse. Es gab einen großen Garten mit alten Bäumen und einer Scheune, und von den Zimmern im ersten Stock hatte man — zumindest im Winter — einen Blick bis hinunter zur Themse. Lottie hatte vor, dort Beete für Gemüse anzulegen, Marmelade selber zu kochen und Mitglied bei den Landfrauen zu werden, Mia wollte ein Baumhaus bauen, ein Ruderboot anschaffen und eine Eule zähmen, und ich träumte davon, auf dem Dachboden eine Kiste mit alten Briefen zu finden und den Geheimnissen des Hauses auf den Grund zu gehen. Außerdem wollten wir unbedingt eine Schaukel in die Bäume hängen, am besten ein rostiges Eisenbett, in dem man liegen und in den Himmel schauen konnte. Und mindestens jeden zweiten Tag würden wir ein echtes englisches Picknick veranstalten, und das Haus würde nach Lotties selbstgebackenen Keksen duften. Und vielleicht nach Käsefondue, denn unseren guten Entlebucher Biosphärenkäse zerlegten die Zollmenschen vor unseren Augen in so winzig kleine Stückchen, dass man nichts anderes mehr mit ihm anfangen konnte.

Als wir endlich in die Halle hinauskamen – es verstieß übrigens gegen kein Gesetz, kiloweise Käse zum Eigengebrauch nach Großbritannien einzuführen, nur als Geschenk für Lottie machte er jetzt nicht mehr viel her – brauchte Mum weniger als eine Minute, um unseren Traum vom englischen Landleben zerplatzen zu lassen wie eine Seifenblase.

»Es gibt eine kleine Planänderung, ihr Mäuse«, sagte sie nach der Begrüßung, und obwohl sie dabei strahlend lächelte, stand ihr das schlechte Gewissen deutlich ins Gesicht geschrieben.

Hinter ihr näherte sich ein Mann mit einem leeren Gepäckwagen, und ohne genau hinzusehen, wusste ich, wer das war: die Planänderung höchstpersönlich.

»Ich hasse Planänderungen«, murmelte Mia.

Mum lächelte immer noch angestrengt. »Diese hier werdet ihr lieben«, log sie. »Willkommen in London, der aufregendsten Stadt der Welt.«

»Willkommen zu Hause«, ergänzte Mr Planänderung mit warmer, tiefer Stimme und hievte unsere Koffer in den Gepäckwagen.

Ich hasste Planänderungen auch, und zwar aus tiefstem Herzen.

2.

In unserer ersten Nacht in London träumte ich von Hänsel und Gretel, genauer gesagt: Mia und ich waren Hänsel und Gretel, und Mum setzte uns im Wald aus. »Es ist nur zu eurem Besten!«, sagte sie, bevor sie zwischen den Bäumen verschwand. Der arme kleine Hänsel und ich irrten hilflos umher, bis wir an ein unheimliches Lebkuchenhaus kamen. Glücklicherweise wurde ich wach, bevor die böse Hexe herauskam, aber ich war nur eine Sekunde lang erleichtert, dann fiel mir wieder ein, dass der Traum gar nicht so weit von der Wirklichkeit entfernt war. Den Satz »Es ist nur zu eurem Besten!« hatte Mum gestern ungefähr siebzehnmal gesagt. Ich war auch jetzt noch so wütend auf sie, dass ich am liebsten ununterbrochen mit den Zähnen geknirscht hätte.

Mir war schon klar, dass auch Menschen über vierzig noch ein Anrecht auf ein erfülltes Liebesleben haben, aber hätte sie damit nicht warten können, bis wir erwachsen waren? Auf die paar Jahre kam es doch jetzt auch nicht mehr an. Und wenn sie schon unbedingt mit Mr Planänderung zusammen sein wollte, reichte es da nicht, eine Wochenendbeziehung zu führen? Musste sie gleich unser ganzes Leben auf den Kopf stellen? Konnte sie nicht wenigstens fragen?

In Wirklichkeit hieß Mr Planänderung übrigens Ernest Spencer, und er hatte uns gestern Abend mit seinem Wagen hierher kutschiert und die ganze Fahrt über so ungezwungen Konversation betrieben, als würde er gar nicht merken, dass Mia und ich vor Enttäuschung und Wut mit den Tränen kämpften und kein Wort sagten. (Es war eine recht lange Fahrt vom Flughafen in die Stadt.) Erst als Ernest das Gepäck aus dem Kofferraum holte, zuletzt die Plastiktüte mit dem Käse, fand Mia ihre Stimme wieder.

»Nein, nein«, sagte sie mit ihrem allersüßesten Lächeln und gab ihm die Käsetüte zurück. »Das ist für Sie. Ein Mitbringsel aus der Schweiz.«

Ernest tauschte einen hocherfreuten Blick mit Mum. »Danke, das ist aber lieb von euch!«

Mia und ich grinsten einander schadenfroh an – aber das war auch schon der einzige schöne Moment des Abends. Ernest fuhr mit seinem stinkenden, zerstückelten Käse nach Hause, nachdem er Mum geküsst und uns zum Abschied versichert hatte, wie sehr er sich auf morgen Abend freuen würde. Da waren wir nämlich bei ihm zu Hause eingeladen, um seine Kinder kennenzulernen.

»Wir freuen uns auch«, sagte Mum.

Sicher doch.

Uns war Ernest mein-Charakter-entspricht-exakt-meinem-stinkkonservativen-Vornamen Spencer gleich suspekt gewesen, als er das erste Mal über die Türschwelle getreten war. Schon seine Geschenke zeugten davon, wie ernst er es mit Mum meinte – normalerweise haben die Männer in Mums Leben kein Interesse daran, sich bei uns einzuschleimen, im Gegenteil, bisher hatten sie immer versucht, unsere Existenz so gut es ging zu ignorieren. Aber Ernest brachte nicht nur Mum Blumen mit, sondern überreichte Lottie ihre Lieblingspralinen und mir ein Buch über Geheimbotschaften, Codes und ihre Entschlüsselungen, das ich tatsächlich hochinteressant fand. Nur bei Mia lag er ein bisschen daneben, für sie hatte er ein Buch mit dem Titel »Maureen, die kleine Detektivin« ausgesucht, für das sie mit fast dreizehn doch ein paar Jahre zu alt war. Aber allein die Tatsache, dass Ernest sich nach unseren Interessensgebieten erkundigt hatte, machte ihn verdächtig.

Mum war jedenfalls hin und weg von ihm. Keine Ahnung, warum. Am Aussehen konnte es schon mal nicht liegen, Ernest hatte eine Vollglatze, riesengroße Ohren und viel zu weiße Zähne. Lottie behauptete zwar hartnäckig, Ernest sei trotzdem ein gutaussehender Mann, aber diese Meinung konnten wir leider nicht teilen. Mochte ja sein, dass er schöne Augen hatte, aber wer konnte ihm bei diesen Ohren schon in die Augen sehen? Abgesehen davon war er uralt, über fünfzig. Seine Frau war vor mehr als zehn Jahren gestorben, und er lebte mit seinen zwei Kindern in London. Die Geschichte stimmte, Mia (die kleine Detektivin) und ich hatten das sofort bei Google überprüft. Google kannte Ernest Spencer, weil er einer dieser Star-Anwälte war, die ihr Gesicht in jede Kamera hielten, egal ob vor einem Gerichtsgebäude oder auf dem roten Teppich einer Charity-Gala. Und seine verstorbene Frau hatte Rang 201 (oder so) in der englischen Thronfolge innegehabt, weshalb er in den allerhöchsten gesellschaftlichen Kreisen verkehrte. Seinen Beziehungen war es auch zu verdanken, dass Mum in Oxford unterrichten konnte.

Nach den Gesetzen der Wahrscheinlichkeitsrechnung wären Ernest und Mum sich niemals über den Weg gelaufen. Aber das gemeine Schicksal und Ernests Fachgebiet – internationales Wirtschaftsrecht – hatten ihn vor einem halben Jahr nach Pretoria geführt, wo er und Mum sich auf einer Party kennengelernt hatten. Und wir hatten sie noch ermutigt, auf diese Party zu gehen, wir Dummköpfe. Damit sie mal unter Leute kam.

Und jetzt hatten wir den Salat.

»Halt still, Herzchen!« Lottie zog und zerrte an meinem Rock herum, allerdings vergeblich. Er blieb eine Handbreit zu kurz.

Lottie Wastlhuber war vor zwölf Jahren als Au-pair-Mädchen zu uns gekommen und einfach geblieben. Zu unserem Glück. Wir wären sonst ausschließlich mit Sandwiches ernährt worden, denn Mum vergaß das Essen meistens, und sie hasste Kochen. Ohne Lottie hätte uns niemand ulkige Gretel-Frisuren geflochten, Puppengeburtstage gefeiert oder mit

19

uns Weihnachtsbaumschmuck gebastelt. Ja, wahrscheinlich hätten wir nicht mal einen Weihnachtsbaum gehabt, Mum hatte es nämlich auch nicht so mit Traditionen und Bräuchen. Außerdem war sie schrecklich vergesslich, da erfüllte sie voll und ganz das Klischee vom zerstreuten Professor. Sie vergaß einfach alles: Mia vom Flötenunterricht abzuholen, den Namen unseres Hundes oder wo sie den Wagen geparkt hatte. Ohne Lottie wären wir alle verloren gewesen.

Unfehlbar war Lottie allerdings auch nicht. Wie jedes Jahr hatte sie meine Schuluniform eine Nummer zu klein gekauft, und wie jedes Jahr wollte sie mir die Schuld dafür in die Schuhe schieben.

»Ich verstehe nicht, wie ein Mensch in einem einzigen Sommer so viel wachsen kann«, jammerte sie und versuchte, die Jacke über meiner Brust zuzuknöpfen. »Und dann auch noch … oben herum! Das hast du doch mit Absicht gemacht!«

»Ja, klar!« Obwohl ich denkbar schlecht gelaunt war, musste ich grinsen. Lottie hätte sich ruhig ein bisschen für mich freuen können. »Oben herum« war zwar immer noch nicht beeindruckend für eine fast Sechzehnjährige, aber wenigstens war ich jetzt nicht mehr flach wie ein Brett. Deshalb fand ich es auch gar nicht so schlimm, die Jacke offen lassen zu müssen. Es wirkte zusammen mit dem zu kurzen Rock ziemlich lässig, beinahe so, als wollte ich absichtlich möglichst viel von meiner Figur zeigen.

20

»Bei Liv sieht es viel besser aus«, beschwerte sich Mia, die schon fix und fertig angezogen war. »Warum hast du meine Schuluniform nicht auch eine Nummer zu klein gekauft, Lottie? Und warum sind Schuluniformen überall immer nur dunkelblau? Und warum heißen die Frognal Academy und haben nicht mal einen Frosch im Wappen?« Missmutig strich sie über das gestickte Emblem auf ihrer Brusttasche. »Ich sehe doof aus. Überhaupt ist hier alles doof.« Sie drehte sich langsam um ihre eigene Achse, zeigte auf die fremden Möbelstücke ringsherum und sagte dabei mit extra lauter Stimme: »Doof. Doof. Doof. Stimmt's, Livvy? Wir hatten uns so auf das Cottage in Oxford gefreut. Stattdessen sind wir *hier* gelandet …«

»Hier« – das war die Wohnung, vor der uns Ernest gestern Abend abgesetzt hatte, im dritten Stock eines noblen Mehrfamilienhauses, irgendwo im Nordwesten von London, mit vier Schlafzimmern, glänzenden Marmorböden und lauter Möbeln und Gegenständen, die nicht uns gehörten. (Die meisten davon waren vergoldet, sogar die Sofakissen.) Laut Klingelschild wohnten hier eigentlich Leute mit dem Namen »Finchley«, und die sammelten augenscheinlich Ballerinen aus Porzellan. Sie waren einfach überall.

Ich nickte also zustimmend. »Nicht mal unsere wichtigsten Sachen sind hier«, sagte ich ebenfalls lauthals.

»Pssssst«, machte Lottie und warf einen besorgten Blick über ihre Schulter. »Ihr wisst genau, dass das nur vorübergehend ist. Und dass das Cottage eine Katastrophe war.« Sie hatte es aufgegeben, an meiner Kleidung herumzuzupfen, es half ja ohnehin nichts.

»Ja, das behauptet Mr Spencer«, sagte Mia. (Wir sollten ihn beim Vornamen nennen, aber wir taten immer so, als hätten wir das vergessen.)

»Eure Mutter hat die Ratte mit eigenen Augen gesehen«, sagte Lottie. »Möchtet ihr wirklich in einem Haus mit Ratten leben?«

»Ja«, erwiderten Mia und ich gleichzeitig. Erstens waren Ratten besser als ihr Image (das wusste man ja spätestens seit »Ratatouille«), und zweitens war das mit der Ratte unter Garantie genauso frei erfunden wie der Rest. Ganz doof waren wir ja nicht – wir wussten genau, was hier gespielt wurde. Mum hatte gestern Abend ein klitzekleines bisschen zu dick aufgetragen, um uns zu überzeugen. Angeblich habe es in unserem Traumcottage nach Schimmel gerochen, die Heizung habe nicht richtig funktioniert, in den Kaminen hätten Krähen genistet, die Nachbarn seien lärmende Proleten gewesen und die Umgebung trostlos. Außerdem seien die Verkehrsanbindungen ungünstig, und die Schule, an der wir ursprünglich angemeldet gewesen waren, habe einen ganz schlechten Ruf. Deshalb, sagte Mum, sei sie gezwungen gewesen, den Mietvertrag wieder zu kündigen und diese Wohnung hier anzumieten – vorübergehend, natürlich. (Wie alles, wo wir bisher drin gewohnt hatten.)

Ja, gut, gab Mum zu, das war alles hinter unserem Rücken passiert, aber doch nur, weil sie uns die Ferien bei Papa nicht hatte verderben wollen. Überhaupt, sagte sie, wollte sie ja nur das Beste für uns – sie würde jeden Tag nach Oxford pendeln, damit wir hier in eine exzellente Schule gehen konnten, und –»mal ehrlich, ihr Mäuse!« – war es denn nicht cooler, in London zu wohnen, als da draußen auf dem Land?

Selbstverständlich hatte das Ganze nicht im Geringsten etwas damit zu tun, dass Mr Ernest ich-weiß-was-gut-für-euch-ist Spencer zufällig auch in diesem Teil von London lebte und Mum möglichst nahe bei sich haben wollte. Und die Schule, auf die wir nun gingen, war auch nur ganz zufällig dieselbe Schule, auf die auch Ernests Kinder gingen. Die wir ja heute genauso zufällig bei diesem Abendessen in Ernests Haus kennenlernen sollten.

Da bahnte sich eine Katastrophe an, so viel war klar. Das Ende einer Ära.

»Mir ist schlecht«, sagte ich.

»Ihr seid nur aufgeregt.« Mit der einen Hand streichelte Lottie beruhigend über Mias Schulter, während sie mir mit der anderen eine Haarsträhne hinter das Ohr strich. »Das ist auch völlig normal am ersten Schultag in einer neuen Schule. Aber ihr könnt mir glauben: Es gibt für euch absolut keinen Grund für Minderwertigkeitsgefühle. Ihr seht beide sehr, sehr hübsch aus, und schlau, wie ihr seid, müsst ihr euch auch keine Sorgen machen, dass ihr im Unterricht nicht mitkommt.« Liebevoll lächelte sie uns an. »Meine einmalig klugen, wunderschönen, blonden Elfenmädchen.«

»Ja, einmalig kluge, wunderschöne, blonde Elfenmädchen mit Zahnspange und Nerdbrille und viel zu langer Nase«, murrte Mia, ohne sich darum zu kümmern, dass Lotties braune Kulleraugen vor lauter Rührung ein wenig feucht geworden waren. »Und ohne festen Wohnsitz.«

Dafür mit einer durchgeknallten Mutter, dem wohl dienstältesten Aupair-Mädchen der Welt und einem Scherbenhaufen voller geplatzter Landlebenträume, ergänzte ich in Gedanken, aber ich konnte nicht anders, als Lotties Lächeln zu erwidern, sie war einfach zu süß, wie sie dastand und uns voller Besitzerstolz und Optimismus anstrahlte. Außerdem war es ja nicht ihre Schuld.

»Die Zahnspange musst du nur noch ein halbes Jahr tragen. Das hältst du auch noch durch, Mia-Maus.« Meine Mutter war von nebenan hereingekommen. Wie immer hatte sie nur den Teil gehört, den sie hören wollte. »Hübsche Schuluniformen sind das aber.« Sie schenkte uns ein sonniges Lächeln und fing an, in einem Umzugskarton mit der Aufschrift »Schuhe« herumzuwühlen.

Klar, dass Mums Schuhe mit in diese Spießer-Bude gezogen waren, während meine Bücherkisten in irgendeinem Speditionscontainer vor sich hin gammelten, zusammen mit meinen geheimen Notizheften und dem Gitarrenkoffer.

Böse starrte ich auf Mums schmalen Rücken. Dass

Mr Spencer von ihr hingerissen war, konnte man durchaus verstehen. Für eine Literaturprofessorin sah sie nämlich wirklich gut aus, naturblond, langbeinig, blauäugig, mit tollen Zähnen. Sie war sechsundvierzig, was man aber nur im hellen Morgenlicht sah, wenn sie am Abend vorher zu viel Rotwein getrunken hatte. An guten Tagen sah sie aus wie Gwyneth Paltrow. Allerdings war ihr neuer Haarschnitt fürchterlich, man konnte denken, sie sei beim selben Friseur gewesen wie Herzogin Camilla.

Mum warf die Schuhe, die sie nicht brauchte, hinter sich auf den Teppich. Unsere Hündin Butter – mit vollem Namen *Princess Buttercup formerly known as Doctor Watson* (Doctor Watson stammte aus der Zeit, bevor wir wussten, dass sie kein Rüde war) – schnappte sich einen Joggingschuh und schleppte ihn zu ihrem improvisierten Schlafplatz unter dem Couchtisch, wo sie ihn genüsslich zu zerkauen begann. Niemand von uns hinderte sie daran, schließlich hatte sie es im Moment auch nicht leicht. Ich wette, sie hatte sich genauso auf das Haus mit Garten gefreut wie wir. Aber sie hatte natürlich auch keiner gefragt. Hunde und Kinder hatten in diesem Haushalt keinerlei Rechte.

Ein zweiter Joggingschuh flog mir gegen das Schienbein. »Mum«, sagte ich unfreundlich. »Muss das sein? Als ob es hier nicht schon chaotisch genug wäre.«

Mum tat, als habe sie mich nicht gehört, und wühlte weiter in der Schuhkiste herum, und Lottie bedachte mich mit einem vorwurfsvollen Blick. Ich starrte finster zurück. Fehlte ja wohl noch, dass ich jetzt nicht mal mehr was sagen durfte.

»Da sind sie ja.« Mum hatte endlich die gewünschten Schuhe – ein Paar schwarze Pumps – gefunden und hielt sie triumphierend in die Höhe.

»Na, das ist ja die Hauptsache«, sagte Mia giftig.

Mum schlüpfte in die Pumps und drehte sich zu uns um. »Von mir aus können wir«, sagte sie fröhlich. Dass Mia und ich sie mit Blicken bedachten, von denen andernorts die Milch sauer wurde, schien sie nicht zu stören.

Lottie umarmte uns. »Ihr schafft das schon, meine Kleinen. Es ist ja nun wirklich nicht euer erster erster Schultag.«

3.

Ich hob mein Kinn und straffte die Schultern, so gut das in der engen Jacke eben ging. Lottie hatte recht – das war nun wirklich nicht unser erstes Mal an einer neuen Schule, wir hatten schon weit Schlimmeres überstanden. Dieses Mal konnten wir immerhin die Landessprache verstehen und sprechen, das war zum Beispiel in Utrecht nicht der Fall gewesen. Obwohl Mum hartnäckig behauptete, wer Deutsch beherrsche, verstünde auch Niederländisch. (Natuurlijk! En de aarde is een platte schijf, Mum!) Und bestimmt musste man hier auch nicht befürchten, auf der Toilette einem Riesentausendfüßler zu begegnen wie in Hyderabad. (Ich träumte manchmal noch von diesem Vieh – es war länger als mein Unterarm gewesen, und noch schlimmer, es hatte mich angeguckt, aus gruseligen Tausendfüßleraugen!) Im Gegenteil, wahrscheinlich war hier alles so keimfrei sauber, dass man sich sogar bedenkenlos auf die Klobrille setzen konnte. Die Frognal Academy für Jungen und Mädchen war eine Privatschule im noblen Londoner Stadtteil Hampstead, was bedeutete, dass die Kinder hier morgens nicht mit Metalldetektoren nach Waffen durchsucht wurden wie auf meiner vorvorletzten Schule in Berkeley, Kalifornien. Und bestimmt gab es hier auch noch nettere Schüler als dieses Mädchen hier, das mich schon die ganze Zeit anschaute, als ob ich schlecht riechen würde. (Was ich nicht tat – schon wegen des Käses hatte ich eine Viertelstunde länger geduscht als normal.)

Ich konnte nur hoffen, dass man Mia eine nettere »Patin« zugewiesen hatte.

»Ist Liv die Abkürzung für Livetta oder für Carlivonia?«

Wie bitte? Wollte sie mich verarschen? Niemand auf der Welt hieß Livetta oder Carlivonia, oder? Andererseits – sie selbst hieß *Persephone*.

»Olivia«, sagte ich und ärgerte mich über mich selber, weil ich mir unter Persephones kritischem Blick schon die ganze Zeit wünschte, Lottie hätte die Schuluniform doch in der richtigen Größe eingekauft. Und dass ich meine Kontaktlinsen anstelle der Nerdbrille angezogen hätte, die zusammen mit dem strengen Pferdeschwanz einen seriösen Gegenpol zu dem zu kurzen Rock und der zu engen Jacke bilden sollte. Was sie ja auch tat.

Die Direktorin hatte Persephone zu meiner Patin bestimmt, weil ein Stundenplanabgleich ergeben hatte, dass wir nahezu alle Kurse gemeinsam hatten. Vorhin im Schulleiterbüro hatte sie mich noch ganz freundlich angelächelt, ja, ihre Augen hatten richtig geleuchtet, als die Direktorin ihr erklärte, dass ich zuvor unter anderem in Südafrika und den Niederlanden gelebt hatte. Aber das Leuchten war sofort erloschen, als ich ihre Frage, ob meine Eltern Diplomaten seien oder eine Diamantenmine besäßen, mit nein beantworten musste. Seitdem hatte sie auch das Lächeln eingestellt und stattdessen die Nase gerümpft. Das machte sie jetzt immer noch. Sie sah aus wie eines der mürrischen Äffchen, die einem in Hyderabad das Frühstück klauten, wenn man nicht aufpasste.

»Olivia?«, wiederholte sie. »Ich kenne mindestens zehn Olivias. Die Katze meiner Freundin heißt auch Olivia.«

»Dafür bist du die erste Persephone, die ich kennenlerne.« *Weil das ein Name ist, den man nicht mal einer Katze geben würde.*

Persephone warf im Gehen die Haare in den Nacken. »Bei uns in der Familie haben alle Namen aus der griechischen Mythologie. Meine Schwester heißt Pandora und mein Bruder Priamos.«

Die Ärmsten. Aber immer noch um Längen besser als Persephone. Weil die mich von der Seite anschaute, als würde sie eine Antwort erwarten, sagte ich schnell: »Und alle Namen fangen mit einem P an. Wie äh … praktisch.«

»Ja. Das passt zu unserem Nachnamen. Porter-Peregrin.« Persephone Porter-Peregrin (ach du Scheiße) warf erneut ihre Haare in den Nacken und stieß eine Glastür auf, die über und über mit Plakaten und Zetteln beklebt war.

Ein kitschiges Filmplakat fiel mir besonders ins Auge. »Herbstball« hieß der Film, und unter der goldenen

Schrift tanzte ein Paar in Frack und rosa Tüllkleid durch ein Meer bunter Blätter. Der Film startete am 5. Oktober, und Karten dafür gab es im Sekretariat. Ich liebte Kino – aber für alberne Highschool-Romanzen dieser Art war mir mein Taschengeld wirklich zu schade. Man wusste doch immer schon nach fünf Sekunden, wie der Film ausgehen würde.

Hinter der Glastür war es mit der Ruhe vorbei. Plötzlich waren wir von Schülern umringt, die in alle Richtungen gleichzeitig strömten. In der Frognal Academy waren Unter-, Mittel- und Oberstufe unter einem Dach untergebracht, und ich hielt automatisch Ausschau nach Mias hellem Blondschopf. Es war das erste Mal seit Jahren, dass wir wieder an derselben Schule unterrichtet wurden, und ich hatte Mia eingeschärft, beiläufig zu erwähnen, dass ihre große Schwester Kung-Fu konnte, falls jemand ihr irgendwie komisch kommen sollte.

Aber Mia war nirgendwo zu entdecken. Nur mit Mühe konnte ich Persephone durch das Gewühl folgen. Der persönliche Teil unseres Gespräches schien nun auch vorbei zu sein, offenbar hatte sie keine Lust, sich mehr als nötig mit jemandem abzugeben, der wie die Katze ihrer Freundin hieß und dessen Eltern weder Diplomaten waren noch eine Diamantenmine besaßen.

»Kantine Unterstufe.« Wie ein schlecht gelaunter Reiseleiter zeigte sie ab und zu irgendwohin und warf in leierndem Tonfall Stichworte über ihre Schulter, ohne sich darum zu kümmern, ob sie auch bei mir ankamen. »Cafeteria Mittel- und Oberstufe erster Stock. Toiletten da. Computerräume lila. Naturwissenschaften grün.«

Wieder eine Glastür voller Plakate. Und wieder stach »Herbstball« besonders geschmacklos hervor. Dieses Mal blieb ich stehen, um es mir näher anzuschauen. Ja, das schien ein Film der allerschlimmsten Sorte zu sein. Das Mädchen auf dem Bild sah den Typ, mit dem sie tanzte, schmachtend an, er hingegen guckte ein wenig verkniffen, als ob er neidisch sei, weil sie ein Diadem tragen durfte und er nur einen fiesen Seitenscheitel.

Aber vielleicht tat ich dem Film ja unrecht, und es war gar nicht der übliche Highschool-Mist mit der intriganten blonden Cheerleaderin, dem charmanten, aber oberflächlichen Footballkapitän und der armen, wunderschönen Außenseiterin mit dem goldenen Herzen, vielleicht war »Herbstball« ja auch ein Spionagethriller, und das rosa Tüllkleid, das schmachtende Lächeln und die alberne Tiara nur Tarnung, um dem Seitenscheitelbubi den Schlüssel zu einem Safe voller geheimer Papiere zu entwenden, mit denen man die Welt retten konnte. Oder der Typ war ein Serienkiller und hatte es auf Highschool-Mädchen abge...

»Vergiss es!« Persephone hatte offenbar gemerkt, dass ich nicht mehr hinter ihr herhechtete, und war zurückgekommen. »Der Ball ist für die Oberstufe. Aus den niedrigeren

Klassenstufen kann man da nur hin, wenn man eingeladen wird.«

Es dauerte ein paar Sekunden, bis ich begriff, was sie mir damit sagen wollte (es war ein weiter Weg vom Serienkiller zurück), und das war exakt die Zeit, die Persephone benötigte, um einen Lippenstift aus ihrer Tasche zu holen und die Hülle abzuschrauben.

Gott, war ich dämlich. »Herbstball« war gar kein Film, sondern schnöde Wirklichkeit. Ich musste ein bisschen kichern.

Neben uns begannen ein paar Schüler, Ball zu spielen. Mit einer Pampelmuse. »Es ist ein Traditionsball zur Erinnerung an das Gründungsjahr dieser Schule. Alle müssen in viktorianischen Kostümen erscheinen. Ich werde natürlich hingehen.« Persephone zog sich die Lippen nach. Zuerst wollte ich sie bewundern, weil sie das ohne Spiegel konnte, aber dann sah ich, dass es sich um einen farblosen Lippenstift handelte, den sie bedenkenlos bis zu ihrer Nase verschmieren konnte. »Mit einem Freund meiner Schwester. Sie ist im Ballkomitee. He, ihr Idioten, lasst das gefälligst.« Die Pampelmuse war haarscharf über ihren Kopf gezischt. Eigentlich schade.

»Aber es gibt eine Weihnachtsparty für alle Klassen«, setzte Persephone gönnerhaft hinzu. »Da kannst du dann mit deiner kleinen Schwe…« An dieser Stelle hörte sie auf zu sprechen, mehr noch, sie hörte auch auf zu atmen. Sie starrte einfach nur an mir vorbei, wie ein zu Stein gewordenes Äffchen mit gezücktem Lipgloss.

Ich drehte mich um, um nach der Ursache für ihren Atemstillstand zu suchen. Ein Ufo war jedenfalls nicht gelandet. Dafür aber eine Gruppe älterer Schüler, die sich ähnlich auffällig aus der Menge abhoben. Es waren vier Jungs, und fast jeder in diesem Korridor schien sie anzustarren. Vielleicht, weil sie zwar lässig in ein Gespräch vertieft daherschlenderten, aber trotzdem im Gleichschritt gingen, wie im Takt zu einer Musik, die nur sie hören konnten. Eigentlich fehlte nur noch die Zeitlupe und eine Windmaschine, die ihnen die Haare aus dem Gesicht blies. Sie kamen geradewegs auf uns zu, und ich überlegte, welcher von ihnen Persephone wohl in eine Salzsäule verwandelt hatte. Wie ich das auf die Schnelle überblicken konnte, hatte jeder von ihnen das Zeug dazu, vorausgesetzt, sie stand auf große, blonde, sportliche Typen. (Was ich nicht tat – ich hatte ein Faible für dunkelhaarige, grüblerisch veranlagte Jungs, die Gedichte lasen und Saxophon spielten und gerne Sherlock-Holmes-Filme anschauten. Leider hatte ich davon bisher noch nicht viele getroffen. Na gut: Ich hatte noch keinen getroffen. Aber irgendwo da draußen musste es sie doch geben!) Am auffälligsten gutaussehend war der zweite von links, mit goldblonden Locken, die ein ebenmäßiges, engelsgleiches Gesicht umrahmten. Auch ganz aus der Nähe wirkte sein Teint wie aus Porzellan, ohne jede Pore, geradezu unnatürlich perfekt.

Neben ihm sahen die anderen drei dann doch eher normal aus.

Persephone gab ein heiseres Röcheln von sich. »Hi, Japskrch.«

Sie bekam keine Antwort, die Jungs waren viel zu sehr in ihre Unterhaltung vertieft, um uns eines Blickes zu würdigen. Vermutlich hieß auch keiner von ihnen Japskrch.

Wieder kam die Pampelmuse geflogen, und ganz bestimmt wäre sie Salzsäulen-Persephone direkt gegen die Nase gedonnert, wenn ich nicht vorgeschnellt wäre, um sie aufzufangen. Es war mehr ein Reflex als eine überlegte gute Tat, wenn ich ehrlich bin, und dummerweise hatte einer von den Typen aus dem Club der lässigen Blondinen (der ganz links) die gleiche Idee beziehungsweise den gleichen Reflex, weswegen wir im Sprung mit den Schultern aneinanderrempelten. Die Pampelmuse landete aber in meiner Hand.

Der Junge sah auf mich herunter. »Nicht schlecht«, sagte er anerkennend, während er seinen hochgerutschten Ärmel wieder zurechtzupfte. Nicht schnell genug für mich. Ich hatte die Wörter gelesen, die auf der Innenseite seines Handgelenks eintätowiert waren: *numen noctis.*

Er grinste mich an. »Basketball oder Handball?«

»Weder noch. Ich hatte nur Hunger.«

»Ach so.« Er lachte, und gerade wollte ich meinen bevorzugten Typ noch einmal überdenken und zugunsten großer, tätowierter Jungs mit blasser Haut, verstrubbeltem honigblondem Haar und schiefergrauen Augen über den Haufen werfen, als er hinzusetzte: »Du bist doch das Käsemädchen vom Flughafen. Was war das noch mal für eine Sorte?«

Dann eben nicht. »Entlebucher Biosphärenkäse«, sagte ich würdevoll und rückte ein Stück von ihm ab. So gut sah er nun auch wieder nicht aus. Die Nase war zu lang, unter seinen Augen lagen dunkle Schatten, und die Haare hatten bestimmt noch nie einen Kamm gesehen. Ich erkannte ihn wieder, er war der Typ, der im Flugzeug so unnatürlich schnell eingepennt war. Jetzt wirkte er allerdings hellwach. Und äußerst amüsiert.

»Entlebucher Biosphärenkäse, richtig«, wiederholte er mit einem schadenfrohen Kichern.

Ich sah betont desinteressiert an ihm vorbei.

Der Porzellanteint-Engel war weitergegangen, aber einer seiner blonden Freunde war neben Persephone stehen geblieben. Er kam mir bekannt vor, aber ich musste ihn mindestens fünf Sekunden lang anstarren, um zu begreifen, warum. Und dann hätte ich beinahe laut gequiekt. Unglaublich! Vor mir stand Ken! Die fleischgewordene und lebensgroße Version der Barbiepuppe, die Mia zu Weihnachten von unserer Großtante Gertrude bekommen hatte. Rasierspaß-Ken, um es genauer zu fassen. (Tante Gertrudes Geschenke waren immer für einen Lacher gut. Mir hatte sie ein Bügelperlen-Set geschenkt.)

Persephone schien immerhin so weit aus ihrer Erstarrung

erwacht, dass sie wieder atmen und ihre Augen rollen konnte. Ihre Wangen waren unnatürlich rot, aber ich konnte nicht erkennen, ob vor Wut oder Sauerstoffmangel. Die Jungs, die Pampelmusen-Ball gespielt hatten, waren wohlweislich verschwunden.

»Eine neue Freundin von dir, Aphrodite?«, erkundigte sich Rasierspaß-Ken und zeigte auf mich.

Persephones Wangen färbten sich noch ein wenig dunkler. »Oh, hi *Jasper*! Dich sehe ich ja jetzt erst«, sagte sie, und ihre Stimme klang beinahe normal (also kolossal blasiert), nur ein bisschen schriller als zuvor. »Und Gott, nein! Die Cook hat sie mir aufs Auge gedrückt. Neue Schülerin. Olive Irgendwas. Ihre Eltern sind Missionare oder so.«

Oder so. Durch meine Missionarstochterbrille warf ich ihr einen ungläubigen Blick zu. War das die einzige Alternative, die ihr zu Diamantminenbesitzern und Diplomaten einfiel?

Rasierspaß-Ken musterte mich von oben bis unten und strich sich dabei über das stoppelige Kinn. Ich musste ihn unbedingt Mia zeigen, die Ähnlichkeit war bestürzend. (*Ken hat eine Verabredung mit Barbie. Da stört sein Drei-Tage-Bart. Hilf ihm, sich zu rasieren.*)

»Wie heißt du?«, fragte er.

»Hast du doch gehört: Olive Irgendwas«, antwortete ich. (Barbie ist von Kens Benehmen etwas befremdet. Normalerweise hat er doch bessere Manieren und guckt nicht so lüstern. Deshalb denkt sie auch gar nicht daran, ihm ihren richtigen Namen zu nennen.)

Wieder strich er sich über das Kinn. »Wenn deine Eltern Missionare sind, dann bist du doch unter Garantie noch ...«

»Wir müssen weiter«, fiel ihm der Flugzeug-Junge ins Wort und packte ihn ziemlich grob am Arm. »Komm, Jasper.«

»Man wird ja wohl mal fragen dürfen.« Rasierspaß-Ken konnte sich offenbar nur schwer von meinem Anblick losreißen. »Schöne Beine, übrigens. Für eine Missionarstochter.«

Ich machte den Mund auf, um etwas zu erwidern (als ob er auch nur eine einzige Missionarstochter kennen würde, dieser Angeber!), aber bevor ich etwas sagen konnte, hatte Persephone eine Hand in meinen Ärmel gekrallt. »Wir müssen auch weiter. Wir haben Chemie bei der Roberts, da will ich nicht gleich am ersten Tag zu spät kommen.«

Ich stolperte, als sie mich vorwärtszog, war aber ganz dankbar, dass wir gingen, denn es wollte mir einfach keine perfekte Antwort einfallen.

Tittle-Tattle

★ B L O G ★

Der Frognal Academy Tittle-Tattle-Blog mit dem neusten Klatsch, den besten Gerüchten und brandheißen Skandalen unserer Schule

ÜBER MICH:
Mein Name ist Secrecy – ich bin mitten unter euch und kenne all eure Geheimnisse

UPDATE   ACTIVITY

3. September

Die Schule hat wieder begonnen – und damit ein herzliches Willkommen zurück an alle Stammleser. Für alle, die neu dazugekommen sind: Versucht gar nicht erst herauszufinden, wer ich bin, das ist bisher noch keinem gelungen.

Habt ihr Hazel-die-Dampfwalze-Pritchard gesehen? Nicht wiederzuerkennen, oder? Dreizehneinhalb Kilo Speck sind weg. Ihre Mum hat sie in ein Hardcore-

Abnehmcamp nach Schottland geschickt, wo sie sich für 600 Pfund am Tag ausschließlich von Magerquark, Selleriedrinks und Wasser ernährt hat. Das soll allerdings niemand wissen, die offizielle Version besagt, dass Hazel wegen einer Allergie eine kleine Ernährungsumstellung vornehmen musste und gar nicht gemerkt hat, dass sie dabei aus Versehen immer dünner geworden ist … So oder so, den Beinamen Dampfwalze hat sie nun nicht mehr verdient. Hazel-aus-Versehen-dünn-Pritchard ist aber ein wenig sperrig – was meint ihr?

An der Frognal Academy beginnt ja nun wieder der jährliche Krimi: Wer geht mit wem zum Herbstball und warum? Da das Ballkomitee die Wahl von Ballkönig und -königin abgeschafft hat (hat jemand von euch die Begründung verstanden? Was hat so eine Wahl mit Mobbing und Diskriminierung zu tun?), habe ich beschlossen, diese schöne Tradition fortzuführen und hier eine interne Wahl vorzunehmen. Ihr könnt mir eure Vorschläge gerne mailen an secrecy.buzz@yahoo.com.

Die brennendste Frage ist natürlich: Wer wird sich Arthur Hamilton angeln? Für die Neuen: Arthur ist der schönste Junge der Schule oder eigentlich der gesamten westlichen Hemisphäre. Und nach dem Weggang von Colin Davison ist er jetzt auch der neue Kapitän unserer Basketball-Mannschaft. Offiziell ist Arthur mit Anabel Scott zusammen, die letztes Schuljahr ihren Abschluss gemacht hat und jetzt in Sankt Gallen in der Schweiz studiert, aber – Jungs bitte mal weglesen, das hier ist nur für die Mädchen! – INoffiziell ist er definitiv wieder zu haben, und das sage ich nicht nur, weil ich Fernbeziehungen grundsätzlich keine lange Lebensdauer einräume. Gut, bei Facebook ist ihr Beziehungsstatus unverändert, aber ehrlich: Hat irgendjemand von euch die beiden seit dem Abschlussball noch einmal zusammen gesehen? Und warum sieht Anabel immer so aus, als würde sie jeden Augenblick in Tränen ausbrechen?

Aber wen wundert's? Mich jedenfalls nicht. Inzwischen muss ja nun wirklich jeder mitbekommen haben, dass Anabel und Arthur seit dem tragischen Tod von Anabels Exfreund Tom Holland nicht mehr dieses strahlende Traumpaar waren, bei dessen Anblick man blass vor Neid werden konnte. Für die Neulinge: Ihr habt ja so viel verpasst: Der arme Tom ist letzten Juni bei einem Autounfall ums Leben gekommen. Und von wegen Ex! Dass es zwischen ihm und Anabel immer noch heftig geknistert hat, habe ich ja hier ein paarmal angedeutet, und jeder hat es kapiert, na ja, bis auf Arthur vielleicht. Aber spätestens bei Anabels bühnenreifem

Weinkrampf auf Toms Beerdigung dürfte er es dann auch gemerkt haben. (Und es war übrigens nicht Arthur, der Anabel getröstet hat, sondern Henry Harper – nur zur Auffrischung eurer Erinnerung und um euch noch ein bisschen mehr zu verwirren. ☺)

Also, was meint ihr: Wer wird Arthurs Neue? Wetten werden gerne entgegengenommen.

Wir sehen uns!

Eure Secrecy

4

»Meine Patin heißt Daisy Dawn Steward!«, sagte Mia, und bei jedem Konsonant flogen Krümel aus ihrem Mund. »Ihr Hobby ist *Taylor Lautner*. Sie hat den ganzen Tag nur von ihm gesprochen.«

Ha, das konnte ich aber mühelos übertrumpfen. »Meine Patin heißt Persephone Porter-Peregrin. Und sie hat *gar* nicht mehr mit mir gesprochen, nachdem sie mich in den ersten Klassenraum geschleift hatte. Was allerdings nicht so schlimm war, ich glaube, ihr Hobby ist Naserümpfen.«

»Wirklich seltsame Namen – wie bei Rennpferden«, sagte Lottie. Über das Taylor-Lautner-Hobby sagte sie nichts, sie hatte selber vorletztes Jahr ein Poster von ihm aufgehängt. In der Innenseite ihres Wandschranks. Angeblich, weil sie Wölfe so süß fand.

Trotz der mit Goldfäden durchzogenen Schottenkaro-Vorhänge und der allgegenwärtigen Porzellanballerinen war es gerade ziemlich gemütlich in der Küche der fremden Wohnung. Spätsommerlicher Regen prasselte gegen das Fenster, und in der Luft lag ein beruhigender Duft von Vanille und Schokolade. Lottie hatte nämlich unsere Lieblingsplätzchen gebacken: Vanillekipferl nach einem Rezept ihrer

Großmutter. Dazu gab es heißen Kakao mit einer Sahnehaube und Schokostreuseln. Und Handtücher für unsere regennassen Haare. Diese geballte Ladung von Fürsorge, Fett und Zucker heiterte uns tatsächlich vorübergehend auf. Lottie hatte augenscheinlich viel mehr Mitleid mit uns, als sie zugeben wollte. Denn normalerweise verstieß es gegen ihre Prinzipien, Weihnachtsgebäck vor dem ersten Advent zu servieren, sie war sehr streng, wenn es um weihnachtliche Traditionen ging. Wehe, man summte im Juni »Stille Nacht, heilige Nacht« vor sich hin – da verstand Lottie keinen Spaß. Angeblich brachte das nämlich Unglück.

Eine Weile vergnügten wir uns damit, Plätzchen in uns hineinzustopfen und dabei imaginäre Pferderennen zu kommentieren: »Persephone Porter-Peregrin übernimmt auf der Innenbahn sofort die Führung, in diesem Jahr hat sie fast alle Derbys hier in Ascot für sich entscheiden können, ihren Konkurrenten Vanilla Kipferl lässt sie auch sofort hinter sich, aber was ist das? Mit der Startnummer fünf schiebt sich Daisy Dawn nach vorne, das wird spannend, auf der Zielgeraden ist sie gleichauf mit Persephone, und – ja! Das gibt es doch nicht! – Außenseiter Daisy Dawn gewinnt mit einer Nasenlänge Vorsprung!«

»Anders als Spekulatius oder Lebkuchen zählen Vanillekipferl nicht *so* zwingend zum Weihnachtsgebäck«, murmelte Lottie auf Deutsch und mehr zu sich selber als zu uns. Papa hatte damals auf einem deutschen Au-pair-Mädchen bestanden, damit wir seine Muttersprache besser sprechen lernten. Wenn er selber Deutsch mit uns sprach, neigten wir nämlich dazu, gar nicht oder auf Englisch zu antworten (beziehungsweise ich, Mia konnte zu dem Zeitpunkt noch gar nichts sagen außer »dadada«), und das entsprach so gar nicht seiner Vorstellung einer ordentlichen zweisprachigen Erziehung. Da Lottie anfangs kaum Englisch konnte, mussten wir uns bei ihr immer bemühen, Deutsch zu sprechen, und Papa frohlockte. Bis er feststellte, dass wir auch Lotties Dialekt übernahmen. Spätestens, als Klein-Mia ihm Brokkoli auf das Hemd spuckte und »Des ess i ned, host mi?« zu ihm sagte, war ihm klar, dass sein Plan doch nicht so ganz aufgegangen war.

»Sie können also durchaus als ganzjahrestaugliche Kekse durchgehen.« Lottie machte sich immer noch Sorgen, das Christkind könne ihr die Kipferl übelnehmen. »Natürlich nur in Ausnahmefällen.«

»Wir sind total schwere Ausnahmefälle«, versicherte ihr Mia. »Bedauernswerte Scheidungskinder ohne ein Zuhause und ohne Hoffnung, vollkommen orientierungslos in der großen, fremden Stadt.«

Das war leider kaum übertrieben: Den Heimweg hatten wir nur mit Hilfe freundlicher Passanten und eines netten Busfahrers gefunden. Da wir uns die Hausnummer unseres Übergangsheims nicht gemerkt hatten und die Häuser hier alle gleich aussahen, würden wir wohl immer noch da draußen im strömenden Regen herumirren wie Hänsel und Gretel im Wald, wenn Buttercup nicht oben am Fenster gestanden und wie wild gebellt hätte. Jetzt lag das kluge Tier mit dem Kopf auf meinem Schoß neben mir auf der Kücheneckbank und hoffte, dass ein Vanillekipferl auf wundersame Weise den Weg in sein Maul finden würde.

»Ihr habt es wirklich nicht leicht«, sagte Lottie mit einem tiefen Seufzer, und ich bekam kurzzeitig ein schlechtes Gewissen. Um Lotties Herz ein wenig zu erleichtern, hätten wir ihr erzählen können, dass es in der Schule eigentlich gar nicht so schlimm gewesen war, eher im Gegenteil. Hier war der erste Schultag deutlich besser verlaufen als zum Beispiel in Berkeley, wo diese Mädchengang damit gedroht hatte, meinen Kopf ins Klo zu stecken. (Am ersten Tag hatten sie nur damit gedroht, am fünften hatten sie es dann wirklich getan. Das war übrigens auch der Tag, an dem ich mich zum Kung-Fu-Unterricht angemeldet hatte.) Von diesem und anderen denkwürdigen ersten Schultagen war der heutige weit entfernt. Abgesehen von Persephone und Rasierspaß-Ken waren mir an der Frognal Academy keine Schüler unangenehm aufgefallen, und auch die Lehrer schienen okay zu sein. In keinem Fach hatte ich das Gefühl gehabt, nicht mitkommen zu können, die Französischlehrerin hatte meine Aussprache gelobt, die Klassenräume waren hell und freundlich, und sogar das Schulessen war ziemlich gut gewesen. Anstelle von Persephone hatte sich ganz ungefragt das Mädchen, das in Französisch neben mir gesessen hatte, meiner angenommen, mich mit zum Mittagessen genommen und ihren Freunden vorgestellt. Von ihnen erfuhr ich, dass man das Erbsenpüree meiden sollte und dass der Herbstball schon deshalb eine coole Angelegenheit war, weil dort nach dem steifen offiziellen Teil eine Band auftreten würde, von der ich leider noch nie etwas gehört hatte. Für einen ersten Schultag war es ziemlich gut gelaufen. Bei Mia sogar noch besser.

Ja, das hätten wir Lottie erzählen sollen, aber es tat so gut, bemitleidet und umsorgt zu werden – zumal der Tag noch nicht vorbei war. Das Schlimmste stand uns ja erst noch bevor: das Abendessen in Ernests Haus, bei dem wir seine Tochter und seinen Sohn kennenlernen sollten. Sie waren Zwillinge, siebzehn Jahre alt, und, wenn man Ernests Worten glauben wollte, wahre Ausbünde an Talent und Tugend. Ich hasste sie jetzt schon.

Lottie schien mit ihren Gedanken ebenfalls bei diesem Ereignis zu sein. »Ich habe dir für heute Abend den roten Samtrock und die weiße Bluse rausgehängt, Mia. Und dir habe ich das blaue Teestundenkleid deiner Mutter gebügelt, Liv.«

»Warum nicht gleich das kleine Schwarze mit den Strass-Steinchen?«, spottete ich.

»Ja, und Glacé-Handschuhe«, ergänzte Mia. »Tss. Das ist nur ein doofes Abendessen. An einem ganz gewöhnlichen Montag. Ich ziehe Jeans an.«

»Das kommt gar nicht in Frage«, sagte Lottie. »Ihr werdet euch von eurer besten Seite zeigen.«

»In Mums Teestundenkleid? Was ziehst du denn an, Lottie – dein Festtagsdirndl?« Mia und ich kicherten.

Lottie setzte eine hoheitsvolle Miene auf – beim Thema Dirndl verstand sie noch weniger Spaß als bei den Weihnachtstraditionen. »Das würde ich durchaus, denn mit einem Dirndl ist man immer passend angezogen. Aber ich bleibe hier bei Buttercup.«

»Was? Du willst uns da allein hingehen lassen?«, rief Mia.

Lottie schwieg.

»Oh, ich verstehe – Mr Spencer hat dich nicht eingeladen«, schlussfolgerte ich und hatte plötzlich ein äußerst ungutes Gefühl im Magen.

Mia riss empört ihre Augen auf. »Dieser blö...«

Sofort begann Lottie, Ernest zu verteidigen: »Das wäre auch äußerst unpassend. Schließlich bringt man zu so einer ... *Familienangelegenheit* nicht die Nanny mit.«

»Du gehörst aber doch zur Familie!« Mia zerbröselte ein Vanillekipferl, und Buttercup hob hoffnungsvoll den Kopf. »So ein blöder, arroganter Sack.«

»Nein, das ist er keineswegs«, widersprach Lottie. »Mr Spencers Verhalten mir gegenüber ist immer absolut tadellos. Er ist ein sehr netter und anständiger Mann, und ich glaube, seine Gefühle eurer Mutter gegenüber sind aufrichtig und ehrlich. Er hat sich wirklich sehr bemüht, eine

Lösung zu finden, nachdem sich herausgestellt hat, dass das Cottage unbewohnbar ist. Ohne seine Hilfe hätten wir diese Wohnung nicht bekommen, und ihr wärt niemals auf der Frognal Academy aufgenommen worden – sie sollen da eine ellenlange Warteliste haben. Ihr solltet also allmählich anfangen, ihn zu mögen.« Sie sah uns streng an. »Und ihr werdet euch heute Abend anständig anziehen.«

Das Problem war, dass Lottie genauso wenig streng gucken konnte wie Buttercup gefährlich. Das lag an diesen süßen braunen Hundeaugen, die sie beide hatten. Ich hatte sie in diesem Augenblick so lieb, dass ich vor Zuneigung hätte platzen können.

»Na gut«, sagte ich. »Wenn du mir dein Dirndl leihst.«

Mia kicherte unbändig. »Ja, das passt doch immer!«

»Nicht *mein* Dirndl passt immer, *ein* Dirndl passt immer.« Lottie setzte einen überlegenen Blick auf, warf ihre braunen Locken (Buttercup hatte ganz ähnliche) in den Nacken und fuhr dann auf Deutsch fort: »Ich will dich ja nicht desillusionieren, mein Herzchen. Aber für mein Dirndl hast du einfach noch nicht genug Holz vor der Hütt'n. Host mi?«

»Holz vor der Hütt'n« war dann wohl das Gegenteil von »platt wie ein Bügelbrett«. Mal schauen, wann ich mit diesem Ausdruck im Deutschunterricht glänzen konnte.

Ich wollte lachen, aber irgendwie kam nur ein komisches Schnauben heraus. »Ich hab dich lieb, Lottie«, sagte ich, viel ernster als beabsichtigt.

5.

Ich hatte Ernest Spencer ein viel protzigeres, größeres Heim
zugetraut und war beinahe enttäuscht, als das Taxi vor einem
vergleichsweise bescheiden aussehenden Backsteinhaus in der
Redington Road hielt. Traditionelle Bauweise, weiße Spros-
senfenster, mehrere Giebel und Erker, verborgen hinter hohen Hecken und Mauern, wie die meisten Häuser hier. Es
hatte aufgehört zu regnen, und die Abendsonne tauchte alles
in goldenes Licht.

»Ganz hübsch«, flüsterte Mia überrascht, als wir Mum
über den gepflasterten Weg zur Haustür folgten, vorbei an
blühenden Hortensien und zu Kugeln getrimmten Buchs-
bäumen.

»Du auch«, flüsterte ich zurück. Das stimmte: Mia sah
zum Anbeißen aus mit ihrer niedlichen Flechtfrisur, auf der
Lottie bestanden hatte, zum Ausgleich für die Jeans, die
Mum uns (sehr zu Lotties Unmut) erlaubt hatte. Vor allem
wohl auch deshalb, weil sie ihr frisch gebügeltes Teestundenkleid selber anziehen wollte.

Mum hatte die Türklingel betätigt, und wir hörten einen
harmonischen Dreiklang durch das Haus hallen. »Seid bitte
nett! Und versucht euch zu benehmen.«

»Soll das etwa heißen, wir dürfen bei Tisch nicht wie sonst immer mit dem Essen um uns werfen, laut rülpsen und unanständige Witze erzählen?« Ich pustete mir eine Haarsträhne aus dem Gesicht. Lottie hätte mir auch die Haare geflochten, aber ich war wohlweislich so lange in der Badewanne geblieben, dass keine Zeit mehr dafür gewesen war. »Mum, ehrlich, wenn hier jemand ermahnt werden sollte, sich zu benehmen, dann bist du das!«

»Genau! *Wir* haben nämlich tadellose Manieren. Guten Abend, mein Herr.« Mia machte einen koketten Knicks vor der mächtigen Steinfigur, die neben der Haustür stand, eine Mischung aus Adler (Kopf bis Brustkorb) und Löwe (der Rest), ziemlich dick geraten. »Gestatten, mein Name ist Mia Silber, das ist meine Schwester Olivia Silber, und die mit der gerunzelten Stirn ist unsere Raben-Mum, Professor Dr. Dr. Ann Matthews. Darf ich fragen, mit wem ich die Ehre habe?«

»Das ist der Fürchterliche Freddy, auch Fat Freddy genannt.« Die Haustür war lautlos geöffnet worden, und vor uns stand ein großer Junge, etwas älter als ich, in einem schwarzen, langärmeligen T-Shirt und Jeans. Ich atmete erleichtert auf. Gut, dass Raben-Mum das blöde Teestundenkleid selber angezogen hatte, ich hätte mich darin kolossal lächerlich gemacht.

»Meine Eltern haben ihn von meinen Großeltern zur Hochzeit geschenkt bekommen«, sagte der Junge und tätschelte dem Fürchterlichen Freddy den Schnabel. »Dad möchte ihn schon seit Jahren in die hinterste Ecke vom Garten verbannen, aber er wiegt schätzungsweise eine Tonne.« »Hallo, Grayson!« Mum küsste den Jungen auf beide Wangen und zeigte dann auf uns. »Das sind meine beiden Mäuse, Mia und Liv.«

Mia und ich hassten es, »Mäuse« genannt zu werden, es war so, als würde Mum damit jeden immer sofort auf unsere (möglicherweise tatsächlich etwas) zu groß geratenen Vorderzähne hinweisen.

Grayson lächelte uns an. »Hi. Freut mich, euch kennenzulernen.«

»Ja, jede Wette«, murmelte ich.

»Du hast Lippenstift an der Backe«, sagte Mia.

Mum seufzte, und Grayson sah ein bisschen verdutzt aus. Ich konnte nicht umhin festzustellen, dass er seinem Vater sehr ähnlich sah, wenn man sich die Haare wegdachte. Die gleichen breiten Schultern, die gleiche selbstbewusste Körperhaltung, das gleiche unverbindliche Politikerlächeln. Wahrscheinlich kam er mir deswegen so bekannt vor. Allerdings hatte er nicht so riesige Ohren wie Ernest, aber das konnte ja noch kommen. Ich hatte mal gelesen, dass Ohren und Nasen die einzigen Körperteile sind, die bis ins hohe Alter weiterwachsen.

Mum ging energischen Schrittes an Grayson vorbei, als ob sie sich bestens im Haus auskennen würde, und uns blieb nichts anderes übrig, als ihr zu folgen. Im Flur blieben wir unschlüssig stehen, denn Mum war verschwunden.

Grayson schloss die Tür hinter uns und wischte sich mit dem Handrücken über die Wangen. Dabei hatte Mia das mit dem Lippenstift nur erfunden.

»Wir sind ebenfalls ganz außer uns vor Freude, hier sein zu dürfen«, sagte Mia, nachdem wir einander ein paar Sekunden verlegen angestarrt hatten. »Gibt es wenigstens was Leckeres zu essen?«

»Ich glaube ja«, antwortete Grayson und lächelte schon wieder. Keine Ahnung, wie er das schaffte. Ich brachte es jedenfalls nicht fertig zurückzulächeln. Blöder Streber. »Mrs Dimbleby hat Wachteln auf dem Blech vorbereitet.«

Na, das passte doch wie die Faust aufs Auge. »Mrs Dimbleby?«, wiederholte ich. »Die Köchin, nehme ich an? Und Mr Dimbleby ist dann sicher der Gärtner.«

»Köchin und Haushälterin.« Grayson lächelte zwar immer noch, aber an der Art, wie er mich anschaute (eine Augenbraue leicht in die Höhe gezogen), merkte ich, dass er meinen spöttischen Unterton sehr wohl registriert hatte. Er hatte übrigens nicht Ernests blaue Augen geerbt, sondern hellbraune, die einen reizvollen Kontrast zu seinem blonden Haar bildeten. »Mr Dimbleby verkauft Versicherungen, soviel ich weiß. Dad macht die Gartenarbeit selber, er sagt, es entspannt ihn.« Die Augenbraue hob sich noch ein Stückchen höher. »*Ihr* habt ein Kindermädchen, habe ich gehört?«

»Na ja …« Mist. Glücklicherweise wurden wir von Ernest unterbrochen, an dessen Arm sich Mum klammerte wie an einen Rettungsring. Wie immer strahlte er uns an, als habe er noch nie etwas Erfreulicheres gesehen.

»Fein, Grayson hat euch schon die Mäntel abgenommen. Willkommen in der Casa Spencer. Kommt doch durch, Florence wartet mit der Vorspeise.«

Sowohl Grayson als auch Mia und ich verzichteten darauf, ihm zu erklären, dass wir gar keine Mäntel angehabt hatten (wie auch, wenn unsere Herbst- und Wintersachen noch in irgendeinem Umzugskarton lagerten?). Mum warf uns einen letzten mahnenden Blick zu, bevor wir Ernest und ihr stumm durch eine doppelflügelige Tür in das Ess- und Wohnzimmer folgten. Es war ein hübscher Raum mit Parkett, bodentiefen Fenstern, einem offenen Kamin, weißen, mit Kissen bestückten Sofas, einem Klavier und einem großen Esstisch, von dem man einen wunderbaren Blick in den Garten hatte. Es wirkte großzügig, aber nicht überdimensioniert, und dabei erstaunlich … *gemütlich*. Nie im Leben hätte ich Ernest solche unstylischen Sofas zugetraut, ein bisschen in die Jahre gekommen, mit zerrupften Kanten und nicht zusammenpassenden, bunten Kissen. Es gab sogar ein lustiges oranges Fellkissen in Katzenform, das sich räkelte, als wir an ihm vorbeigingen.

»Das ist Spot, unser Kater.« Ein Mädchen war an uns vorbeigeschwebt und hatte einen Teller auf dem Esstisch abgestellt. Unverkennbar Graysons Zwillingsschwester, sie hatte die gleichen hellbraunen Augen. »Und ihr müsst Liv und Mia sein. Ann hat uns schon so viel von euch erzählt. Das ist aber eine süße Frisur, die du da hast.« Das Lächeln schien ihr genauso leichtzufallen wie ihrem Bruder, bei ihr sah es aber noch liebenswürdiger aus, weil sie Grübchen in den Wangen hatte, ein dazu passendes Stupsnäschen und einen zarten, sommersprossigen Teint. »Ich bin Florence. Freut mich so, euch kennenzulernen.« Sie war klein und zierlich, aber mit üppiger Oberweite, das Gesicht wurde von glänzenden, kastanienbraunen Locken umrahmt, die sich bis auf ihre Schultern kringelten. Mia und ich konnten sie nur anglotzen. Sie war absolut umwerfend.

»Was für ein hübsches Kleid, Ann«, sagte sie zu Mum, mit einer Stimme süß wie Honig. »Blau steht dir ganz wunderbar.«

Plötzlich kam ich mir nicht nur grobschlächtig, besendürr und langnasig vor, sondern vor allem entsetzlich unreif. Mum hatte recht: Wir hatten wirklich keine Manieren. Wir hatten mit finsteren Blicken und pampigen Worten (und Schweizer Käse) um uns geworfen, nur um sie zu strafen. Wie bockige Kleinkinder, die sich im Supermarkt schreiend auf den Boden schmissen. Florence und Grayson hingegen gaben sich keine Blöße, sie benahmen sich erwachsen. Sie ließen sich nichts anmerken, sie lächelten, verteilten Komplimente und betrieben höfliche Konversation. Vielleicht freuten sie sich ja wirklich, dass ihr Vater unsere Mum kennengelernt hatte. Vielleicht taten sie aber auch einfach nur so. In jedem Fall waren sie uns weit überlegen.

Beschämt beschloss ich, mich ab jetzt genauso wohlerzogen und höflich zu verhalten. Was sich allerdings als nicht ganz so einfach herausstellen sollte.

»Zur Vorspeise gibt es nur eine Kleinigkeit.« Als alle ihren Platz eingenommen hatten, lächelte Florence Mia und mich von der anderen Tischseite herzlich an. »Weil Mrs Dimbleby viel zu viele Wachteln eingekauft hat. Ich hoffe, ihr mögt sie mit Selleriepüree.«

Tja, da fing es schon an. Sellerie. Würg. »Das klingt … interessant«, sagte ich so höflich und erwachsen wie nur möglich. »Interessant« passte eigentlich immer.

»Leider bin ich Vegetarierin«, behauptete Mia, wie so oft viel schlauer als ich. »Außerdem habe ich diese dumme Allergie gegen Sellerie.«

Und du bist bis oben hin vollgestopft mit Weihnachtskeksen, ergänzte ich stumm.

»Oh, na, dann mache ich dir ein Sandwich, wenn du möchtest.« Florence lächelte so strahlend, dass es in den Augen wehtat. »Ihr wohnt in der Stadtwohnung der Finchleys, nicht wahr? Sammelt Mrs Finchley noch diese zauberhaften Porzellanfigurinen?«

Ich überlegte, ob ich noch einmal »Ja, ganz interessant« sagen konnte, ohne negativ aufzufallen, da hatte Mia schon an meiner Stelle geantwortet: »Nein! Jetzt sammelt sie ganz grauenhafte, kitschige Teile. So grenzdebil dreinschauende Tänzerinnen.«

Ich senkte meinen Blick rasch auf den Vorspeisenteller, um nicht zu kichern. Was zur Hölle sollte das Zeug darauf eigentlich darstellen? Den dünnen roten Lappen konnte ich als Fleisch identifizieren, aber was bitte war der stückige, matschige Haufen daneben?

Grayson, der neben mir saß, schien meine Gedanken zu erraten. »Chutneys sind Mrs Dimblebys Spezialität«, sagte er leise. »Das ist ein Grüne-Tomaten-Chutney.«

»Ah, äh, interessant.« Ich schob mir eine reichlich beladene Gabel in den Mund und hätte beinahe alles wieder ausgespuckt. Für einen Moment vergaß ich meine guten Vorsätze. »Schind da etwa Roschinen drin?«, fragte ich Grayson ungläubig. Grayson antwortete nicht. Er hatte sein iPhone aus der Hosentasche genommen und schaute unter dem Tisch auf das Display. Ich hätte ja aus purer Neugierde mitgeschaut, aber ich hatte genug damit zu tun, das abartige Chutney hinunterzuwürgen. Es wies außer den Rosinen auch noch Komponenten von Zwiebeln, Knoblauch, Curry, Ingwer und – ja! Eindeutig! – Zimt auf. Und etwas, was sich zwischen meinen Zähnen anfühlte wie morsche Hosenknöpfe. Mrs Dimbleby hatte wahrscheinlich wahllos alles hineingegeben, was gerade wegmusste und im Weg rumstand. Wenn das ihre Spezialität war, dann wollte ich nicht wissen, wie die Sachen schmeckten, die sie nicht so gut konnte.

Mia grinste mich schadenfroh an, als ich mit einem Schluck Orangensaft nachspülte.

»Aber kommen die Finchleys nicht nächsten Monat zurück aus Südafrika, Dad?«, fragte Florence.

»Ja, das ist richtig. Ab dem ersten Oktober brauchen die Finchleys ihre Wohnung wieder für sich selber.« Ernest warf Mum einen kurzen Blick zu und holte tief Luft. »Genau darüber wollten wir heute Abend mit euch allen reden.«

Das Display von Graysons iPhone flackerte. Als er meine neugierigen Blicke bemerkte, schob Grayson seine Hand noch tiefer unter den Tisch, als habe er Angst, ich könnte mitlesen. Dabei interessierten mich seine SMS eher weniger. Viel spannender fand ich die Tätowierung an der Innenseite seines Handgelenks. Schwarze Buchstaben, halb verdeckt vom Saum seines T-Shirts.

»Du gehörst zu der Blondinen-Boygroup aus der Schule«, flüsterte ich. »Deshalb kamst du mir so bekannt vor.«

»Wie bitte?«

»Wir kennen uns bereits. Ich habe dich und deine Freunde heute in der Schule gesehen.«

»Ach wirklich? Kann ich mich gar nicht dran erinnern.«

Natürlich nicht. Er hatte mich ja auch überhaupt nicht angeguckt. »Macht doch nichts. Hübsches Tattoo.« *Sub um* ..., den Rest konnte ich leider nicht lesen.

»Was?« Er war meinem Blick gefolgt. »Ach das. Das ist kein Tattoo. Das ist Filzstift. Äh, Notizen für Latein.«

Ja, klar. »Interessant«, sagte ich. »Zeig mal!«

Aber Grayson dachte gar nicht daran. Er zog den T-Shirt-Ärmel über die »Notizen« und widmete sich wieder seinem iPhone.

Das war *wirklich* interessant. Geistesabwesend schob ich mir noch eine Gabel mit Chutney in den Mund. Böser Fehler – beim zweiten Bissen schmeckte es noch grauenvoller als beim ersten. Immerhin konnte ich die morschen Hosenknöpfe dieses Mal als Walnüsse identifizieren.

»Ja, es ist nämlich so …« Ernest hatte eine feierliche Miene aufgesetzt und nach Mums Hand gegriffen. Mum lächelte angestrengt das hübsche Blumenarrangement aus blauen Hortensien in der Mitte des Esstischs an. Ohne Zweifel wurde es jetzt ernst.

»Ann … also eure Mum … also …« Ernest räusperte sich und fing noch einmal von vorne an. Dieses Mal stotterte er nicht, dafür hörte er sich an, als würde er vor dem Wirtschaftsausschuss des europäischen Gerichtshofs sprechen. »Ann und ich haben beschlossen, das Fiasko mit dem Cottage als Wink der Fortuna zu deuten, unsere Beziehung zu konsolidieren und das Problem mit der Wohnsituation dadurch zu dispensieren, indem wir gewissermaßen … fusionieren.«

Nach dieser Ankündigung herrschte fünf Sekunden lang

Schweigen, dann bekam ich einen fürchterlichen Husten-
anfall, weil ich beim nach Luft schnappen eine Rosine in die
Luftröhre bekommen hatte. Es dauerte eine Weile, bis ich
das Problem beho... Verzeihung, *dispensiert* hatte. Die Augen
tränten mir, aber ich konnte deutlich erkennen, dass Florence mir gegenüber nun nicht mehr lächelte. Sogar die
Sonne hatte aufgehört durch das Fenster zu scheinen, sie war
hinter dem Dach des Nachbarhauses untergegangen. Grayson allerdings war unter dem Tisch immer noch mit dem
Handy zugange. Wahrscheinlich googelte er »konsolidieren«. Dabei lag die Bedeutung ja wohl auf der Hand.

»Lottie sagt, wenn man unbedingt Fremdwörter benutzen muss, dann wenigstens richtig«, sagte Mia.

»Ja, was genau soll das denn heißen, Dad?« Florences
Stimme war nun nicht länger honigsüß. Sie klang eher so, wie
das Chutney schmeckte. »Dass ihr eine *gemeinsame* Wohnung
sucht? Jetzt sofort? Aber ihr kennt euch doch erst ein halbes
Jahr ...«

»Gewissermaßen ... eigentlich nein.« Ernest lächelte immer noch, aber er hatte winzig kleine Schweißtropfen auf
seiner Glatze. »Wir haben nach gründlicher Überlegung ...
in unserem Alter ist Zeit ein kostbares ...« Er schüttelte den
Kopf. Offensichtlich ärgerte ihn sein eigenes Gestotter maß-
los. »Das Haus ist groß genug für uns alle«, sagte er schließlich energisch.

»Und ihr seid ja hier aufgewachsen«, sagte Mum. Ihre

Mundwinkel zitterten leicht. »Wir wollten euch in eurem letzten Schuljahr auf keinen Fall einen Umzug zumuten.« Nee, klar, Umzüge waren nämlich gar nicht gut für das seelische Gleichgewicht Jugendlicher. Das sah man ja an uns. Mia gab einen merkwürdigen Laut von sich, so wie Buttercup, wenn man ihr auf die Pfote trat.

»Wir sollen in *dieses* Haus hier ziehen?«, fragte sie dann leise. »Und alle zusammen hier wohnen?«

Ernest und Mum, die sich immer noch an den Händen hielten, tauschten einen kurzen Blick.

»Ja«, sagte Ernest dann mit fester Stimme. Mum nickte immerhin.

Dann hatte ich das also doch richtig verstanden.

»Aber das ist doch Unsinn.« Florence schob ihren Teller von sich. »Das Haus ist gerade mal groß genug für uns – wo sollten wir da bitte drei zusätzliche Personen unterbringen?«

»Vier!«, wollte ich sagen. Sie hatte Lottie vergessen. Aber ich bekam nur ein Krächzen heraus – irgendwas hing immer noch in meiner Kehle fest.

»Das Haus ist riesig, Florence«, sagte Ernest. »Es hat sechs Schlafzimmer. Wenn wir ein bisschen umräumen, wird das alles wunderbar passen. Ich dachte, Grayson nimmt das Giebelzimmer vorne, du bekommst dein altes Zimmer wieder, dann können Mia und Liv sich ...«

»Was?« Florences Stimme jetzt war nicht mehr weit von einem Kreischen entfernt. »Das sind *meine* Räume unterm

Dach – ich werde sie ganz bestimmt nicht abgeben und mir wieder mit Grayson ein Bad teilen. Grayson! Jetzt sag doch auch mal was!«

Grayson machte ein verwirrtes Gesicht. Er hatte nicht einmal von seinem iPhone aufgeschaut. Das musste man erst mal bringen, während über dem Tisch gerade die Welt unterging. Der hatte vielleicht Nerven! »Ähm ... ja«, sagte er. »Warum kann Florence nicht unterm Dach wohnen bleiben? Es sind doch genug Zimmer im ersten Stock.«

»Sag mal, hast du überhaupt *zugehört?*« Florence starrte ihn fassungslos an. »Die wollen hier nächsten Monat *einziehen!* Sag ihnen, dass wir keinen Platz für sie haben! Das Giebelzimmer ist Grannys Zimmer, mein altes Zimmer ist Dads Büro, das Eckzimmer ist unser Gästezimmer, und im Einbauschrank von deinem Zimmer habe ich alle meine Wintersachen untergebracht ...«

»Flo, Schätzchen, jetzt hör doch mal zu ...« Die Schweißtröpfchen auf Ernests Stirn schienen ein bisschen größer geworden zu sein. »Ich verstehe, dass du das Gefühl hast, dich einschränken zu müssen, aber ...«

»Aber *was?*«, fauchte Florence. Bei aller Aufregung konnte ich nicht umhin, ihr dankbar zu sein, dass sie aufgehört hatte, sich erwachsen und höflich zu benehmen. Mit dieser hysterischen Stimme und den vor Wut sprühenden Augen war sie mir gleich viel sympathischer. Mia und ich schauten zwischen ihr und Ernest hin und her wie bei einem Tennismatch, Mum fixierte mit ihren Blicken wieder krampfhaft das Blumenbouquet, und Grayson starrte wie gebannt auf sein iPhone. Vielleicht googelte er ja gerade »Patchworkfamilie« und »Erste Hilfe«.

»... es wäre ja nicht für immer«, sagte Ernest. »Sieh mal, nächstes Jahr um diese Zeit zieht ihr beiden aus, um irgendwo zu studieren, dann seid ihr höchstens noch in den Semesterferien zu Hause, und ...«

Florence fiel ihm ins Wort: »Und damit du dann nicht alleine bist, holst du dir eine Frau und zwei Ersatzkinder ins Haus? Kannst du damit nicht warten, bis wir weg sind?«

Ja, oder noch ein paar Jährchen länger.

Jetzt wurde auch Ernests Stimme kühler. »Ich verstehe, dass du dich erst an diese neue Situation gewöhnen musst, wie wir alle hier. Aber ich habe mich in dieser Sache bereits entschieden.« Er fuhr sich mit dem Handrücken über die Stirn. »Wir müssen nur ein bisschen umdisponieren. Wenn Grayson das Giebelzimmer ...«

»... das Granny gehört!« Florence schrie so laut, dass der rote Kater ein paar Meter weiter vom Sofa sprang. Er war ziemlich fett. »Hast du sie schon von deinen Plänen in Kenntnis gesetzt? Natürlich nicht! Sie ist ja praktischerweise auf einer Kreuzfahrt am anderen Ende der Welt und kriegt von alldem nichts mit.«

»Florence ...«

»Wo soll sie denn schlafen, wenn sie zu Besuch kommt?«

»Mach dich bitte nicht lächerlich. Eure Großmutter wohnt keine zwanzig Minuten von hier – sie braucht hier überhaupt kein Zimmer, sie kann nach einem Besuch einfach wieder in ihr eigenes Haus fahren … Aber wenn du möchtest, kannst du auch gerne das Giebelzimmer nehmen, dann bleibt Grayson einfach in seinem alten Zimmer, Mia bekommt das Eckzimmer, und für Liv werde ich das Büro räumen.« Ernest lächelte Mum an. »Ich arbeite sowieso viel zu viel, zu Hause werde ich das künftig vermeiden.«

Mum erwiderte sein Lächeln zaghaft.

»Moment mal – wenn Liv und Mia auch im ersten Stock wohnen sollen, für wen sind dann meine Zimmer unterm Dach?« Florence sah Mum durchbohrend an. »Für dich etwa?«

»Nein«, sagte Mum erschrocken. »Ich brauche gar keinen Platz, wirklich, ich bin, was das angeht, äußerst genügsam, ich habe lediglich ein paar Kisten mit Büchern. Nein, euer Vater dachte, die Räume dort oben würden sich für Lottie anbieten.«

Jetzt tickte Florence richtig aus. »Das *Kindermädchen?*«, rief sie schrill und fuchtelte so wild mit ihrem Zeigefinger in der Luft herum, dass sie Mia damit beinahe in die Stirn piekte. »Die sind doch längst zu alt für eine Nanny … und dafür soll ich mein Dachgeschoss abgeben und mir mit drei Leuten ein Badezimmer teilen? Das ist doch wohl das Letzte!«

»Lottie ist viel mehr als ein Kindermädchen, sie übernimmt auch nahezu alle Haushaltsarbeiten, das Einkaufen und das Kochen«, sagte Ernest. »Und als … äh … äußerst wichtiger emotionaler Faktor ist sie im Moment nicht aus dieser Konstellation wegzudenken.«

»Was soll das heißen?«

»Das soll heißen, dass wir Lottie brauchen«, sagte ich leise.

»Natürlich nicht für immer«, beeilte sich Mum zu sagen. »Du hast völlig recht, Florence, Mia und Liv sind eigentlich viel zu alt für eine Nanny. Vielleicht bleibt Lottie noch ein Jahr, vielleicht auch nur noch ein halbes …« Sie sah, dass Mias Unterlippe zu beben begann, und fügte hinzu: »Wir werden einfach sehen, wie lange sie noch gebraucht wird.«

Ich griff unter dem Tisch nach Mias Hand und drückte sie. *Nicht weinen*, beschwor ich sie stumm. Denn ich fürchtete, wenn Mia anfing zu weinen, würde ich mitweinen müssen.

»Und was ist mit Mrs Dimbleby?«

»Mrs Dimbleby möchte schon seit Jahren kürzertreten«, sagte Ernest. »Sie wird sich freuen, wenn sie hier nur noch ein oder zwei Tage die Woche gebraucht wird.«

»Grayson! Hast du das gehört?«, rief Florence.

Grayson hob den Kopf. Er war doch tatsächlich immer noch mit seinem iPhone zugange. »Natürlich«, sagte er.

Aber Florence schien ihm das nicht abzunehmen. Schreiend fasste sie die Erkenntnisse des Abends noch einmal für ihn zusammen: »Dad will nicht nur, dass Ann und ihre Kinder hier einziehen und wir alle unsere Zimmer räumen *und uns zu viert ein Bad teilen*« – an dieser Stelle kam es mir vor, als würden die Fensterscheiben zu klirren beginnen, so laut war ihre Stimme –, »er will auch Mrs Dimbleby kündigen und stattdessen Anns Nanny einstellen! Die meine Zimmer unter dem Dach bekommt.«

»Oh«, sagte Grayson. »Das ist ja blöd. Dann müssten wir durch ihr Schlafzimmer, um auf den Speicher zu unserem Billardtisch zu kommen.«

Florence stöhnte. »Sag mal, kapierst du überhaupt, was Dad eben gesagt hat? In drei Wochen werden sie hier einziehen ...«

»In zwei Wochen, um genau zu sein. Ich habe mir extra einen Tag Urlaub genommen«, warf Ernest ein. »Und vorher müssen noch diverse Malerarbeiten erledigt werden.«

»Sie werden hier einziehen, mit Sack und Pack und Kindermädchen!«

»Und Hund«, ergänzte Mia.

»Und Hund«, wiederholte Florence. Ihre Kräfte schienen sie verlassen zu haben, sie schrie nicht mehr, das Wort »Hund« kam kaum mehr als ein Flüstern heraus. Wie aufs Stichwort baute sich der rote Kater vor dem Esstisch auf und miaute laut. Florences Gebrüll schien ihn eher angelockt als vertrieben zu haben.

Ernest lächelte. Ein wenig angeschlagen vielleicht, aber es war eindeutig ein Lächeln. »Nun. Das wäre also geklärt.

Dann können wir ja jetzt die Wachteln aus der Küche holen, nicht wahr, Spot? Hilfst du mir, Ann?«

Mum stand so schnell auf, dass sie beinahe die Tischdecke mitgenommen hätte. »Nichts lieber als das«, sagte sie.

Der Kater folgte ihnen in die Küche.

6.

Grayson, Florence, Mia und ich blieben schweigend im Esszimmer zurück. So ähnlich musste man sich fühlen, wenn man von einer Lawine überrollt wurde. Ich hatte damit gerechnet, dass Ernest und Mum Pläne zum Zusammenziehen hegten, aber dass sie sie so bald in die Tat umsetzen wollten, hatte auch mich überrascht. Sie mussten sich ihrer Sache wirklich sehr sicher sein.

In die Stille hinein vibrierte Graysons Handy.

»War ja klar«, sagte Florence bitter. »Ach ja, und vielen Dank auch für deine Unterstützung, Grayson.«

»Entschuldigung.« Grayson starrte auf sein Display. »Aber das ist doch ohnehin alles beschlossene Sache, oder? Und hast du nicht gestern noch gesagt, dass du dich so für Dad freust?«

»Ja, tu ich auch. Aber es konnte ja niemand ahnen, dass sie sofort zusammenziehen wollen. Sie kennen sich ja kaum. Sie ist *Amerikanerin*. Sie könnte eine Heiratsschwindlerin sein oder eine Psychopathin oder …«

»… Messie, Kleptomanin, Republikanerin, Zeugin Jehovas …«, schlug ich vor.

»Das ist nicht witzig«, sagte Florence.

»Hast du was gegen Zeugen Jehovas?«, fragte Mia scheinheilig.

Grayson schob seinen Stuhl nach hinten und stand auf, den Blick immer noch auf sein Handy gerichtet. Er hatte offensichtlich wieder mal kein Wort mitbekommen. »Ich geh schnell mal raus, um was zu klären. Sag Dad, ich bin gleich wieder da. Und ich nehme drei Wachteln, mindestens. Ich sterbe vor Hunger.«

»Du bist doch ...« Florence sah ihm empört nach. »Merkst du überhaupt noch was?«

Ich räusperte mich. »Ich müsste mal zur Toilette. Wo genau ...?«

»Tja, da das hier demnächst dein Zuhause ist, solltest du wohl selber in der Lage sein, die Toilette zu finden«, sagte Florence spitz.

»Stimmt«, sagte ich. So schwer konnte es ja auch nicht sein. Ich folgte Grayson hinaus in den Flur.

»Und jetzt erzähl mal, ist dein Dad ein international gesuchter Terrorist oder ein Serienmörder?«, erkundigte sich Mia hinter mir mit süßer Stimme.

Was Florence darauf antwortete, hörte ich nicht mehr.

Die erste Tür, die ich öffnete, führte zu einer Besenkammer, aber hinter der zweiten, gleich neben dem Treppenaufgang, befand sich das Gäste-WC. Ich suchte nach dem Lichtschalter.

»Nicht ausgerechnet heute Nacht, verdammt nochmal!«

Durch das gekippte Fenster hörte ich Graysons Stimme. Offensichtlich telefonierte er vor dem Haus mit seinem Handy. Ich ließ das Licht ausgeschaltet und schlich mich ans Fenster, um ihn besser hören zu können.

»Ja, ich weiß, dass heute Neumond ist, aber können wir das Ganze nicht ausnahmsweise auf morgen Abend verschieben? Hier ist die Hölle los, und ich weiß nicht, ob ich heute Nacht überhaupt schlafen kann … ja, mir ist schon klar, dass man Neumond nicht meinetwegen verlegen kann, aber … nein, natürlich will ich das nicht. Okay, also, von mir aus. Sag Arthur, ich werde es versuchen … Ich hoffe, dass ich das finde … das ist sicher auf deinem Mist gewachsen, oder? Dachte ich's mir doch … Nein, das erzähle ich dir morgen. Wenn ich jetzt nicht wieder reingehe, bringt meine Schwester mich um … ja, danke für dein Mitgefühl. Bis nachher.«

Hm. *Interessant.* Ich setzte mich im Dunkeln auf den Klodeckel und vergaß völlig, weswegen ich eigentlich hier war. Wider alle vernünftigen Regungen fühlte ich ein wohliges Kribbeln in mir aufsteigen. Was hatte Grayson heute Abend so sehr von unserer ganz speziellen Familientragödie abgelenkt? Welche Art von Unternehmungen konnte man nur bei Neumond durchführen? Und was bedeuteten diese lateinischen Wörter auf Graysons Handgelenk? Es lag auf der Hand: Mein zukünftiger Stiefbruder hatte ein Geheimnis – und ich *liebte* Geheimnisse.

Unangemessen gut gelaunt kam ich ins Esszimmer zurück, gerade noch rechtzeitig vor Grayson. Und bevor die Zeugin Jehovas und der Serienmörder in trauter Eintracht die Wachteln hereinbrachten.

Der Rest des Abends verlief vergleichsweise undramatisch. Jedenfalls bis zu dem Moment, an dem ich mein Glas mit so viel Schwung umstieß, dass meine Bluse vom Kragen bis zum Saum mit Orangensaft getränkt wurde. Da Ernest das Glas erst kurze Zeit vorher aufgefüllt und überdies mit Eiswürfeln angereichert hatte, fing ich auf der Stelle an, mit den Zähnen zu klappern.

»Darauf habe ich den ganzen Abend gewartet!«, sagte Mum mit ihrer »Ich-kann-auch-witzig-sein«-Stimme. »Gläser umzuwerfen ist nämlich eins der Spezialgebiete meiner Mäuse.«

»Mum! Als mir das das letzte Mal passiert ist, war ich sieben! Uh, was ist das?« In meinem BH schmolz ein Eiswürfel. (Hätte ich auf Lottie gehört und die oberen beiden Blusenknöpfe zugemacht, wäre das nicht passiert.) Ich fischte ihn hastig heraus und legte ihn auf den Teller, egal, ob sich das gehörte oder nicht. Nach Florences und Graysons Blicken zu urteilen, gehörte es sich nicht.

»Ja, genau«, sagte Mia. »Wenn überhaupt, dann ist das mein Spezialgebiet.«

»Cola! Quer über meine Computertastatur«, erinnerte sich Mum. »Und Johannisbeerschorle über blütenweiße Tischdecken. Diverse Smoothies, gerne auch auf Teppiche.«

Ich traute mich nicht, die Bluse auszuwringen, weil ich
sonst den Perserteppich damit getränkt hätte, der teuer aussah.

Ernest musterte mich mitleidig. »Florence, sei doch so
lieb und hol Liv eins von deinen Oberteilen, so kann sie
nicht nach Hause fahren. Sie friert ja.«

»Verstehe!« Florence verschränkte die Arme. »Erst soll
ich meine Zimmer abtreten und jetzt auch noch meine Klamotten, ja?«

Man musste es Florence hoch anrechnen, dass sie überhaupt bis jetzt am Tisch sitzen geblieben war, sie hätte das
Esszimmer nach dem großen Drama ja auch mit einem lauten Türknallen verlassen können, um sich heulend in ihrem
Zimmer aufs Bett zu werfen. Das hätte ich jedenfalls an ihrer
Stelle getan. Sie aber hatte bis jetzt friedlich an ihrer Wachtel
geknabbert und sich sogar am Tischgespräch beteiligt, wenn
auch recht einsilbig. Vielleicht hatte sie ja auch nur Angst gehabt, ihren Dad mit Mum allein zu lassen. Ernest und Mum
wiederum hatten krampfhaft so getan, als wären ihre Erinnerungen an die letzte Stunde vollkommen ausgelöscht. Sie
hatten über alles Mögliche geredet, nur nicht mehr über die
bevorstehenden Veränderungen. Und ich hatte vor allem
Graysons Ärmel im Auge gehabt, in der Hoffnung, er würde
noch einmal verrutschen und die geheimnisvollen Wörter
freigeben. Aber obwohl Grayson nicht weniger als vier arme
Mini-Vögelchen wegspachtelte und das nicht ohne bru-

tale Handarbeit vonstattenging (bei jedem Knochenkrachen zuckte Mia zusammen – ich glaube, sie war kurz davor, wirklich zur Vegetarierin zu werden), war das Handgelenk bedeckt geblieben.

»Florence!«, sagte Ernest vorwurfsvoll.

»Dad!«, gab Florence im gleichen Tonfall zurück.

»Schon gut«, sagte ich. »Das trocknet schon wieder.« *Übermorgen oder so.*

»Unsinn. Du bist vollkommen durchnässt.« Ernest hatte seine Stirn in Falten gelegt. »Florence geht jetzt nach oben und holt dir einen Pullover.«

»Florence denkt gar nicht daran«, sagte Florence und sah ihm fest in die Augen.

»Florence Cecilia Elizabeth Spencer!«

»Was willst du tun, Dad? Mich ohne Nachtisch ins Bett schicken?«

»Schon gut!« Grayson legte das Wachtelbeinchen, an dem er genagt hatte, aus der Hand und stand auf. »Sie kriegt einen von meinen Pullis.«

»Uh, wie ritterlich«, sagte Florence.

»Das ist wirklich nicht nötig«, brachte ich zähneklappernd heraus, aber da war Grayson schon durch die Tür.

»Er ist so harmoniebedürftig und konfliktscheu«, sagte Florence zu niemand Bestimmtem.

»Coole Vornamen.« Mia sah Florence mit großen Augen an. »Du hast echt Glück, weißt du das? Mum hat Livvy und

mir als zweite Vornamen die Namen ihrer beiden Lieblings-
tanten aufgedrängt: *Gertrude* und *Virginia*.«

Für den Bruchteil einer Sekunde erhellte sich Florences
Gesicht.

»Die Tanten sind nach Gertrude Stein und Virginia
Woolf benannt«, sagte Mum. »Zwei großartigen Schriftstel-
lerinnen.«

»Mit scheiß Namen«, ergänzte Mia.

Mum seufzte. »Ich denke, wir brechen jetzt besser auf.
Es war ein wunderschö…« Sie brach ab und räusperte sich.
Das schien wohl selbst ihr übertrieben. »Danke für das köst-
liche Essen, Ernest.«

»Ja, vielen Dank«, sagte Mia. »Jetzt weiß man Lotties
Kochkünste doch gleich noch viel mehr zu schätzen.«

Ich hätte schwören können, dass Ernests Mundwinkel
zuckten, als er sich erhob und Mum die Hand reichte.
»Mrs Dimbleby hat auch ein Dessert vorbereitet, aber ich
verstehe, wenn ihr lieber aufbrechen wollt … Es ist doch
schon später als gedacht, und die Kinder müssen ja morgen
zur Schule. Ich rufe euch ein Taxi. Es ist in zwei Minuten da.«

»Hier.« Grayson war zurückgekehrt. »Frisch gewaschen.«
Er reichte mir einen grauen Kapuzenpulli, und während
Ernest nach dem Taxi telefonierte, tauschte ich den Pulli auf
dem Gästeklo gegen meine Bluse aus. Er roch wirklich nach
Waschpulver, aber auch ein bisschen nach kross gebratener
Wachtel. Ganz lecker, eigentlich.

Als ich wieder herauskam, standen alle im Flur und warteten auf mich. Nur Florence war nirgendwo zu sehen. Wahrscheinlich packte sie schon mal ihre Sachen zusammen.

Grayson grinste mich müde an. »Der steht dir super, höchstens sechs Nummern zu groß.«

»Ich mag oversize«, sagte ich und knüllte meine Bluse in den Händen zusammen. »Danke. Ich gebe ihn dir dann ... irgendwann wieder.«

Er seufzte. »Wir sehen uns ja demnächst öfter, wie es aussieht.«

»Das wird wohl nicht zu vermeiden sein.« Ups, hoffentlich hatte das nicht zu sehr nach freudiger Erwartung geklungen. Ich warf einen letzten Blick auf sein Handgelenk, aber leider war die geheimnisvolle Schrift immer noch vom Ärmel verborgen.

7.

Dieses Mal setzte Mum Hänsel und Gretel respektive Mia und mich nicht im Wald, sondern in Ernests Hausflur aus, bevor sie mit den Worten »Es ist nur zu eurem Besten« hinter einer Tür verschwand.

»Hörst du das?«, fragte Mia. »Irgendwo hier gackern Wachteln.«

»Richtig!« Knarzend öffnete sich die Tür der Besenkammer, und heraus trat – Lottie. Sie schwenkte ein Beil. »Ich könnte ein wenig Hilfe gebrauchen. Jemand muss ihnen die Hälse langziehen, damit ich sie besser schlachten kann.«

»Wenn du es nicht richtig machst, Kindermädchen, wird Daddy dich rauswerfen und Mrs Dimbleby wieder einstellen.« Florence durchquerte den Flur anmutig auf Schlittschuhen, in einem schwarzen Glitzertütü. Vor der Garderobe drehte sie eine Pirouette und lächelte uns liebenswürdig an. »Ihr sucht sicher das Knusperhäuschen, oder? Die Hexe wird sich so freuen, euch kennenzulernen. Grayson, erklärst du den beiden den Weg?«

Grayson, der neben der Garderobe an der Wand lehnte, hob kurz den Blick von seinem iPhone und zeigte auf die Tür, hinter der Mum verschwunden war. Die Türklinke wurde von einem riesigen Vanillekipferl gebildet. »Da entlang, ihr Mäuse«, sagte er, und Mia lief auch sofort los.

»Das ist eine Falle, du dummer Hänsel!«, wollte ich rufen, aber irgendetwas steckte in meinem Hals fest, und ehe ich es verhindern konnte, hatte Mia nach dem Vanillekipferl gegriffen, aus dem Nichts erschien eine Klaue, packte sie am Kragen, dann war sie verschwunden.

»Und da war es nur noch eine kleine Wachtel, mit der ich mir das Bad teilen muss«, sagte Florence lachend. »Nun sei ein braves Mädchen, Liv, und folge deiner Schwester.«

»Nein, tu das bloß nicht«, flüsterte Lottie hinter mir. »Es ist doch erst September, viel zu früh für Weihnachtsgebäck.« Mit dem Beil wies sie auf eine grüngestrichene Tür neben der Besenkammer. »Dahinter bist du in Sicherheit.«

»Wag es bloß nicht!«, kreischte Florence und nahm mit ihren Schlittschuhen Kurs auf mich. Ich stürzte auf die grüne Tür zu, riss sie auf, schlüpfte hindurch und warf sie hinter mir ins Schloss, eine Zehntelsekunde, bevor Florence von der anderen Seite dagegen donnerte. Erst in diesem Augenblick wurde mir klar, dass das alles nur ein Traum war, und ein ziemlich alberner dazu. (Obendrein recht simpel zu deuten, außer der Sache mit den Schlittschuhen vielleicht. Was wollte mein Unterbewusstsein mir damit sagen?) Trotzdem klopfte mein Herz noch ein bisschen vor Aufregung.

Zögernd sah ich mich um. Ich war in einem anderen Korridor gelandet, einem schier unendlich langen mit zahllosen Türen rechts und links. Die Tür, durch die ich gekommen war, hatte einen Anstrich in sattem Grün, dunkle, altmodische Metallbeschläge, einen Briefschlitz aus dem gleichen Material und einen hübschen Messing-Türknauf in Form einer gekrümmten Eidechse. Ich beschloss, wieder zurückzugehen, denn jetzt, wo ich wusste, dass ich nur träumte, machte mir Florence keine Angst mehr. Ich hatte große Lust, ihr zu zeigen, wie gut ich Kung-Fu konnte. Im Traum natürlich noch besser als in Wirklichkeit. Aber als ich gerade an der Eidechse drehte, nahm ich im Augenwinkel eine Bewegung wahr. Nebenan hatte sich eine andere Tür geöffnet, und jemand war in den Korridor getreten. Es war Grayson. Obwohl er nur ein paar Meter weiter stand, schien er mich gar nicht zu bemerken. Sorgfältig schloss er die Tür hinter sich und murmelte etwas Unverständliches vor sich hin. Dann holte er tief Luft, öffnete die Tür erneut und verschwand wieder. Ich ließ meinen Türknauf los, um mir Graysons Tür näher anzuschauen. Sie glich aufs Haar der weißlackierten Eingangstür des Spencerhauses, inklusive der Stufen davor und der übergewichtigen Steinfigur, die halb Adler, halb Löwe war. Als ich näher kam, plinkerte die Figur mit den Augen, hob eine Löwenpfote und sagte mit überraschend piepsiger Stimme: »Hier darf nur eintreten, wer meinen Namen dreimal rückwärts spricht.«

Ah, ein Rätsel. Ich liebte Rätsel. Allerdings durften sie

ruhig ein wenig anspruchsvoller sein. »Du bist doch der Fürchterliche Freddy«, sagte ich.

Die Steinfigur senkte majestätisch den Schnabel. »Nur Freddy, wenn ich bitten darf.«

»Oh, aber das ist zu einfach«, sagte ich enttäuscht und fast ein wenig peinlich berührt von der Einfallslosigkeit meines Traumbewusstseins. »Ydderf, Ydderf, Ydderf.«

»Das ist richtig«, piepste Freddy. »Du kannst eintreten.«

»Na dann.« Ich gab der Tür einen Schubs. Als ich über die Schwelle trat, stand ich nicht wie erwartet im Hausflur der Spencers, sondern auf einer Wiese. Obwohl es Nacht war und ziemlich dunkel, konnte ich Bäume erkennen und Steine, die aus der Erde ragten. Ein Stück vor mir ließ Grayson den Lichtkegel einer Taschenlampe über den Boden huschen.

Diese Traumwendung war definitiv cooler als meine Hänsel-und-Gretel-Variante von vorhin.

»Ist das ein *Friedhof*?«, fragte ich.

Grayson fuhr herum, leuchtete mit der Taschenlampe in mein Gesicht und stieß einen kleinen Schreckenslaut aus.

Ich lächelte ihn an.

»Was zur Hölle hast du denn hier verloren?« Mit seiner freien Hand rieb er sich über die Stirn. »Bitte geh wieder.«

»Ja, es ist ein Friedhof«, gab ich mir selber Antwort. Weiter hinten konnte ich nämlich die Silhouetten diverser Steinkreuze, -säulen und -figuren erkennen. Meine Sehkraft war überhaupt sensationell und verbesserte sich von Sekunde zu Sekunde stark. »Wir sind auf dem Highgate Cemetery, oder?«

Grayson ignorierte mich. Er senkte den Strahl der Taschenlampe auf eine Grabplatte am Boden.

»Wie cool. Ich kenne Highgate nur von Fotos, aber ich wollte es unbedingt mal besichtigen«, sagte ich. »Wenn auch nicht bei Nacht.«

Grayson knurrte unwillig. »Ich ganz bestimmt auch nicht. Das ist doch wieder mal ein total bekloppter Treffpunkt«, sagte er, allerdings mehr zu sich selber als zu mir. »Als ob es nicht alles schon unheimlich genug wäre. Außerdem sieht man hier ja nicht einen Meter weit.«

»Ich schon.« Ich musste mich zügeln, um vor Begeisterung darüber nicht auf und ab zu hüpfen. »Ich kann im Dunkeln sehen wie eine Katze. Zwar nur im Traum, aber es ist toll. Normalerweise bin ich ohne Brille oder Kontaktlinsen blind wie ein Maulwurf. Wonach suchen wir denn?«

»*Wir* suchen gar nichts.« Grayson hörte sich ziemlich genervt an. Mit seiner Taschenlampe leuchtete er die Inschriften der Grabsteine und -platten neben dem Weg ab. Sie schienen uralt zu sein, viele waren geborsten oder mit Efeu überwuchert, andere wurden von bemoosten Engelstatuen bewacht. Nebelfetzen waberten stilecht über den Boden, und der Wind brachte die Blätter in den Bäumen zum Rascheln.

Bestimmt gab es hier auch Ratten. Und Spinnen. »*Ich* suche das Grab von Christina Rossetti.«

»Eine Freundin von dir?«

Grayson schnaubte, aber wenigstens antwortete er diesmal. Es klang resigniert, als hätte er sich mit meiner Anwesenheit abgefunden. »Christina Rossetti war eine viktorianische Dichterin. Musstest du nie eins ihrer Gedichte analysieren? *Where sunless rivers weep their waves into the deep* ... blabla, irgendwas mit Stern, Schatten und Nachtigall.«

»*She sleeps a charmed sleep. Awake her not.*« Aus dem Schatten einer Trauerweide löste sich eine Gestalt und kam deklamierend auf uns zu. Es war der Junge, dem ich heute in der Schule die Pampelmuse weggefangen hatte, der Typ aus dem Flugzeug mit dem verstrubbelten Haar. Nett, dass er auch in diesem Traum vorkam, ich hatte ihn nämlich zwischenzeitlich schon wieder ganz vergessen. »*Led by a single star, she came from very far to seek where shadows are her pleasant lot.*«

Hm, nicht mal schlecht – Jungs, die Gedichte rezitieren konnten. Wenigstens im Traum gab es sie also.

»Henry«, begrüßte Grayson den Neuankömmling erleichtert.

»Wo bleibst du denn, Mann? Das Rossetti-Grab ist da hinten.« Henry zeigte irgendwo hinter sich. »Ich habe doch gesagt, du sollst dich an dem gruseligen Kapuzenengel orientieren.«

»Die sind alle gruselig im Dunkeln.« Grayson und der

Neuankömmling vollzogen so eine Art Kindergarten-Begrüßungsspielchen mit ihren Händen, eine Mischung aus High Five, Fingerhakeln und Händeschütteln. Niedlich.

»Gottseidank bist du da, ich wäre sonst noch ewig hier herumgeirrt.«

»Ja, so was hab ich mir schon gedacht. Jasper hat es auch noch nicht gefunden, Arthur sucht nach ihm. Wen hast du denn da bei dir?« Henrys Augen schienen im Dunkeln nicht so gut zu funktionieren wie meine, er hatte mich nicht sofort erkannt. Jetzt aber stöhnte er laut auf. »Warum träume ich denn jetzt bitte von dem *Käsemädchen*? Vorhin ist mir schon Plum begegnet, mein Kater, der überfahren wurde, als ich zwölf war. Er ist mir schnurrend um die Beine gestrichen.«

»Oh, wie süß«, sagte ich.

»Nein, kein bisschen süß. Er sah genauso aus, wie ich ihn das letzte Mal gesehen habe: voller Blut und mit herausquellendem Gedärm ...« Henry schüttelte sich. »Dagegen bist du ein wirklich erfreulicher Anblick. Trotzdem ... geh jetzt, ich weiß gar nicht, was du hier zu suchen hast. Verschwinde!« Er machte eine Handbewegung, als wollte er eine lästige Fliege verscheuchen. »Ich sagte, *verschwinde*, Käsemädchen! Hau ab!« Als ich mich nicht rührte, wirkte er irritiert. »Wieso verschwindet sie nicht?«

»Vielleicht weil ich nicht auf den Namen *Käsemädchen* höre, du Blödmann«, sagte ich.

Grayson räusperte sich. »Ich fürchte, sie äh ... sie ist mit mir hier, Henry.« Seinem Tonfall nach zu urteilen, schien ihm das irgendwie peinlich zu sein.

»Du kennst mein Käsemädchen?«, fragte Henry verdutzt.

»Ja, sieht wohl so aus.« Grayson rieb sich wieder mit dem Handrücken über die Stirn. »Sie ist, wie ich seit heute Abend weiß, meine neue kleine Schwester.«

»Ach du Scheiße!« Henry machte ein betroffenes Gesicht. »Du meinst ...?«

Grayson nickte. »Ich hab dir doch gesagt, bei uns zu Hause ist die Hölle los. War ein super Dinner. Florence ist total ausgerastet, als Dad uns mitgeteilt hat, dass die Professorin, ihre beiden Töchter, ihr Kindermädchen und ihr Dackel bei uns einziehen werden. In zwei Wochen.«

»Buttercup ist doch kein Dackel«, sagte ich empört.

»Höchstens zu einem Zehntel.«

Die beiden schenkten mir keinerlei Beachtung. »Hey, das tut mir wirklich leid. Auch das noch.« Henry hatte mitleidig einen Arm um Graysons Schulter gelegt. Nebeneinander gingen sie in die Richtung, aus der Henry gekommen war, einen überwucherten Schotterweg entlang. Ich trippelte hinter ihnen her.

»Dann ist es deinem Dad also wirklich ernst. Kein Wunder, dass du von ihr träumst.« Henry drehte sich zu mir um. »Obwohl du es wahrscheinlich schlechter hättest treffen können – sie ist irgendwie süß, oder?«

Grayson drehte ebenfalls den Kopf. »Und sie folgt uns immer noch.«

»Ja. Allein ist es ihr hier nämlich ein bisschen unheimlich«, sagte ich. »Außerdem möchte ich wirklich gerne wissen, was ihr vorhabt.«

»Du musst sie wegschicken«, sagte Henry zu Grayson. »Sehr energisch! Hat bei mir vorhin mit Plum auch geklappt. Er hat sich in kringelige Rauchschwaden aufgelöst. Du könntest sie natürlich auch in einen Grabstein verwandeln oder in einen Baum, aber für den Anfang wird Wegschicken wohl genügen.«

»Okay.« Grayson war stehen geblieben und wartete, bis ich ihn eingeholt hatte. Dabei seufzte er sehr tief. »Was machen wir denn hier eigentlich, Henry? Das ist doch alles *wahnsinnig*.«

»Ja, allerdings.«

Grayson sah sich um. »Hast du denn keine Angst?«, flüsterte er dann.

»Doch«, antwortete Henry ernst. »Aber ich habe noch viel mehr Angst davor, was passiert, wenn wir das hier *nicht* machen ...«

»Das ist ein Albtraum«, sagte Grayson, und Henry nickte.

»Na, jetzt übertreibt aber mal nicht, Jungs«, sagte ich. »Ihr spaziert ganz gemütlich bei Nacht über einen berühmten Friedhof, und ich bin auch dabei – andere würden so einen Traum richtig nett finden.«

Grayson stöhnte. »Du bist ja immer noch da.«

»Schick sie einfach weg«, sagte Henry. »Konzentrier dich darauf, dass sie verschwindet.«

»Also gut.« Grayson sah mir fest in die Augen. Weil es nur ein Traum war, sah ich genauso intensiv zurück. So hemmungslos hatte ich mich das vorhin beim Abendessen nicht getraut, außerdem hatte ich da auch mehr sein Handgelenk im Auge gehabt. Aber jetzt musste ich feststellen, dass mein künftiger Stiefbruder doch verdammt gut aussah, trotz seiner Ähnlichkeit mit Ernest und Florence. Alles, was bei Florence weich und rund war, war bei ihm hart und kantig, besonders das Kinn. Am schönsten waren seine Augen, die in diesem Dämmerlicht die Farbe von Karamellbonbons hatten. Graysons Blick wurde ein wenig verschwommen und wanderte langsam von meinen Augen zu meinen Lippen.

Hah! Schöner Traum. Wirklich schöner Traum. Hoffentlich tauchte Lottie jetzt nicht mit diesem Beil auf.

Henry räusperte sich. »Grayson?«

»Ähm, ja.« War da etwa ein Hauch Rosa auf Graysons Wangen zu sehen? Er schüttelte den Kopf. »Bitte, geh jetzt, Liv.«

»Erst, wenn du mir sagst, was auf deinem Handgelenk steht«, sagte ich, um meine eigene Verlegenheit zu überspielen. »*Sub um* ... – und wie weiter?«

»Was?«

»*Sub umbra floreo*«, antwortete Henry an Graysons Stelle.

»Du musst energischer sein, Grayson, du musst es auch wirklich wollen.«

»Ich will es ja!«, versicherte Grayson. »Aber sie ist irgendwie so ...«

»Ich weiß, was du meinst«, sagte Henry. Dann stutzte er. »Ist das etwa dein Sweatshirt, das sie da anhat?«

Ich sah betreten an mir herab. Ich trug tatsächlich Graysons Kapuzenpulli. Und zwar über meinem Nachthemd. Beim Einschlafen war mir so kalt gewesen, dass ich wieder aufgestanden war, um mir den Pulli überzuziehen. Außer Nachthemd und Pulli trug ich nur noch flauschige graue Socken mit Pünktchenmuster. Das war typisch für meine Träume: Nie war ich passend gekleidet.

Grayson stöhnte. »Ja, möglicherweise ist das mein Sweatshirt«, gab er zu. »Oh Gott, ich hasse mein Unterbewusstsein. Warum tut es so etwas?«

»Na komm schon – es könnte noch viel, viel peinlicher sein. Denk nur an den armen Jasper und Mrs Beckett im Bikini.« Henry lachte. »Und jetzt beeil dich, Jasper und Arthur warten sicher schon. Das heißt, falls Jasper es überhaupt hierher geschafft hat.«

»Hoffentlich nicht«, murmelte Grayson. »Dann hätten wir vielleicht noch mal eine Gnadenfrist bis zum nächsten Neumond ...«

»*Sub umbra floreo* – was soll das heißen? Unter Blumenerde?«, fragte ich.

Henry kicherte.

»Ich hatte nur ein halbes Jahr Latein«, sagte ich ein wenig beleidigt. »Und das ist ewig her, da ist nicht so viel hängengeblieben.«

»Ja, das merkt man«, sagte Henry.

Grayson schüttelte verärgert den Kopf. »Es reicht jetzt wirklich. Geh weg, Liv!«, sagte er mit Nachdruck. »Verschwinde von hier.«

Henry sah mich gespannt an. Wahrscheinlich erwartete er, dass ich mich in Rauchschwaden auflöste.

»Na gut«, sagte ich, als nichts dergleichen passierte und Graysons Gesicht einen Ausdruck von Verzweiflung annahm. »Wenn ihr mich nicht dabeihaben wollt, geh ich eben. Viel Spaß noch.« Ich drehte mich auf dem Absatz um und stapfte den Kiesweg hinab. Über meine Schulter hinweg sah ich, dass Grayson und Henry mir noch ein paar Sekunden lang nachschauten und dann ihren Weg in die entgegengesetzte Richtung fortsetzten. Kaum, dass sie das taten, machte ich zwei Schritte seitwärts und ging hinter einem dicken Baumstamm in Deckung. Dachten die etwa, sie könnten mich so einfach abschütteln? Doch nicht jetzt, wo der Traum erst so richtig interessant wurde.

8

Das machte Spaß! Das machte so was von Spaß. Während ich Grayson und Henry hinterherschlich, fühlte ich mich wie Catwoman. Oder wie James Bond. Oder wie eine Kreuzung aus beiden. Am coolsten war meine verschärfte Sehkraft. Weit und breit gab es keine brennende Laterne, nicht mal der Mond schien am Himmel, trotzdem konnte ich alles deutlich erkennen, herunterhängenden Zweigen ausweichen und Steinen, die im Weg herumlagen. Wegen der Flauschsockensohlen unter meinen Füßen war ich so leise unterwegs, dass ich mich bis auf wenige Meter an die beiden heranpirschen konnte, immer schon das nächste Versteck im Auge. Ich wunderte mich nur, dass ich noch nicht aufgewacht war. Normalerweise dauerten diese Art Traumphasen, in denen ich genau wusste, dass ich träumte, nie lange an, vor allem nicht, wenn es sich um einen so unterhaltsamen Traum handelte wie diesen hier.

»Da seid ihr ja!« Der Lichtkegel von Graysons Taschenlampe hatte zwei weitere Gestalten erfasst, Arthur und Jasper, wie ich annahm. Ich tauchte mit einer filmreifen Judorolle hinter einem Grabstein ab, nur für den Fall, dass sie ebenfalls katzenartige Sehkräfte entwickelt hatten. Vorsich-

tig hob ich den Kopf so, dass ich gerade über die Grabstein-
kante spähen konnte. Wie gesagt, ich hatte Spaß.

»Ihr werdet es nicht glauben, aber Jasper hat vor dem Tor
gestanden und konnte nicht rein.« Das kam von Arthur,
wenn ich richtiglag.

»Es war abgeschlossen.« Die etwas weinerliche Stimme
gehörte Rasierspaß-Ken, der zu meiner Freude einen karierten Flanellschlafanzug trug. Wenigstens war ich so nicht die
Einzige, die unpassend gekleidet war. Den anderen Jungen,
Arthur, hatte ich ebenfalls schon einmal gesehen, am Morgen in der Schule: Es war der mit den blonden Locken, der
wie ein Engel aussah. Geradezu überirdisch schön.

»Ich wollte über die Mauer klettern, aber da war ein
Nachtwächter mit einem Hund … und Stacheldraht …«

»Das ist ein Traum, Jasper!«, sagte Henry ungeduldig.
»Da musst du nicht durch das Eingangstor kommen. Und
du musst auch keine Angst vor Nachtwächtern haben, denn
alles, was du siehst, solange du allein bist, sind lediglich
Schöpfungen deines eigenen Vorstellungsvermögens. Wie
oft soll ich dir das denn noch erklären?« Er sah sich um, und
ich zog rasch den Kopf ein. »Ich hoffe, dein Nachtwächter
wird uns hier nicht belästigen. Wir mussten gerade schon andere Störungen … äh … beseitigen.«

Damit war wohl ich gemeint. Frechheit.

»Keine Sorge, um den Mann und seinen Hund haben wir
uns gekümmert«, sagte Arthur.

»Ja, das war cool«, sagte Jasper. »Arthur hat aus dem Nichts einen Feuerball erscheinen lassen ...«

»Wir sollten uns beeilen«, fiel ihm Henry ins Wort. »Wir haben schon viel zu viel Zeit verloren, und am Ende wird Jasper wieder aufwachen, bevor wir unsere Antwort haben.«

»Nein, dieses Mal nicht«, sagte Jasper mit Stolz in der Stimme. »Ich habe eine Migränetablette von meiner Mum eingeworfen. Sie schläft damit immer zwei Tage am Stück.«

»Trotzdem – lasst uns anfangen«, sagte Grayson. »Ich bin nämlich nicht sicher, ob ich die Zimmertür richtig zugemacht habe, und gegen drei kratzt Spot immer wie blöde am Teppich, weil er rauswill ... Habt ihr das gesehen?« Er zeigte in den Nebel. »Was war das?«

»Nur der Wind«, sagte Henry. Ein Windstoß hatte tatsächlich Bewegung in die Zweige der Bäume gebracht, aber für einen Moment war es mir, als hätte ich in den Nebelfetzen etwas gesehen, eine huschende Gestalt.

»Ich dachte nur ...« Grayson starrte ins Dunkel.

»Hier vorne ist Platz genug.« Arthur war ein paar Schritte weitergegangen, in den Schatten einer alten Zeder. Die anderen folgten ihm. Plötzlich schien eine eher gedrückte Stimmung zu herrschen. Ich kaute gespannt an meiner Unterlippe. Was würde jetzt passieren? Ich hoffte sehr, dass kein Skelett oder gar so ein halbverwester Leichenzombie in diesem Traum vorkam, denn vor denen gruselte es mich in Filmen immer ziemlich. Andererseits befanden wir uns auf einem

Friedhof, da war das wohl zu erwarten. Kurzfristig fragte ich mich, ob mein Traum ein bisschen zu sehr in Klischees abglitt, aber egal, Hauptsache, er blieb so spannend. (Nur ohne Spinnen, wenn es ging.)

»Fünf haben das Siegel gebrochen, fünf haben den Eid geleistet, und fünf werden das Tor öffnen, wie es geschrieben steht. Wie in jeder Neumondnacht sind wir gekommen, unseren Eid feierlich zu erneuern.« Arthur hatte einen Stock aufgehoben und zeichnete damit etwas auf den Boden, wobei er mit großen Schritten einen Kreis beschrieb. Da, wo die Stockspitze den Boden berührte, ging das Gras in Flammen auf.

Ich war beeindruckt.

Die anderen stellten sich um das Feuer herum auf. Dazu intonierte Arthur mit salbungsvoller Stimme eine Art Singsang, den ich leider hinter meinem Grabstein nur bruchstückhaft verstehen konnte, weil die Flammen so laut knisterten. »... *custos opacum* ... wissen, dass wir deinen Zorn erregt haben ... zu Recht hegst du Zweifel ... schwören, dass Anabel bereut, was passiert ist ... sie leidet ... alles tun, um unseren Eid zu erfüllen ... sie nicht noch mehr bestrafen ...«

»Und uns auch nicht«, sagte Jasper. »Wir können ja nichts dafür ...« Er verstummte, als er die unwilligen Blicke der anderen bemerkte.

»Komm und sprich zu uns ...«, fuhr Arthur fort, und die

Flammen loderten höher. »...*foedus sanguinis*... *interlunium*...
der du tausend Namen trägst und in der Nacht zu Hause
bist ... wir brauchen ...« Der Rest ging im Knistern unter.

Was brauchten sie? Wer war Anabel, und was bereute sie?
Und welchen Eid wollten sie erfüllen? Ich platzte beinahe
vor Neugierde, aber aus Angst, sie könnten mich entdecken,
wagte ich mich nicht näher heran. Zumal Henry genau in
meine Richtung schaute. Die Flammen spiegelten sich in seinen Augen wider, was ausgesprochen gruselig aussah. Nein,
noch weiter heranschleichen war unmöglich. Es sei denn, ich
wäre wirklich eine Katze gewe... Moment mal! Das hier war
schließlich ein Traum. Ich konnte alles sein, was ich wollte,
auch eine Katze. Ich hatte mich schon öfter im Traum in ein
Tier verwandelt. (Wenn auch nicht immer freiwillig. Mit
Schaudern erinnerte ich mich an diesen Traum, in dem ich
eine Maus gewesen war und Lottie mich mit einem Besen
verfolgt hatte.)

»*Custos opacum* ... wir bitten dich demütig, zeig uns, wer
auf den leeren Platz treten soll ... *non est aliquid absconditum* ...
bitte ...«

Ich kniff die Augen zusammen und dachte, so intensiv ich
konnte, an die kleine Schleiereule, die ich mal als Neunjäh-
rige in einem Vogelpark in Deutschland auf die Hand hatte
nehmen dürfen. Eulen konnten nachts noch besser sehen als
Katzen, und vor allem konnten sie absolut lautlos fliegen.
Als ich die Augen wieder öffnete, befand ich mich in luftiger

Höhe, mehrere Meter über der Erde und hatte meine Klauen um einen Zedernzweig geschlagen.

Ein großartiger Traum war das! Er hatte auf den Part verzichtet, in dem ich das Fliegen hätte lernen müssen, und mich direkt an den passenden Ort gesetzt, auf den perfekten Beobachtungsposten. Ich schielte an meinem Schnabel vorbei auf den Boden. Genau unter mir standen die vier Jungen, und jetzt sah ich auch, was Arthur gezeichnet hatte: einen großen, fünfzackigen Stern, einen Drudenfuß mit einem Kreis darum. An manchen Stellen brannte das Gras noch einen halben Meter hoch, überall sonst begannen die Flammen bereits zu erlöschen.

»Wir sind in dieser Neumondnacht zusammengekommen, oh Herr der Schatten und der Finsternis, so dass du uns den Namen derjenigen nennen kannst, die unseren Kreis wieder vervollständigen wird, damit wir unseren Teil des Paktes einhalten können«, rief Arthur.

Oh Herr der Schatten und der Finsternis – nun ja. Vorhin hatte das alles irgendwie bedrohlicher geklungen und weniger lächerlich. Aber ich sollte froh sein, dass er Englisch sprach und nicht Latein, so konnte ich ihn wenigstens verstehen. Ich war gespannt, ob sich der Herr der Schatten und der Finsternis nun auch zeigen würde.

Vorerst loderten lediglich die Flammen höher, dann brach in der Mitte des Drudenfußes die Erde auf, und etwas schob sich mit dumpfem Grollen aus dem Boden heraus. Okay, jetzt wurde es *wirklich* unheimlich. Meine Zeder bebte. Vor lauter Angst, es könne ein zombieartiges Wesen sein, das aus der Erde kroch (der Herr der Schatten und der Finsternis sah bestimmt nicht niedlich aus), schloss ich reflexartig die Augen und schlang meine Arme um einen Ast. Dabei vergaß ich ganz, dass ich eine Eule war und gar keine Arme besaß. Ein dummer Fehler. Als ich die Augen wieder öffnete, hatte ich nicht länger Klauen und Federn, sondern hockte ziemlich ungünstig in meiner menschlichen Gestalt im Geäst der Zeder, mitsamt Nachthemd, Pulli, Pünktchensocken und der Gewissheit, dass mein Gewicht viel zu schwer für die dünnen Zweige war. Krachend gaben sie unter mir nach, und obwohl ich nach allem griff, was mir während des Fallens entgegenschlug, stürzte ich wie ein Felsbrocken hinab, mitten in den Drudenfuß und genau auf das, was sich aus der Erde geschoben hatte. Das übrigens kein Zombie war, sondern lediglich ein polierter Steinquader von der Größe eines Küchentischs.

Nach allen mir bekannten naturwissenschaftlichen Gesetzen hätte ich mir beim Aufschlagen auf den Stein sämtliche Knochen brechen müssen, aber in diesem Traum schienen die Gesetze glücklicherweise nicht zu greifen. Ein paar Zedernnadeln rieselten auf meinen Kopf nieder, ein Zapfen landete in meinem Schoß, doch mir war absolut nichts passiert.

Ich konnte mich ohne irgendwelche Schmerzen aufrichten und in die vollkommen konsternierten Gesichter der vier

Jungs ringsherum sehen, die mich mit weit aufgerissenen Augen anstarrten.

Ein bisschen peinlich war es allerdings schon, irgendwie unwürdig. Ich fühlte mich gar nicht mehr wie Catwoman, und das war keine schöne Traumwendung, wirklich nicht. Schnell schloss ich die Augen und hoffte, dass ich mich einfach noch einmal verwandeln und davonfliegen konnte. Leider gelang es mir nicht, mich auf eine Eule zu konzentrieren – kein Wunder, wenn man so angestarrt wurde. Frustriert klopfte ich mir die Baumnadeln vom Pulli und zog das Nachthemd über meine Knie.

Die vier Jungs sahen immer noch erschrocken aus, Henry und Grayson vielleicht ein bisschen weniger als die anderen beiden.

»Gerade war ich noch eine Schleiereule, ehrlich«, versicherte ich ihnen.

Rasierspaß-Jasper streckte seine Hand aus und berührte kurz meinen Arm.

»Das ... das verstehe ich nicht«, sagte er. »Was hat das denn zu bedeuten? Ich dachte, er würde uns einen Namen zeigen und nicht gleich ein ganzes Mädchen auf den Altar werfen ...«

»Wer bist du?«, wollte Arthur wissen, der von nahem und in diesem Licht mehr denn je wie ein lebendig gewordener Engel wirkte. Ein unheimlicher Engel.

Ein plötzlicher Windstoß ließ die Blätter der umstehenden Bäume rauschen und blies Arthur die blonden Locken aus dem Gesicht. »Nenne mir deinen Namen, oder ... *abeas in malam crucem!*«

Oder ... was? *Verschwinde in schlechtes Kreuz?* Ach, es war eine Schande, dass ich nur so kurze Zeit Latein gehabt hatte. Dummerweise hatte ich geglaubt, es niemals brauchen zu können. Ich war kurz versucht, genauso salbungsvoll zu antworten (und dabei geschickt mit dem einzigen lateinischen Spruch zu glänzen, den ich kannte), so etwas wie: »Ich, oh Unwürdiger, bin die Cousine des Herrn der Schatten und der Finsternis, und *in dubio pro reo*«, aber leider wussten Grayson und Henry ja, wer ich wirklich war.

Und auch Jasper schien sich an mich zu erinnern. Er zeigte auf meine Beine.

»Das ... das ist doch diese Missionarstochter, die heute mit Pandora Porter-Peregrins kleiner Schwester in der Schule unterwegs war!«, sagte er aufgeregt. »Erkennst du sie denn nicht, Henry? Stell sie dir mit einer dicken schwarzen Brille vor und einem Pferdeschwanz ...«

Henry sagte nichts. Grayson seufzte. Der Wind fuhr in die Zweige der Zeder und ließ noch mehr Nadeln und Zapfen auf mich herabregnen. Am Horizont zuckte ein Blitz entlang, und einen Wimpernschlag lang hatte ich wieder das Gefühl, im Nebel eine Gestalt zu erkennen.

»Du meinst, dieses Mädchen gibt es wirklich?«, fragte Arthur. »Und sie geht auf unsere Schule? Bist du sicher?«

»Ja«, beteuerte Jasper eifrig. »Sie ist eine neue Schülerin. Das ist so witzig, weil, als ich gehört habe, dass sie eine Missionarstochter ist, musste ich gleich daran denken, dass sie bestimmt noch Jungfrau ist. Stimmt's, Henry – du hast auch mit ihr gesprochen. Erkennst du sie denn nicht wieder?«

Henry schwieg immer noch. Er und Grayson sahen einander an, als würden sie stumme Zwiesprache halten. Wieder zuckte ein Blitz über den Himmel.

»Dann ist das ein Zeichen«, sagte Arthur. »*Sie* könnte die Auserwählte sein! Kennt jemand ihren Namen?«

Donner grollte aus der Ferne.

»Die Auserwählte«, wiederholte ich und legte dabei so viel Verachtung wie nur möglich in meine Stimme. »Sehr originell, wirklich. Wobei ich zugeben muss, dass das mit dem Stein hier durchaus ... wer hat ihn eigentlich aus dem Boden geschoben?« Ich ließ mich von dem Granitquader gleiten, weil ich den Eindruck hatte, dass Jasper mir unter das Nachthemd starrte. Überhaupt kam es mir vor, als wären sie mir alle ziemlich nahe auf die Pelle gerückt. Die zuckenden Flammen tauchten ihre Gesichter von unten in orangefarbenes Licht und ließen Schatten über ihre Haut tanzen.

Da, noch ein Blitz. Und wieder Donner, dieses Mal näher.

»Den Namen finden wir morgen ganz leicht heraus – Pandoras kleine Schwester wird überglücklich sein, wenn

96

ich sie danach frage.« Jasper lachte selbstgefällig. »Sie wird bei meinem Anblick vor Freude jedes Mal halb ohnmächtig.«

Grayson murmelte etwas, aber so leise, dass es von Jaspers Gelächter, dem Blätterrauschen und dem Knistern der Flammen verschluckt wurde.

Arthur hob indessen feierlich seinen Stock in die Höhe. »Wir haben verstanden, Gebieter der Nacht. Wir danken dir für deine Antwort. Und wir werden dich nicht noch einmal enttäuschen.«

»Es tut mir leid, Arthur, aber sie ist ganz bestimmt nicht ... äh ...«, sagte Grayson ein bisschen lauter. Er rieb sich über die Stirn, und mittlerweile kannte ich ihn gut genug, um zu wissen, dass er das immer tat, wenn er verlegen war. »Dass sie hier ist, ist allein meine Schuld. Sie heißt Liv und ist die Tochter der Freundin meines Vaters. Und offenbar ...« Er machte eine kleine Pause, in der er mich mit einem ärgerlichen Blick bedachte. »Offenbar kann ich nicht aufhören, an sie zu denken. Es tut mir leid, dass ich unser Ritual versaut habe.«

Arthur schwieg. Er ließ den Stab sinken, streckte seine Hand aus, griff nach einer meiner Haarsträhnen und ließ sie langsam durch seine Finger gleiten. Ich zuckte zurück.

»Echt jetzt?«, fragte Jasper. »Die Freundin von deinem Dad ist Missionarin?«

Grayson seufzte wieder.

Henry schaute mich nachdenklich an. »Es ist wirklich ein merkwürdiger Zufall, dass sie ausgerechnet während dieses Rituals in die Mitte unseres Kreises gefallen ist, Grayson«, sagte er leise, während ein weiterer Blitz den Himmel erhellte.

»Entschuldigt«, sagte Grayson mit einem zerknirschten Schulterzucken. »Vielleicht sollten wir einfach noch mal von vorne anfangen.«

»Du musst dich nicht entschuldigen.« Arthur streichelte mit dem Daumen über meine Haarsträhne in seiner Hand. Normalerweise hätte ich ihm auf die Finger geschlagen, aber aus irgendeinem Grund konnte ich mich nicht rühren. Der Traum war eindeutig aus dem Ruder gelaufen. Jeden Augenblick würde er in einen Albtraum umschlagen, das spürte ich genau. Und es gefiel mir nicht.

»Ich glaube nicht an Zufälle«, sagte Arthur.

»Ich auch nicht. Nicht mehr, seit ...« Von Jaspers selbstgefälliger Miene war nichts mehr zu sehen. Jetzt wirkte er eher ängstlich. »... seit ihr wisst schon was passiert ist«, ergänzte er leise. »Wenn du sie näher kennst, Grayson, umso besser. Dann ist es einfacher für uns ...«

Erneut ertönte ein lauter Donner. Es reichte. Ich musste etwas unternehmen, bevor diese mystischen Friedhofsspielchen endgültig zum Albtraum wurden und mein Cousin, der Herr der Schatten und der Finsternis, aus dem Nebel auftauchte und mich mit Lotties Beil niedermetzelte.

»Nimm gefälligst deine Pfoten von mir, Gandalf«, sagte ich energisch und befreite mit einem Ruck meine Haarsträhne aus Arthurs Fingern. »Ist zwar alles hochinteressant hier, aber trotzdem muss ich jetzt gehen. Bei Gewitter darf ich nicht draußen sein.« Das sollte lässig klingen, tat es aber nicht. Leider. Selbst der unterbelichtete Jasper musste merken, dass ich Angst hatte.

Jetzt erst fiel mir auf, wie groß sie alle waren. Über eins fünfundachtzig, jeder von ihnen, und mit jeder Sekunde, in der ich sie anschaute, schienen sie noch zu wachsen.

Ein Blitz tauchte den Friedhof in grelles Licht. Ich schluckte. Die äußeren Flammen des Drudenfußes loderten wieder höher, und aus den Augenwinkeln betrachtet sah es so aus, als würden den wabernden Nebelschwaden im Dunkeln Arme und Beine wachsen ...

»Ich warne euch, ich kann Kung-Fu«, sagte ich. Meinen Worten folgte ein gewaltiger Donner, die Erde bebte erneut, ich verlor das Gleichgewicht und fiel um.

»Aua«, sagte ich laut und rieb mir den Hüftknochen. Mit meiner katzenhaften Sehkraft war es schlagartig vorbei. Ich war auf hartem Marmorboden gelandet. Irgendwo links neben mir erkannte ich im diffusen Licht einen kleinen unförmigen Fleck. Ich tastete danach und hielt mir das Ding vor die Augen. Es war eine der grenzdebil grinsenden Tänzerinnen von Mrs Finchley, die ich unter mein Bett geschoben hatte, um sie nicht andauernd anschauen zu müssen.

Jetzt aber freute mich ihr verschwommener Anblick ungemein.

Ich war aufgewacht.

Gott sei Dank.

9

»Leg Lotties iPad weg, Liv«, sagte meine Mutter. »Du weißt ganz genau, dass ich das bei Tisch nicht dulde.«

»Ich muss was für die Schule nachschauen. Wenn ich ein Smartphone hätte wie jeder andere Mensch, hätte ich das längst erledigt.« Sehr zu unserem Kummer besaßen Mia und ich nur uralte, klobige Karten-Handys für den Notfall, ausrangierte Teile von meinem Vater. Nutzlos und peinlich.

Sub umbra floreo gab ich in das Suchfeld ein.

»Latein?«, fragte Mum, die offensichtlich besser über Kopf lesen konnte als gedacht. »Für welches Fach brauchst du das denn?«

»Für äh …« Die Suchmaschine spuckte jede Menge Ergebnisse aus. Ich ließ meinen Finger darüber gleiten. *Sub umbra floreo* – ich blühe im Schatten. Der Spruch bildete die Inschrift des Staatswappens von Belize. Hm. »Erdkunde«, sagte ich. »Wo liegt noch mal Belize?«

»In Zentralamerika. Neben Guatemala. Früher hieß es British Honduras.« Manchmal war Mum schneller als das iPad und mindestens so gut wie Wikipedia.

»Aha.« Ich fragte mich, woher mein Unterbewusstsein das Staatsmotto von Belize kannte. Ich war mir ziemlich sicher, dass ich heute zum allerersten Mal überhaupt von diesem Land hörte. Wie konnte ich dann davon träumen? Schon seltsam, was man unterbewusst alles aufschnappte und speicherte.

Merkwürdig war auch, dass ich mich immer noch an fast jedes Detail meines nächtlichen Traums erinnern konnte. Schon als Kind hatte ich lebhaft geträumt (auch aus dem Bett fiel ich öfter mal, eine Zeitlang war ich sogar geschlafwandelt. Lottie erzählte immer gern, wie ich als Fünfjährige nachts an ihrem Bett gestanden und auf Spanisch ein Orangeneis bestellt hatte), aber normalerweise entglitten mir die Erinnerungen daran viel schneller als mir lieb war, manchmal schon Sekunden nach dem Aufwachen, egal, wie aufregend oder wichtig oder lustig der Traum auch gewesen sein mochte. Eine Zeitlang hatte ich mir deshalb angewöhnt, besonders interessante Träume sofort aufzuschreiben. Zu diesem Zweck hatte ich immer ein Heft und einen Stift auf dem Nachttisch liegen (Das Heft musste ich tagsüber an einem sicheren Ort verstecken, niemand durfte jemals darin lesen, so viel war klar.) Aber bei diesem Traum war das nicht nötig gewesen.

Ich war in der Nacht übrigens nicht von einem echten Gewitter geweckt worden, sondern vom Lärm, den die Müllabfuhr draußen auf der Straße gemacht hatte, dem Rumpeln leerer Tonnen und Container. Mein Herz hatte immer noch bis zum Hals geklopft, als ich mich vom Boden aufgerappelt und versucht hatte, meine Gedanken zu sortieren. Der Traum, so verrückt er auch gewesen sein mochte, war mir so real vorgekommen, dass ich erst einmal die goldene Nachttischlampe angeknipst und verstohlen nachgesehen hatte, ob die Sohlen meiner Flauschsocken vielleicht Spuren von Friedhofserde aufwiesen, ob Harz an meinen Handflächen klebte oder Zedernnadeln in meinen Haaren steckten. Was natürlich nicht der Fall gewesen war.

Inzwischen musste ich über mich selber grinsen. Wenigstens konnte ich mich nicht über einen Mangel an Phantasie beklagen.

»Kann ich bitte noch einen Toast haben?«, fragte Mia, während ich »Christina Rosetti« in das Suchfeld eintippte, deren Grab Grayson im Traum gesucht hatte. Obwohl ich den Namen falsch schrieb, gab es zahllose Treffer.

»Das wäre dann dein fünfter Toast«, sagte Mum zu Mia. Und zu mir sagte sie: »Hast du nicht gehört? Kein iPad bei Tisch. Leg es weg.«

Aber das ging nicht, weil das Display gerade Erstaunliches offenbarte: Christina Rossetti war tatsächlich eine Dichterin aus viktorianischer Zeit, gestorben 1894. Beerdigt in London, und zwar auf dem Highgate Cemetery.

Das war jetzt allerdings ein wenig unheimlich.

Ich klappte die Hülle des iPads zu und schob es ein Stückchen von mir weg.

»Wäre es dir lieber, ich würde magersüchtig werden?«,

fragte Mia. »Mädchen in meinem Alter sind da sehr gefähr-
det, besonders in instabilen familiären Konjugationen.«

»Konstellationen«, verbesserte Mum automatisch und
reichte Mia den Brotkorb.

So unheimlich war es allerdings auch wieder nicht, wenn
man näher darüber nachdachte. Ich ignorierte meine Gänsehaut und klappte die Hülle des iPads wieder auf. Es gab ganz
sicher eine logische Erklärung dafür. Schließlich war meine
Mutter Literaturwissenschaftlerin, da war es sehr wahrscheinlich, dass ich den Namen Christina Rossetti schon einmal
gehört hatte, zumal sie eine Zeitgenossin von Emily Dickin-
son war, deren Gedichte Mum und ich sehr mochten. Irgendwo in meinem Unterbewusstsein musste sich halt auch
die Information festgesetzt haben, wo Christina Rossetti begraben lag. Und heute Nacht hatte sich ebendiese Information in meinen Traum geschlichen. So einfach war das.

Andererseits – ich konnte mich zwar nicht mehr an den
genauen Wortlaut des Gedichts in meinem Traum erinnern,
das Grayson und Henry zitiert hatten, aber es hatte sich gereimt und ziemlich echt geklungen. Und gut. Wenn mein
Unterbewusstsein das selber gedichtet hatte, musste ich
wohl ein Genie sein.

»Mum, kennst du Christina Rossetti?«, fragte ich.

»Ja, natürlich. Ich besitze eine wunderschöne illustrierte
Ausgabe von ›Goblin Market‹. In einem meiner Bücherkar-
tons.«

»Hast du mir ihre Gedichte vielleicht vorgelesen, als ich klein war?«

»Möglicherweise.« Mum nahm mir das iPad aus der Hand und klappte die Hülle zu. »Aber eigentlich mochtest du nur Gedichte mit Happy End. Die von Christina Rossetti sind eher düster.«

»Wie die Stimmung in diesem Hause.« Mia sah zur Küchentür, durch die Lottie vorhin gehuscht war. Nach ihrer zweiten Tasse Kaffee verschwand Lottie immer für eine Viertelstunde im Badezimmer – jeden Morgen, ohne Ausnahme. »Hast du Lottie eigentlich schon gesagt, dass du und Mr Spencer sie bald rausschmeißen werdet, oder müssen wir das tun?«

»Niemand wird Lottie rausschmeißen«, sagte Mum. »Ihre Zeit als Kindermädchen in dieser Familie geht einfach zu Ende – und das weiß Lottie schon lange. Ihr seid nun mal keine Kinder mehr, auch wenn ihr euch alles andere als erwachsen benehmt. Gestern Abend habe ich mich sehr für euch geschämt ...«

»Dito.« Mia hatte ihre Toastscheibe mit einem halben Pfund Marmelade bestrichen und versuchte, das Ganze zum Mund zu bugsieren, ohne dass es in der Mitte durchbrach.

»Wo soll Lottie denn hin, wenn sie nicht mehr für uns arbeiten kann?«, fragte ich. Christina Rossetti und mein irrer Traum waren für den Moment vergessen. »Sie hat doch gar nichts gelernt. Wenn du und Papa sie nach ihrem Au-pair-

Jahr nicht überredet hättet, bei uns zu bleiben, hätte sie studiert und Karriere gemacht. Unseretwegen hat sie darauf verzichtet, und jetzt, wo sie alt ist, muss sie sich sagen lassen, dass sie nicht mehr gebraucht wird. Das ist schäbig.«

Mum lachte kurz auf. »Lieber Himmel, Liv, jetzt sei doch nicht so dramatisch! Erstens war das damals Lotties freie Entscheidung, und meiner Meinung nach nicht die schlechteste: Sie hat viel von der Welt gesehen, Fremdsprachen gelernt und weiß Gott nicht schlecht verdient in all den Jahren – die gesamten Unterhaltszahlungen eures Vaters sind für ihr Gehalt draufgegangen. Und zweitens ist sie gerade mal einunddreißig – wenn das alt ist, was bin denn dann ich, bitte?«

»Uralt«, sagte Mia mit vollem Mund.

Mum seufzte.

»Was hat Lottie denn zu ihrer bevorstehenden Kündigung gesagt?«

»Bestimmt hat sie geweint.« Mia sah aus, als würde sie selber gleich mit dem Weinen anfangen. »Arme alte Lottie.«

»Unsinn«, sagte Mum. »Natürlich wird Lottie euch vermissen, aber sie freut sich auch auf neue Herausforderungen.«

»Ja, klar doch.« Wollte sie uns etwa für dumm verkaufen?

»Außerdem ist es noch lange nicht so weit«, sagte Mum. »Bis Ostern wird sie ja auf jeden Fall bei uns bleiben, vielleicht auch bis Schuljahresende. Wir werden sehen. Jedenfalls hat sie genug Zeit, sich zu überlegen, was sie danach machen will.«

»Buttercup wird sicher magersüchtig, wenn Lottie nicht mehr da ist«, sagte Mia. »Wisst ihr noch, als Lottie nach Deutschland musste, weil ihre Oma gestorben war? Da hat Butter sieben Tage lang nichts gefressen.«

Ich sah zur Tür, aber Lotties Viertelstunde war noch nicht um. »Bestimmt versucht sie, tapfer zu sein, die arme Lottie. Das wird ihr das Herz brechen.«

»Vielleicht nehmt ihr euch auch einfach ein bisschen zu wichtig«, sagte Mum. »Könntet ihr eventuell mal in Erwägung ziehen, dass jemand sein Leben auch ohne euch genießen kann?«

»Ja, ich wette, *du* träumst davon, seit du Mr Spencer kennst«, sagte Mia.

Mum verdrehte ihre Augen. »Im Ernst, ihr Mäuse, jetzt seid doch nicht so egoistisch. Lottie könnte endlich einen Mann kennenlernen, sesshaft werden und eigene Kinder bekommen.«

Mia und ich schauten einander an. Mit ziemlicher Sicherheit dachten wir gerade genau das gleiche.

»Das ist überhaupt die Idee«, sagte Mia mit leuchtenden Augen. »Wenn wir wollen, dass Lottie glücklich wird, müssen wir ihr einfach nur einen Mann besorgen.«

Jetzt lachte Mum. »Na dann – viel Spaß«, sagte sie.

10.

Mein Schulspind hatte die Nummer 0013 und befand sich damit in absoluter Toplage am Anfang des Gangs. Ich hatte allerdings den Verdacht, dass er nur frei gewesen war, weil niemand die Nummer 13 hatte haben wollen. Wie gut, dass ich nicht abergläubisch war. An Unglückszahlen glaubte ich ebenso wenig wie an Horoskope oder daran, dass vierblättrige Kleeblätter und Schornsteinfeger Glück brachten. Von mir aus konnten an einem Freitag dem dreizehnten auch Spiegel zerbrechen und massenweise schwarze Katzen über die Straße laufen, egal ob von links nach rechts oder umgekehrt. (Lottie, die bei jeder Gelegenheit dreimal auf Holz klopfte, meinte, mein Misstrauen allem Übersinnlichen gegenüber läge in meinem Sternzeichen begründet, Waagen mit Aszendent Schütze seien geborene Skeptiker. Stets wollten sie den Dingen auf den Grund gehen und benötigten für alles Beweise, weshalb ich schon als Kleinkind die Existenz von Weihnachtsmann und Zahnfee angezweifelt hätte.)

Der Spind war wunderbar geräumig, ich lud gefühlte fünfzig Kilo Schulbücher, Hefte und Ordner darin ab sowie meine Sporttasche und hätte immer noch Platz für einen Picknickkorb und einen Tennisschläger gehabt. Nicht, dass ich einen gebraucht hätte: In diesem Trimester hatte ich mich in Ermangelung echter Alternativen für Leichtathletik eingetragen. Eigentlich hätte ich gern etwas Landestypisches ausprobiert, aber das Sportangebot an der Frognal Academy war leider lange nicht so britisch, wie das altehrwürdige Wappen am Schultor hoffen ließ. Es gab für meine Jahrgangsstufe weder einen Ruderkurs noch Hockey, Kricket oder Polo – sehr enttäuschend.

Als ich die Spindtür zuklappte, hätte ich beinahe vor Schreck meine Englischsachen fallen gelassen. Ich schaute nämlich direkt in das Gesicht von Rasierspaß-Ken, der mich mit weißen Zähnen breit angrinste. Sofort hatte ich wieder jedes Detail meines verrückten Traums vor Augen, einschließlich Rasierspaß-Ken im karierten Flanellschlafanzug.

»Hi, Liz«, sagte er und streckte mir seine Hand entgegen. Ich war so verdutzt, dass ich tatsächlich danach griff und sie schüttelte. »Wir hatten gestern bereits das Vergnügen, uns kennenzulernen, aber da habe ich ganz versäumt, mich vorzustellen. Ich bin Jasper. Jasper Grant.« Als ich nichts erwiderte, lachte er. »Ja, richtig. *Der* Jasper Grant.« Unfassbarerweise lachte er genauso, wie er in meinem Traum gelacht hatte: selbstgefällig glucksend.

Ich zog meine Hand zurück und versuchte, mir meine Verwirrung nicht anmerken zu lassen.

»Aber hoffentlich glaubst du nicht alles, was Aphrodite Porter-Peregrin dir über mich erzählt hat«, fuhr er fort.

»Nämlich nicht Madison hat mit mir Schluss gemacht, sondern ich mit Madison.«

Hä? Endlich erwachte ich aus meiner Erstarrung. »Da bin ich ja beruhigt«, sagte ich sarkastisch. »Ich hatte mich schon gewundert.«

»Na ja, du weißt ja, wie das ist. Irgendwie ist es Mädchen immer peinlich, wenn man sie abserviert.« Jaspers Blick glitt an mir herab und blieb kurz an meinen Beinen hängen. »Obwohl dich bestimmt noch keiner abserviert hat, oder, Liz?«, sagte er mit schmeichelnder Stimme. »Ich könnte mir vorstellen, dass du ohne Brille super aussiehst ... stimmt's, Henry?« Er winkte über meine Schulter. »Guck doch mal, wer hier ist.« Letzteres klang ausgesprochen triumphierend. »Die kleine Liz.«

Ich drehte mich langsam um. Henry stand im Gewühl gleich hinter mir, blasser und verstrubbelter denn je.

Henry also. Diesen Namen hatte er auch in meinem Traum gehabt. Das Merkwürdige war nur: Ich hätte schwören können, dass der Name bei unserer Begegnung mit Persephone und der Pampelmuse gar nicht gefallen war. Wie zur Hölle hatte ich ihn dann in meinem Traum so zielsicher »Henry« taufen können?

Und wieso bekam ich jetzt eine Gänsehaut?

»*Jasper*«, sagte Henry gedehnt.

Andererseits – vielleicht hatte Grayson seinen Namen ja in dem Telefongespräch genannt, das ich belauscht hatte, außerdem war Henry ein häufiger Name, und irgendwie sah er auch wie ein Henry aus.

»Was denn?« Jasper grinste Henry an. »Man wird ja wohl noch Bekanntschaften auffrischen dürfen.« Er legte einen Arm um meine Schulter. »Liz ist noch ganz verdattert, dass Jasper Grant sich ihren Namen gemerkt hat, stimmt's?«

»Ja, vor allem, weil es der falsche Name ist«, sagte ich und befreite mich aus seinem Klammergriff. »Ich heiße Olivia.«

»Auch hübsch! Ein sehr süßer Name für ein sehr süßes Mädchen«, sagte Jasper vollkommen unbeirrt. Selbst der echte Rasierspaß-Ken musste ein größeres Gehirn in seinem Plastikschädel haben. »Ich finde aber, du solltest die Haare offen tragen. Das steht dir echt viel besser, vor allem, wenn sie so ein bisschen zerzaust sind ... stimmt's nicht, Henry?«

Henry zog es offenbar vor, zu schweigen. Er hatte Spind Nummer 0015 aufgeschlossen, aber er musterte mich über die Tür hinweg immer noch mit dem gleichen nachdenklichen Gesichtsausdruck, den er auch im Traum aufgesetzt hatte.

Ich schüttelte den Kopf und versuchte mich zusammenzureißen.

Stilberatung von Rasierspaß-Ken und blöde Blicke von Struwwelpeter – es gab wirklich bessere Möglichkeiten, den Tag zu beginnen. Meine Bücher an die Brust gepresst, schob ich mich an Jasper und Henry vorbei.

»Warte doch mal«, rief Jasper hinter mir her, aber ich tat

so, als hörte ich ihn nicht. Bloß weg hier, sonst würde ich nie aufhören, an diesen verflixten Traum zu denken!

Allerdings war das leichter gesagt als getan. Alles, aber auch alles an diesem Tag schien mich mit Gewalt an meinen Traum erinnern zu wollen. In Englisch behandelten wir Dichtungen der viktorianischen Epoche und bekamen jeder einen Schriftsteller zugewiesen, dessen Leben und Werk wir der Klasse im Laufe der nächsten Wochen vorstellen sollten. Vor lauter Schreck darüber, dass auch Christina Rossetti auf der Liste stand (verfolgte die mich?), vergaß ich ganz, mich bei Sir Arthur Conan Doyle zu melden, und hätte um ein Haar Emily Brontë nehmen müssen. Glücklicherweise fiel dem Jungen, der sich erst für Elizabeth Barrett Browning entschieden hatte, in allerletzter Minute ein, dass Gedichte Mädchenkram seien. Ich war sehr erleichtert, dass wir tauschen konnten, denn ich hatte mir erst im letzten Schuljahr in Pretoria eine schlechte Note eingehandelt, weil ich »Sturmhöhe« nicht im Sinne der Lehrerin interpretiert hatte. (Ich hatte mich geweigert, Heathcliffs Verhalten mit seiner schlimmen Jugend zu entschuldigen. Dickens' David Copperfield hatte auch eine schlimme Jugend, aber aus ihm war trotzdem ein netter Mensch geworden.)

Der Musikunterricht in der dritten Stunde hätte mich vielleicht auf andere Gedanken gebracht, aber die Lehrerin hieß Mrs Beckett, und ich war sicher, dass ihr Name auch in meinem Traum gefallen war. Außerdem fühlte ich mich beim

Thema »gregorianische Gesänge« zwangsläufig an Arthurs beschwörenden Singsang erinnert. *Custos opacum* ... komm und sprich zu uns. Der Traum hatte sich in mir festgehakt wie ein besonders hartnäckiger Ohrwurm.

In der anschließenden Französischstunde setzte sich dann vollkommen überraschend Persephone Affennase neben mich. »Hi, Liv! Ich hoffe, du hast nichts dagegen, dass Julie und ich die Plätze getauscht haben. Ich bin doch deine Patin und muss auf dich aufpassen.« Sie ignorierte meine verdutzte Miene und lächelte zuckersüß. »Reife Leistung, Liv — erst einen Tag an der Schule und schon im Tittle-Tattle-Blog.«

»Im was?«

»Die Brille steht dir übrigens super, das wollte ich dir gestern schon sagen. Das hat so was ... äh ... retromäßiges.«

Blöde Spinatwachtel. Ich wusste selber, dass die klobige schwarze Brille ein Fehlkauf gewesen war, ich hatte sie nur genommen, weil sie, riesig wie sie war, meine Nase optisch deutlich verkürzte. Was vielleicht, im Nachhinein betrachtet, nicht das ausschlaggebende Kaufargument hätte sein sollen. Aber jetzt war sie nun mal da, und ich musste das Beste draus machen.

»Danke. Emma Watson trägt das gleiche Modell«, sagte ich.

»Ach, ich wusste gar nicht, dass Emma Watson eine Brille trägt.«

Tat sie ja auch nicht.

Persephone beugte sich noch ein wenig näher und raunte: »Stimmt es, dass deine Mutter den Vater der Spencer-Zwillinge heiraten wird?«

Oh mein Gott. Daran hatte ich ja noch gar nicht gedacht. Von Heirat war bisher noch keine Rede gewesen. Aber wie die Dinge lagen, konnte man das wohl auch nicht ausschließen. »Sie sind jedenfalls … ein Paar«, sagte ich steif.

»Wahnsinn. Dann zieht ihr also bei ihnen ein?«

Ich nickte.

»Wahnsinn«, sagte Persephone noch begeisterter. »Der Tittle-Tattle-Blog ist wieder mal bestens informiert. Hach! Es hat garantiert Vorteile, die künftige kleine Schwester von Grayson Spencer zu sein.« Sie tätschelte meine Hand. »Natürlich kann er nicht selber mit dir zum Herbstball gehen, aber er und Florence werden sicher versuchen, dich mit einem ihrer Freunde zu verkuppeln. Die Frage ist nur, mit wem.«

»Was ist denn ein Tittle-Tattle-Blog?« Klang irgendwie unanständig. Und wieso konnte Grayson nicht mit mir zum Ball gehen? Nur rein theoretisch gefragt, natürlich.

»Für Jasper bist du zu jung – du bist doch auch erst fünfzehn, oder? – und wahrscheinlich nicht hübsch genug, und für Arthur – na ja, wer ist schon hübsch genug für Arthur?« Persephone seufzte tief, und ich konnte mich des Eindrucks nicht erwehren, dass sie gar nicht mehr mit mir sprach, sondern lediglich laut dachte. Und zwar ohne Luft zu holen oder sich an meinem verwirrten Gesichtsausdruck zu stören. »Bleibt noch Henry Harper – aber ob man den dazu bringen kann, eine Tanzveranstaltung zu besuchen? Ich kann ihn mir beim besten Willen nicht in einem Frack vorstellen. Im letzten Jahr hat er jedenfalls durch Abwesenheit geglänzt, und auf dem Abschlussball war er auch nicht. Natürlich weiß ich von dem Gerücht, dass er und Anabel Scott ... aber ich meine, *hallo*? Das glaubt doch nun wirklich niemand, Tittle-Tattle hin, Tittle-Tattle her.«

Oh Gott, was war mit ihr? Und war es vielleicht ansteckend? Ich rückte instinktiv ein Stück von ihr ab, aber Persephone rückte sofort nach. »Andererseits hat Secrecy bisher immer den richtigen Riecher gehabt. Sie wusste auch, dass Madison und Jasper Schluss gemacht hatten – sogar schon, bevor sie es selber wussten.«

Mrs Lawrence, die Französischlehrerin, hatte den Klassenraum betreten und bat um Ruhe, nur leider ließ Persephone sich davon nicht stören. »Wenn Florence sich der Sache annimmt, musst du garantiert mit Emily Clarks pickligem Bruder hingehen«, überlegte sie weiter. »Aber besser mit Pickel-Sam zum Ball als gar nicht. Ich war letztes Jahr mit Ben Ryan dort, und es hat mir nichts ausgemacht. Ich habe es so satt, darauf zu warten, dass Jasper sich endlich meinen Namen merkt oder mich überhaupt mal registriert. Als Mädchen, meine ich. Dieses Jahr gehe ich mit Gabriel hin, der ist Pandora noch was schuldig und auch in der Basketballmannschaft, und eins kannst du mir glauben: Ich werde dafür sorgen, dass es der schönste Abend seines Lebens wird. In der Umkleidekabine haben die Jungs nämlich keine Geheimnisse voreinander, und Gabriel wird Jasper so von mir vorschwärmen, dass der vor Neid ganz blass werden und mich nie mehr Aphrodite nennen wird ...«

»Ich sagte, *un petit peu de silence, s'il vous plaît*, das gilt auch für Sie, Persephone!« Mrs Lawrence hatte sich mit gerunzelter Stirn vor uns aufgebaut und machte einen wirklich verärgerten Eindruck. Ich hatte mich trotzdem noch nie mehr über den Anblick einer Lehrerin gefreut.

»*Pardon, Madame.* Liv ist neu und hat so viele Fragen«, sagte Persephone mit einem entschuldigenden Augenaufschlag. »Pssssst, jetzt, Liv«, zischte sie mir dann in Bühnenlautstärke zu. »Wir können nachher weiterreden.« Damit beugte sie sich zu ihren Büchern hinunter, und ich sah erschöpft auf meine Armbanduhr. Wow! Das waren mindestens siebenunddreißig Namen und ebenso viele Fakten in zwei Minuten gewesen. Ich hatte nicht ein Wort davon verstanden. Nur eins wusste ich mit Sicherheit: Mit Emily Dingenskirchens pickligem Bruder würde ich nirgendwo hingehen.

Der Frognal Academy Tittle-Tattle-Blog mit dem neusten Klatsch, den besten Gerüchten und brandheißen Skandalen unserer Schule

ÜBER MICH:
Mein Name ist Secrecy – ich bin mitten unter euch und kenne all eure Geheimnisse

UPDATE   ACTIVITY

4. September

Guten Morgen, meine Lieben!

Zum Wachwerden gleich mal ein Foto, das ich gerade eben bei den Schließfächern schießen konnte. Voilà – die neue Besitzerin von Spind Nummer 0013.

Na, wie findet ihr Frognal-Academy-Neuzugang Liv Silber, elfte Klasse? Ihr Vater ist ein bekannter deutscher Atomphysiker, und ihre Mutter, eine Literaturprofessorin mit Lehrauftrag in Oxford, wird demnächst den Vater von Grayson und Florence Spencer ehelichen.

Das Zusammenziehen ist jedenfalls für Oktober geplant. Livs kleine Schwester Mia geht in die achte Klasse und hat die gleiche aufregende Haarfarbe. Mondscheinblond nennt man das wohl, und es ist exakt die Farbe der Strähnchen, die sich Hazel-die-ehemalige-Dampfwalze-Pritchard für 90 Pfund beim Friseur hat machen lassen, nur ist es bei den Silber-Schwestern eben Natur und somit ganz umsonst – beneidenswert, nicht wahr, Hazel? Ich hörte schon einige über die Brillen der beiden lästern, aber ich finde sie irgendwie stylisch. Tja, Grayson, dann wirst du wohl demnächst drei Schwestern haben, herzlichen Glückwunsch. Und wie gut, dass Emily nicht so der eifersüchtige Typ ist …

Nächste Woche startet auch die Basketball-Saison wieder, eine gute Gelegenheit, um sich Arthur und Co mal aus der Nähe anzuschauen. Nachdem die Frognal Flames in der letzten Saison so überragend gespielt und überraschend den Schulpokal gewonnen haben, erwarte ich brechend volle Zuschauertribünen für diese Saison, um unsere Jungs anzufeuern. Diese schlabbrigen Trikots sind zwar aus ästhetischer Sicht wirklich das Letzte (selbst Polo-Uniformen haben mehr Sex-Appeal) – aber ich persönlich freue mich trotzdem auf den verschwitzten Anblick unserer vier Musketiere,

Arthur Hamilton, Henry Harper, Grayson Spencer und Drei-Punkte-King Jasper Grant.

Ich wünsche euch einen schönen Schultag – ach ja, wenn der Tag *wirklich* schön werden soll, dann kommt Mr Daniels heute besser nicht zu nahe, er hat gestern Abend beim Türken ein halbes Kilo rohe Zwiebeln in seinem Döner versenkt.

Wir sehen uns
Eure Secrecy

11

Die Bibliothek in der Frognal Academy war mit vierzehn Computerplätzen inklusive Internetzugang ausgestattet, und alle vierzehn Plätze waren leer. Vermutlich, weil außer mir jeder mit Tablets und Smartphones versorgt war und im Fünfminutenrhythmus seinen Facebook-Status aktualisierte. Aber auch sonst war hier um die Mittagszeit nicht viel los, außer der Bibliothekarin saß nur ein kleinerer Junge in einer Ecke und las. Ich wählte einen Bildschirmplatz ganz hinten, der von der Tür aus nicht einsehbar war, nur für den Fall, dass Persephone auf die Idee kam, hier nach mir zu suchen. Sie hatte offenbar beschlossen, von nun an meine Freundin zu sein. Mit plötzlich erwachter Sympathie hatte das nichts zu tun, aber meine Beziehung zur Spencer-Familie glich wohl das Fehlen von Diamantenmine und Diplomateneltern wieder aus. Es war viel schöner gewesen, als sie mich noch ignoriert hatte. Und vor allem ruhiger. Sogar auf die Toilette folgte sie mir, und dabei redete sie ununterbrochen auf mich ein. Unter dem Vorwand, meine Schwester zu suchen, hatte ich mich auf dem Weg in die Cafeteria hierhergeschlichen – lieber verzichtete ich aufs Mittagessen, als noch eine Minute länger in Persephones Gesellschaft zuzubringen.

Außerdem hatte ich nun eine dreiviertel Stunde lang Zeit für wertvolle Recherchen. Als Erstes wollte ich überprüfen, ob Persephone die Information über unsere bevorstehende Familienzusammenführung wirklich in einem Blog gelesen hatte. Und tatsächlich – die Suchbegriffe Grayson Spencer, Liv Silber und Frognal Academy führten mich direkt auf eine Seite, die sich »Der Frognal Academy Tittle-Tattle-Blog« nannte und von einer gewissen Secrecy betrieben wurde. Der aktuellste Blogeintrag war von heute Morgen acht Uhr dreißig. Ich hielt kurz den Atem an, als ich den Aufmacher erkannte: Ein Foto von mir, wie ich gerade meinen Spind aufschloss.

Ach, du Scheiße.

Hastig las ich, was darunterstand, gleich zweimal, um sicherzugehen, dass ich mich nicht verguckt hatte. Dann holte ich tief Luft. Mondscheinblond, oha. Diese Secrecy (oder war es ein Er?) war ja bestens informiert – nur das mit Papa stimmte nicht, er war weder berühmt noch Atomphysiker, als Ingenieur beschäftigte er sich in der Hauptsache mit der Entwicklung hybridbetriebener Fahrzeuge. Aber der Rest stimmte – und wie gruselig das war! Sie oder er hatte mir in der Nähe des Schließfachs aufgelauert, um mich zu fotografieren. *Ich bin mitten unter euch und kenne alle eure Geheimnisse ...*

Ich scrollte hinunter zu früheren Beiträgen und begann zu lesen. Schreibstil und Inhalt erinnerten ein bisschen an die Illustrierten, die ich liebend gern im Wartezimmer vom Zahnarzt durchblätterte, nur dass es hier nicht um Promis, Schauspieler und den europäischen Hochadel ging, sondern um die Schüler und Lehrer der Frognal Academy und ihre Familien. Secrecy kannte anscheinend wirklich jedes Geheimnis, je pikanter, desto besser. Sie enthüllte verhängnisvolle Affären, outete schwule Mitschüler, bevor sie es selber tun konnten, und wusste, wer sich von wem trennte und warum. Ihre Artikel waren gnadenlos und boshaft. Und zugegebenermaßen *sehr* unterhaltsam.

Es grenzte an ein Wunder, dass angeblich noch niemand herausgefunden hatte, wer sie war – todsicher hegte die Hälfte der Leute, die sie in ihrem Blog bloßgestellt hatte, ihr gegenüber heftige Mordgelüste. Und die andere Hälfte wollte ihr (mindestens) alle Haare einzeln ausreißen. Aus den Kommentaren zu schließen, hatte sie aber auch jede Menge Fans.

»Versucht gar nicht erst herauszufinden, wer ich bin, das ist bisher noch niemandem gelungen« – für mich las sich das wie eine ganz persönliche Herausforderung. Rätseln und Geheimnissen konnte ich nun einmal nicht widerstehen. Auf jeden Fall verbarg sich hinter »Secrecy« jemand, der Florence oder Grayson näherstand, denn nur die wussten über Mums und Ernests Pläne Bescheid. Und das auch erst seit gestern Abend. Oder hatte Secrecy einfach nur zufällig ein Gespräch belauscht? Hatte sie geheime Informanten? Kannte sie sich mit moderner Abhörtechnik aus? Hackte sie sich in private E-Mail-Accounts?

Jemand legte eine Hand auf meine Schulter, und ich fuhr zusammen. Ich war so vertieft gewesen, dass ich den Bewegungen, die ich aus den Augenwinkeln wahrgenommen hatte, keine Beachtung geschenkt hatte.

Zu meiner Erleichterung war es aber nicht Persephone, die mich aufgespürt hatte, sondern Grayson. Von dem ich jetzt dank Secrecy wusste, dass er hervorragend Basketball spielte, stellvertretender Chefredakteur der Schülerzeitschrift »reflexx« war und im letzten Jahr einem Mädchen namens Maisie Brown das Herz gebrochen hatte, weil er anstatt mit ihr mit Florences bester Freundin Emily Clark zum Herbstball gegangen war. (Ah! Das war mit ziemlicher Sicherheit die Emily mit dem pickligen Bruder – langsam bekam ich den Durchblick.)

»Hi«, flüsterte er.

»Hi«, flüsterte ich zurück.

Dann bemerkte ich, dass er nicht alleine gekommen war. Ein Stück weiter hinten ließ sich gerade der unterbelichtete Jasper auf einer Tischkante nieder, neben ihm lehnte Henry mit verschränkten Armen an einem Regal.

Eine Sekunde lang fühlte ich mich in meinen Traum zurückversetzt und sah mich wieder aus der Zeder herabplumpsen, direkt vor ihre Füße. *Gerade war ich noch eine Schleiereule, ehrlich.*

Mein Arm lag glücklicherweise über meinem Notizblock, so dass Grayson nicht lesen konnte, was ich aufgeschrieben hatte, aber dafür hatte er längst einen Blick auf den Bildschirm geworfen.

»Gefällt dir dein Papparazzi-Foto etwa nicht?«, fragte er immer noch im Flüsterton. »Du hattest noch Glück – mich hat sie mal mit einem Eiszapfen an der Nase fotografiert.«

Ich kicherte. Nach dem Bild musste ich später unbedingt suchen. Jasper und Henry beobachteten uns vollkommen unverhohlen, aber wenigstens konnten sie uns nicht hören, solange wir flüsterten. Ich klappte den Notizblock zu und stützte meinen Ellenbogen darauf ab.

»Woher weißt du denn, dass Secrecy eine Sie ist?«, fragte ich.

Grayson zuckte mit den Schultern. »Na, weil sich ein Junge wohl kaum so ausführlich über Spitzen und Rüschen von Ballkleidern auslassen würde.«

»Es sei denn, er macht es extra, damit man ihn für ein Mädchen hält.«

»Auf die Idee bin ich noch gar nicht gekommen.« Er kratzte sich an der Nase, und ich sah, dass die Wörter an seinem Handgelenk verschwunden waren. Offensichtlich war es wirklich nur Filzstift gewesen. »Was tust du eigentlich hier?«

»Ich verstecke mich vor Persephone Porter-Peregrin, meiner neuen besten Freundin. Und du?«

»Wir äh … Das sind übrigens *meine* besten Freunde. Jasper und Henry hast du, glaube ich, schon kennengelernt.« Er seufzte. »Und das ist Arthur.«

Tatsächlich. Hinter Henry und Jasper war Arthur aufgetaucht. »Du kannst ruhig laut sprechen, Grayson«, sagte er. »Die gute Miss Cooper macht Mittagspause und hat uns die Bibliothek zu treuen Händen überlassen.« Lächelnd kam er auf uns zu. Henry und Jasper verließen ihre Beobachtungsposten und schlenderten ebenfalls näher.

»Hi. Du musst Graysons neue kleine Schwester sein. Liv, richtig?«

Ich nickte. Mein Gott, er war wirklich der schönste Junge dieser Hemisphäre, da hatte Secrecy recht. Allein diese goldenen Engelslocken! Jeder andere hätte mit der Frisur wie ein Mädchen ausgesehen, aber bei ihm passte es perfekt. Im Tageslicht sah er auch kein bisschen unheimlich aus, eher im Gegenteil. Mein Kurzzeitgedächtnis formte die gerade gelesenen Infos aus dem Tittle-Tattle-Blog zu einem Steckbrief, der sich vor meinem inneren Auge gleich neben seinem Kopf in die Luft heftete:

Arthur Hamilton, achtzehn Jahre. Kapitän der Basketballmannschaft. In einer (Fern-)Beziehung mit Anabel Scott. Lieblingsfächer Sport und Mathematik. Lieblingsfarbe: Blau. Eine Abmahnung wegen Prügelei im letzten Winter. Vater Geschäftsführer eines großen

britischen Werbeunternehmens. Hat ein eigenes Kino
zu Hause.

»Und – wie gefällt es dir an der Frognal?«
»Ich finde es hier recht … interessant«, sagte ich.
»Sie hat gerade den Tittle-Tattle-Blog entdeckt«, sagte
Grayson.
Arthur lachte. »Ja, *interessant* ist das richtige Wort.« Er
tauschte einen kurzen Blick mit Henry, der sich wieder mit
verschränkten Armen gegen ein Regal gelehnt hatte. Es
schien seine bevorzugte Haltung zu sein. Auch über ihn
hatte ich jetzt eine Menge Informationen gespeichert:

Henry Harper, 17 Jahre. Flügelspieler bei den Frognal
Flames. Sohn eines prominenten Londoner Geschäfts-
manns aus dessen dritter Ehe. Muss sich sein Erbe
mit einer großen Schar von Geschwistern und Halb-
geschwistern teilen, wenn überhaupt etwas übrig
bleibt, denn der Vater hat sich letzten Winter neu verliebt und zwar in ein bulgarisches Unterwäschemodel
Schrägstrich Callgirl, das er gerne zu Ehefrau Nummer
vier machen will. Hervorragende Noten. Anwärter auf
ein Stipendium in St Andrews. Zurzeit Single. Hat
schöne graue Augen. Guckt schon wieder so komisch.

Ich wandte schnell den Blick ab und tat, als müsse ich etwas in meinem Mäppchen suchen. Wenn Henry mich ansah, hatte ich immer das Gefühl, er könne meine Gedanken lesen.

»Magst du Basketball, Liv?«, erkundigte sich Arthur. »Wir veranstalten eine kleine Saison-Start-Party am Samstagabend bei mir zu Hause – wäre schön, wenn Grayson dich mitbringen würde. Dann kannst du gleich ein paar Leute kennenlernen. Und wir haben einen kleinen Pool, also bring einen Bikini mit, wenn du gerne schwimmst.«

Ich blinzelte misstrauisch. Meinte er das ernst? Er hatte mich doch gerade erst kennengelernt.

»Wie sieht es aus – kommst du?«

Andererseits – warum sollten Menschen nicht auch einfach mal nett sein? Außerdem wollte ich dringend das hauseigene Kino sehen. »Wenn Grayson mich mitnimmt, gerne«, sagte ich also.

»Wir müssen natürlich erst deine Mutter fragen«, mischte sich Grayson ein. An seine Freunde gewandt fuhr er fort: »Sie ist ziemlich streng, was die Ausgehzeiten betrifft.«

Wie bitte? Mum war kein bisschen streng, ganz im Gegenteil. Ständig erzählte sie mir, was sie in meinem Alter schon alles erlebt hatte. Sogar in Pretoria, das ja nun wirklich kein ungefährliches Pflaster war, hatte ich am Wochenende so lange wegbleiben dürfen, wie ich wollte. Zu ihrem Glück hatte ich nie lange wegbleiben wollen.

»Ähm, ja«, sagte ich und sah Grayson fragend an. Warum behauptete er denn so etwas? »Meine Mum ist extrem … streng.«

»Das finde ich aber gut«, sagte Jasper. »Bei Mädchen.« Bevor jemand herausfinden konnte, was genau er damit meinte, klingelte es zum Beginn der nächsten Unterrichtsstunde.

»Es ist ja nur eine harmlose Party«, sagte Arthur, während ich meine Sachen zusammensuchte und aufstand. »Bestimmt wird deine Mutter nichts dagegen haben.«

Nein, ganz im Gegenteil, sie würde hellauf begeistert sein, dass ich so schnell Anschluss gefunden hatte. Und dann auch noch bei der beliebtesten Clique der ganzen Schule. Das war doch mal was anderes – und so viel besser als mit dem Kopf ins Klo getunkt zu werden.

»Außerdem wärst du ja in Begleitung deines neuen verantwortungsvollen großen Bruders unterwegs, der auf dich aufpasst«, sagte Henry.

»Ich kann ganz gut auf mich selbst aufpassen«, gab ich zurück.

»Richtig!« Jasper gluckste amüsiert. »Du kannst ja Kung-Fu.«

Ich hatte mich bereits zum Gehen gewandt, erstarrte jetzt aber mitten in der Bewegung. *Wie bitte?*

Jasper gluckste noch lauter. »Was guckt ihr denn so komisch? Hat sie doch selber gesagt auf dem Friedhof, wisst ihr nicht mehr? Oder ist das jetzt wieder so ein Nachtwächter-ding?«

Die anderen guckten ihn in der Tat komisch an, bis auf Henry, der guckte mich an. Viel aufmerksamer, als mir lieb war.

Ich bemühte mich um einen neutralen Gesichtsausdruck, aber ich fürchtete, dass mir das nicht besonders gut gelang. Mein ganzer Körper hatte sich mit Gänsehaut überzogen. Das war nicht möglich … das konnte gar nicht sein.

»Auf was für einem Friedhof?«, fragte ich reichlich spät.

»Ach, hör nicht auf mich«, sagte Jasper fröhlich. »Ich rede nur dummes Zeug.« »Allerdings«, sagte Grayson mit einem schiefen Grinsen, und Arthur verdrehte die Augen und lachte. Nur Henry verzog keine Miene.

Okay. Keine Panik. Nachdenken konnte ich später. Erst mal weg hier.

»Ich muss los.« Ich ignorierte Henrys durchdringenden Blick, klemmte mir meine Sachen unter den Arm und lief Richtung Tür. »Doppelstunde Spanisch.«

»*Que te diviertas*«, sagte Arthur hinter mir her.

»Bis später mal«, murmelte Grayson, und das Letzte, das ich hörte, bevor ich die Bibliothekstür hinter mir schloss und hysterisch nach Luft rang, war Henrys Stimme, die sagte: »Jas – du solltest wirklich aufhören, dich am Tablettenschrank deiner Mutter zu bedienen.«

12

Gut, dann besahen wir uns doch noch einmal in aller Ruhe die Fakten. Ich hatte einen wirren Traum gehabt, der auf dem Highgate-Friedhof spielte und eine Art Geisterbeschwörung beinhaltete, in deren Verlauf ich unglücklicherweise auf einem Altar in der Mitte eines brennenden Drudenfußes gelandet war. So weit, so verrückt. Aber keineswegs ungewöhnlich. Nur dass sich Jasper an etwas erinnern konnte, das ich in diesem Traum gesagt hatte – das war ungewöhnlich. Nein, es war sogar unmöglich. Jasper *konnte* nicht dasselbe geträumt haben wie ich.

Aber woher wusste er dann, was ich in meinem Traum auf dem Friedhof gesagt hatte?

Was pflegte Sherlock Holmes immer zu sagen? Wenn man das Unmögliche ausgeschlossen hat, muss das, was übrig bleibt, die Wahrheit sein, so unwahrscheinlich sie auch klingen mag. Nur, was blieb übrig, wenn man das Unmögliche eben *nicht* ausschließen konnte?

Es war ja nicht nur diese eine Bemerkung, die mich stutzig machte. Ich hatte schon am Morgen so ein komisches Gefühl gehabt, bei Jaspers Gefasel meine Haare betreffend, und dann die Sache mit Henrys Namen. Und was war mit Christina Rossetti und Graysons »Tattoo« – alles bloß merkwürdige Zufälle und das Werk meines genialen Unterbewusstseins? Wohl kaum.

Nein, es lag auf der Hand: Mit diesem Traum stimmte etwas nicht. Ich hatte nicht nur ungewöhnlich klar geträumt, sondern auch von Dingen, die ich gar nicht wissen konnte, von Orten, an denen ich noch nie gewesen war – und das Schlimmste war: Ich hatte es nicht allein geträumt. Und genau da lag die Schleiereule begraben: Das Interesse von Graysons Freunden und Arthurs Einladung hatte mir zwar geschmeichelt, doch nun glaubte ich nicht mehr an pure Nettigkeit. Sie wollten irgendwas von mir – und es hatte nichts mit meinem Charme zu tun, sondern mit diesem Traum.

Aber, wie gesagt, das war unmöglich. Was ich auch dachte – am Ende eines jeden Gedankenganges stand das Wort »unmöglich«, wie eine unüberwindbare Mauer. Zwölf Stunden später hatte ich deshalb immer noch keine befriedigende Erklärung gefunden, dafür aber schlimme Kopfschmerzen.

Seit Stunden saß ich im Bett und fürchtete mich vor dem Einschlafen. Ich hatte Lottie das iPad abgeluchst, aber selbst das allwissende Internet hatte keine Antworten für mich. Träume waren genauso individuell wie Gedanken. Oder, wie Carl Gustav Jung, laut Internet *der* Experte in Sachen Traum und Traumdeutung, es formuliert hatte: Träume waren unparteiische, der Willkür des Bewusstseins entzogene, spontane Produkte der unbewussten Seele. Bei Jung gab es auch sogenannte archetypische Träume, die aus einem kollektiven Unterbewusstsein kamen und Offenbarungen unserer uralten Stammes- und Menschheitsgeschichte darstellten. Das Wort »kollektiv« stimmte mich schon hoffnungsfroh, aber beim Weiterlesen musste ich leider feststellen, dass sich mein Friedhofstraum nur mit viel gutem Willen in die Kategorie der archetypischen Träume einordnen ließ – schon deshalb, weil die Archetypen fehlten. Keine Begegnung mit einem alten Mann, keine Abstiege in Erdlöcher, kein fließendes Wasser ... Und was weise Botschaften aus uraltem Menschheitswissen anging – in diesem Traum wohl eher Fehlanzeige.

Je später es wurde, desto planloser sprang ich von Webseite zu Webseite. Die Suchmaschine spuckte ein Gedicht von Rilke aus.

Und sagen sie, das Leben sei ein Traum: das nicht;
nicht Traum allein. Traum ist ein Stück vom Leben.
Ein wirres Stück, in welchem sich Gesicht
und Sein verbeißt und ineinanderflicht (...)

Ja, ganz meine Meinung, da sprach Rilke mir aus der Seele, jedenfalls mit dem »wirren Stück«. Ich gähnte. Ich war einfach hundemüde, und der Akku vom iPad auch. Es gab seinen Geist auf, als ich über die Suchworte »Tür« und »Träume« auf der Webseite einer Schreinerei gelandet war. »Wenn Sie sich nicht mit Baumarktware zufriedengeben – wir fertigen die Tür Ihrer Träume.«

Ich zog meine Knie bis zum Kinn und schlang die Arme darum. Vielleicht verlor ich ja einfach nur meinen Verstand? Das wäre wenigstens eine logische Erklärung gewesen – und ich sehnte mich nach einer logischen Erklärung.

Und nach Schlaf. Sobald ich noch ein bisschen nachgedacht hatte ...

Ich musste im Sitzen eingeschlafen sein, denn als ich am nächsten Morgen mit Mia zur Bushaltestelle lief, erinnerte ich mich leider nicht mehr daran, noch einen einzigen klaren Gedanken gefasst zu haben. Auch an meine Träume erinnerte ich mich kaum, nur, dass es lauter zusammenhangloses Zeug gewesen war, irgendwas mit einer Straßenbahn und Bären. Unmittelbar vor dem Aufwachen hatte ich von einem Besuch bei Tante Gertrude in Boston geträumt, wir mussten Fischsuppe essen, und Emma Watson war auch da und trug meine Brille. Als ob das noch nicht seltsam genug gewesen wäre, hatte sich mitten an Tante Gertrudes blau-golden tapezierter Esszimmerwand meine grüne Tür aus dem letzten Traum befunden, die mit dem Eidechsentürknauf. Tante Gertrude schien darüber sehr verärgert zu sein. Sie sagte mehrmals, dass die Tür so gar nicht in ihr Farbkonzept passe und dass ich gefälligst auch die Tintenfische mitessen solle, die sollten schließlich nicht umsonst gestorben sein. Und dann war ich aufgewacht.

»Das ist ein wirklich spektakulärer Fall.« Mia hüpfte neben mir über die Fugen zwischen den Gehwegplatten. Sie war ausgesprochen gut gelaunt. Und im Gegensatz zu mir hellwach. »Aber diese Secrecy wird nicht mehr lange anonym bleiben, denn jetzt hat sich Ermittlerin Mia Silber der Sache angenommen.« Die Entdeckung des Tittle-Tattle-Blogs gestern hatte Mia in noch größere Aufregung versetzt als mich. Sie liebte Geheimnisse mindestens so sehr wie ich, und Secrecy war in der Tat eine große Herausforderung für unsere angeborene Neugier.

Ein roter Doppeldeckerbus bremste ein paar Meter weiter vorn, und Mia begann zu laufen, während ich noch die Nummer kontrollierte.

»Müssen wir nicht auf die 603 warten?«

»Nein, die 210 fährt in dieselbe Richtung«, behauptete Mia, schon halb im Bus verschwunden.

»Wie sicher bist du dir da?«

»Zu siebzig Prozent«, sagte Mia sorglos. »Komm schon! Diesmal will ich oben sitzen.«

Ich folgte ihr seufzend in den Bus und die Treppe hinauf, wo sie wie ein Aal an einem Mann mit Hut vorbeiglitt, um uns zwei Sitzplätze ganz vorne zu sichern.

»Ich bringe dich um, wenn wir im falschen Bus sitzen«, sagte ich.

»Ein bisschen mehr Vertrauen in Ermittlerin Mia Silber, bitte.« Mia streckte zufrieden ihre Beine aus. »Bis Weihnachten habe ich den Fall gelöst«, versicherte sie mir feierlich. »Du darfst gerne meine Assistentin sein. Und mein Lockvogel, natürlich.«

»Ich weiß nicht, Ermittlerin Mia Silber – Secrecy scheint mir mit allen Wassern gewaschen zu sein.«

»Das bin ich auch.« Der Bus hatte sich in Bewegung gesetzt, und die Aussicht von hier vorne war in der Tat großartig. Man hatte das Gefühl, hoch über dem Asphalt zu schweben.

»Bis jetzt hat ihr oder ihm jedenfalls noch keiner das Handwerk legen können.«

»Na ja, aber unfehlbar ist Secrecy auch nicht«, erwiderte Mia. »Mit Papas Beruf lag sie beispielsweise komplett daneben.«

»Ja, das fand ich auch merkwürdig. Ob es vielleicht einen bekannten Atomphysiker mit unserem Nachnamen gibt?«

»Nein!« Mia grinste verschlagen und sah sich kurz im Bus um. Dann beugte sie sich zu mir und flüsterte: »Das mit dem Atomphysiker war ich. Ich habe Daisy erzählt, der chinesische Geheimdienst interessiere sich für Papas Arbeit. Erschien mir irgendwie interessanter als die Wahrheit.«

Ich musste lachen. »Aha – dann ist Daisy Dawn vielleicht Secrecy?«

»Nein, Dummerchen, sie ist doch erst seit letztem Schuljahr auf der Frognal, und den Blog gibt es schon seit drei Jahren. Aber sie hat es unter Garantie weitererzählt. An jemanden, der es wiederum Secrecy erzählt hat. Ach, ich kann es gar nicht erwarten, den Umzugskarton mit meinem Detektiv-Equipment auszupacken. Denk nur, wie nützlich uns der Kugelschreiber mit der kleinen Kamera sein wird ...«

Meine kleine Schwester war wirklich ganz in ihrem Element. Na, Hauptsache, eine von uns war glücklich. Ich war immer noch nur verwirrt. Auf der einen Seite war ich erleichtert, dass in der Nacht nichts Besonderes passiert war, auf der anderen – zu meinem eigenen Erstaunen – sogar ein wenig enttäuscht. Denn im Morgenlicht fand ich die Angelegenheit zwar kein bisschen weniger mysteriös, aber so angsteinflößend das Ganze auch sein mochte – vielleicht hätte ich im Traum ja Antworten auf meine vielen Fragen erhalten.

13.

Nach Schulschluss wartete ich am Tor auf Mia und betrachtete die Schüler, die in ihren dunkelblauen Uniformen an mir vorbeiströmten. Ob Secrecy wohl dabei war und heimlich Fotos schoss? Nur für den Fall, dass, lehnte ich mich in möglichst vorteilhafter Pose an einen Mauerpfosten und setzte ein leichtes Lächeln auf. Nichts war schlimmer, als mit offenem Mund oder mürrischer Miene fotografiert zu werden, außer vielleicht, es lief einem zusätzlich noch Sabber aus dem Mund.

Ich rückte meine Brille gerade. Es war ein angenehm ereignisloser Tag gewesen, keine aufwühlenden Begegnungen mit Leuten, von denen man geträumt hatte, keine weitere Erwähnung im Tittle-Tattle-Blog, keine Zeit für Grübeleien über Dinge, die nicht sein konnten. Nicht mal Persephone hatte viel nerven können, mittwochs hatten wir nämlich nur zwei Fächer zusammen. Ab sofort würde der Mittwoch wohl mein neuer Lieblingswochentag werden.

Von meinem Beobachtungsposten aus sah ich Arthur und Jasper das Schulgelände verlassen, dicht gefolgt von Henry, der in Gesellschaft von Florence und einem anderen Mädchen in ein offensichtlich anregendes Gespräch vertieft war. Henry blickte zwar kurz in meine Richtung, schien mich aber im Gewühl nicht wirklich wahrzunehmen. Eine halbe Minute später, als der Strom allmählich versiegt war und nur noch vereinzelt Schüler durch das Tor spazierten, erschien Grayson. Er schob sein Fahrrad mit gesenktem Blick direkt an mir vorbei und zuckte zusammen, als ich »Hi« sagte.

»Oh ... *du*«, erwiderte er wenig erfreut.

Seine Reaktion kränkte mich ein bisschen. »Ja, ich. Das wird bestimmt super, wenn wir uns demnächst ein Bad teilen.« Ich wechselte mein Standbein. Wie gut, dass ich diese anmutige, aber lässige Haltung eingenommen hatte.

Grayson war stehen geblieben und sah sich gründlich um. Sehr gründlich. Übertrieben gründlich.

»Die Luft ist rein, die vom chinesischen Geheimdienst haben für heute Feierabend gemacht«, sagte ich nach ungefähr zwanzig Sekunden, und da hörte Grayson auf, sich umzusehen.

»Ähm, Liv, du hast nicht zufällig den Kapuzenpulli dabei, den ich dir geliehen habe? Ich hätte ihn gern wieder.«

»Ja, natürlich.« Ich war etwas irritiert. Hatte er denn sonst nichts zum Anziehen? »Und nein, ich habe ihn nicht *zufällig* dabei. Aber wir sehen uns ja am Samstag auf Arthurs Party, dann gebe ich ihn dir zurück, frisch gewaschen und gebügelt.«

Grayson checkte erneut die Umgebung. »Also wegen

Samstagabend«, sagte er dann. »Mir wäre lieber … weißt du … Du kannst doch einfach sagen, deine Mutter hätte dir verboten, zu Arthurs Party zu kommen.«

Jetzt war ich noch ein bisschen mehr gekränkt. »Aber warum sollte ich das tun?«

»Weil es … weil ich …« Grayson fuhr sich mit der mir mittlerweile vertrauten Verlegenheitsgeste über die Stirn und sah mich an, als hoffte er, dass ich den Satz für ihn beenden würde.

Aber so leicht wollte ich es ihm nicht machen. Ich setzte eine traurige Miene auf. »Du willst mich nicht dabeihaben?«

Er nickte.

Wie gemein. »Tja, da kann man nichts machen«, sagte ich mit einem Schulterzucken. »Es ist nur – Mum hat sich unheimlich gefreut, dass du und deine Freunde so nett zu mir seid.« Tatsächlich hatte Mum genau das gesagt, was ich erwartet hatte. »Ach, wie reizend von Grayson und seinen Freunden! Und natürlich musst du da hingehen. Ich freue mich ja so, dass du so schnell Anschluss gefunden hast!«

Grayson stieß ein komisches Schnauben aus. »So nett sind wir gar nicht, weißt du? Besser, du hältst dich von uns fern.« Er stieg auf sein Fahrrad.

»Ja, ich werde es Mum ausrichten«, sagte ich und setzte ein wenig heimtückisch hinzu: »Aber vielleicht erklärst du ihr die Gründe lieber selber.«

Dieser Gedanke schien Grayson gar nicht zu behagen.

Er sah alles andere als glücklich aus. »Vergiss meinen Pulli nicht«, sagte er im Losfahren. »Ich hätte ihn gern morgen zurück. Er braucht auch nicht gewaschen zu sein.«

»Okay«, sagte ich gedehnt.

»Was war das denn?« Mia war wie ein Kastenteufelchen hinter einem Mauervorsprung aufgetaucht. Gemeinsam sahen wir Grayson nach. »Erst tut er so nett, und dann will er dich nicht auf diese Party mitnehmen? Jetzt würde ich an deiner Stelle aber erst recht hingehen.«

»Ja, allerdings«, stimmte ich ihr zu. »So ein ...« Ich suchte nach dem passenden Wort.

»... Blödmann«, sagte Mia schlicht und hakte sich bei mir ein. Nebeneinander schlenderten wir zur Bushaltestelle.

»Wie war dein Tag?«, erkundigte ich mich.

»Ganz gut, eigentlich. Auch wenn mir diese Mädchen ganz schön auf die Nerven gehen. Echt jetzt, wenn ich mal so eine Tussi werde, die wegen einem Typen ihr Gehirn abgibt und ihre Schulhefte nur noch mit Herzchen bekritzelt, möchte ich bitte erschossen werden.«

»Ich werde dich daran erinnern.«

»Ernsthaft! Ich bin so froh, dass wir gegen Jungs immun sind, Livvy.«

»Vielleicht nicht direkt immun, aber zumindest schwer entflammbar«, gab ich zu. Notgedrungen. Wenn man wie wir jedes Jahr umzog, musste man mit dem Verlieben vorsichtig sein, sonst brach es einem beim Abschied das Herz.

Und wer wollte das schon? »Aber vielleicht hat Mum recht, und irgendwann, wenn der Richtige kommt …«

»Der soll gefälligst warten, bis ich meinen College-Abschluss habe!«

Ich boxte Mia in die Seite. »Das hat Tante Gertrude bestimmt auch immer gesagt«, versuchte ich, ihr Angst zu machen. »Und sieh, was aus ihr geworden ist.«

»Na und? Ich werde bestimmt nicht mit vier Katzen in einem grauenhaften Haus sitzen und Deckchen häkeln. Stattdessen werde ich als berühmte Privatdetektivin in der ganzen Welt die interessantesten Fälle lösen.«

»Vielleicht kannst du damit anfangen, mir zu erklären, warum Grayson unbedingt seinen Pulli zurückhaben will.« Ich war immer noch beleidigt.

»Vielleicht ist es sein Glückspulli«, überlegte Mia. »Oder er hat einen Liebesbrief darin versteckt. Oder er ist einfach ein Blödmann.«

»Ja. Ich fürchte, das ist er.« Und deshalb würde ich das Kapuzenshirt auch noch behalten, aus purer Gemeinheit.

Erst am Abend, als ich in mein Nachthemd schlüpfte und Graysons Pulli auf der goldgepolsterten Bank vor dem Bett liegen sah, kam mir der Gedanke, dass etwas anderes dahinterstecken könnte. Dass Grayson einen ganz besonderen Grund hatte, das Teil so übertrieben eilig zurückzufordern. Ich nahm es in die Hand und grub meine Nase hinein. Es hatte durchaus das Zeug zum Lieblingspulli, aus butterweicher, schwerer Baumwolle, innen angeraut. Und es roch immer noch ein bisschen nach Grayson beziehungsweise Graysons Waschpulver.

Die Taschen waren leer, und ich tastete sicherheitshalber auch die Säume ab. Nichts.

Vielleicht ... es war ein verrückter Gedanke, aber vorgestern Nacht hatte ich das Sweatshirt im Bett getragen und war dann seinem rechtmäßigen Besitzer im Traum begegnet. Konnte es sein, dass Grayson es deshalb jetzt so plötzlich zurückhaben wollte? Bestand ein Zusammenhang zwischen dem Pulli und dem Traum? Egal, wie seltsam sich das auch anhörte, heute Nacht würde ich das Sweatshirt auf jeden Fall noch einmal tragen. Nur um zu schauen, was dann passierte.

Und ob überhaupt etwas passierte.

14.

Die grüne Tür leuchtete mir in einem öden Straßenzug mit lauter grauen, schäbigen Reihenhäusern entgegen. Ich hatte keine Ahnung, was ich bisher geträumt hatte, aber in dem Moment, als ich die Tür erblickte, saß ich auf einem Fahrrad und musste einen schwerbeladenen Anhänger ziehen. Bergauf.

Die Tür! Das letzte Mal hatte sie mich in den Traum auf dem Friedhof geführt.

Mum überholte mich. Auch sie trat in die Pedale eines Fahrrads mit Anhänger. »Keine Müdigkeit vorschützen«, rief sie mir zu.

»Was tun wir denn hier?«, fragte ich.

»Umziehen«, antwortete Mum über ihre Schulter. »Wie immer.«

»Verstehe.« Ich bremste ab und stieg vom Fahrrad, um mir die grüne Tür näher anzuschauen. Ja, es war ohne Zweifel dieselbe Tür wie beim letzten Mal, die, die auch bei Tante Gertrude im Esszimmer aufgetaucht war. Plötzlich war mir sonnenklar: Wenn ich wissen wollte, was es mit diesen rätselhaften Träumen auf sich hatte, dann musste ich sie öffnen. Und hindurchgehen.

Wenn ich den Mut dazu hatte.

»Nicht ausruhen, kleine Trödelmaus«, rief Mum. »Wir müssen weiter! Wir müssen immer weiter.«

»Ohne mich, heute«, sagte ich. Der Eidechsentürknauf fühlte sich warm an, als ich an ihm drehte. Mit einem tiefen Atemzug trat ich über die Schwelle.

»Olivia Gertrude Silber! Du kommst sofort zurück«, hörte ich meine Mum noch rufen, bevor ich ihr die Tür einfach vor der Nase zuschlug. Wie beim letzten Mal stand ich auch jetzt in einem Korridor, der sich in die Unendlichkeit auszudehnen schien. Fasziniert betrachtete ich die unzähligen Türen. Wie Fenster in einem Adventskalender wirkten sie und genauso individuell, was Größe, Form und Farbe anging. Da gab es schlichte, weißgestrichene Zimmertüren, moderne Haustüren, und welche, die wie Lifttüren aussahen, ohne jeden Schnickschnack. Andere hätten auch Ladeneingänge sein können oder prunkvolle Portale zu Burgen und Schlössern. Die leuchtend rote Tür gegenüber schien neu zu sein, jedenfalls konnte ich mich nicht erinnern, sie bei meinem letzten Besuch hier gesehen zu haben. Es war eine sehr auffällige Tür, unverwechselbar mit dem protzigen, goldenen Türknauf in Form einer Krone. Graysons Tür, die sich direkt neben meiner befunden hatte, entdeckte ich erst, als ich ein Stückchen weiter den Korridor herunterging. Die Türen blieben hier also offenbar nicht am selben Fleck, sondern spielten eine Art Bäumchen-wechsel-dich-Spiel. Neben

Graysons Tür entdeckte ich eine hellgrau lackierte Tür mit Glasfenstern, auf denen ein verschnörkelter Schriftzug zu lesen war. »Matthews'-Mondschein-Antiquariat – Bücher fürs Leben. Öffnungszeiten: Von Mitternacht bis Morgengrauen.« Das klang verlockend. Für einen Moment war ich versucht, die Klinke herunterzudrücken, um mir das Antiquariat von innen anzuschauen, aber dann rief ich mir in Erinnerung, warum ich hier war, und ging weiter zu Graysons Tür. Sie sah noch genauso aus wie in meinem letzten Traum, eine originalgetreue Kopie der Eingangstür des Spencerhauses. Der Fürchterliche Freddy spreizte die Flügel und piepste: »Hier wird nur demjenigen Durchgang gewährt, der meinen Namen dreimal rückwärts spricht.«

»Ydderf, Ydderf, Ydderf«, sagte ich, und da faltete Freddy die Flügel wieder zusammen und schlang den Löwenschwanz um seine Füße.

»Der Eintritt sei dir gewährt«, piepste er feierlich.

Ich zögerte. Irgendwie hatte ich das Gefühl, mich für das Kommende noch besser wappnen zu müssen. Was auch immer das Kommende sein würde. Vielleicht sollte ich Lotties Beil aus dem letzten Traum imaginieren. Oder mir wenigstens ein scharfes Messer in meine Tasche träumen. Oder Knoblauch um den Hals hängen, oder ...

»Worauf wartest du denn?«, wollte der Fürchterliche Freddy wissen.

»Ich gehe ja schon.« Wenn es zu gefährlich wurde, konnte

ich ja immer noch einfach aufwachen. Das hatte beim letzten Mal auch geklappt. (Und dieses Mal hatte ich den Fußboden neben meinem Bett sicherheitshalber mit Kissen gepolstert.) Ich holte tief Luft und trat über die Schwelle. Statt Dunkelheit und gespenstischer Friedhofsruhe empfing mich helles Licht, vielstimmiges Geschrei und blechernes Gerassel. Mein Fuß trat ins Leere, ich verlor das Gleichgewicht und griff nach dem Nächstbesten, an dem ich mich festhalten konnte. Es war die Schulter eines rothaarigen Mädchens.

»Pass doch auf«, sagte sie, schenkte mir aber weiter keinerlei Beachtung, sondern beugte sich nach vorne und brüllte: »Das war ein Foul, Schiri! Hast du Tomaten auf den Augen?«

Ich hatte mein Gleichgewicht wiedergefunden und sah mich neugierig um. Aha – eine Sporthalle. Ich stand auf der Treppe einer vollbesetzten Zuschauertribüne. Auf dem Spielfeld vor mir fand ein Basketballspiel statt, und es war nicht schwer zu erraten, dass es sich bei den Jungs in den schwarz-roten Trikots um die Frognal Flames handelte. Gerade fing Arthur einen Ball von Grayson, passte ihn weiter zu Henry, der dribbelte geschickt am Gegner vorbei und warf den Ball Jasper zu, der direkt unter dem Korb in die Höhe sprang und den Ball beim Abwärtsgleiten souverän im Korb versenkte. Die Zuschauer jubelten. Laut Anzeigentafel lagen die Frognal Flames mit achtzehn Punkten in Führung. Das sah nach einem erdrutschartigen Sieg aus. Zwei Zuschauer rückten bereitwillig ein Stück zur Seite, als ich mich in der ersten Reihe niederließ, gleich hinter der Bank für die Ersatzspieler. Wenn ich mich umdrehte, sah ich am Ende der Treppenstufen immer noch Graysons Tür. Außer mir schien sich aber niemand daran zu stören, dass sich mitten an der Turnhallenwand eine Haustür befand. Auch mich beachtete keiner, als wäre es völlig normal, barfuß und im Nachthemd zu einem Basketballspiel zu erscheinen. Ich wusste zwar nicht genau, was ich erwartet hatte, aber ich spürte, wie sich Erleichterung in mir breitmachte. Das hier war auf jeden Fall angenehmer als ein Friedhof bei Nacht mit gruseligen Geisterbeschwörungen. Beinahe entspannt beobachtete ich das Spiel. Zuerst wirkte es nicht so, als hätte die gegnerische Mannschaft auch nur die geringste Chance gegen die grandios auftretenden Frognal Flames, aber dann fing Grayson an, Fehlpässe zu werfen und den Ball zu verlieren, und die Gegner holten auf. Ich verstand nicht viel von Basketball, aber soweit ich das beurteilen konnte, spielte Grayson plötzlich unfassbar schlecht. Er verfehlte den Korb, gab den Ball nicht mehr an die eigenen Leute ab und beging ein unnötiges Foul nach dem anderen. Die Zuschauer buhten ihn aus. Jemand schrie: »Spencer, du Oberflasche, geh doch nach Hause!«, und warf eine Cola-Dose auf das Spielfeld. Grayson sah todunglücklich aus, aber er vergeigte weiterhin systematisch jeden Spielzug. Die Fans der gegnerischen Mannschaft johlten und riefen: »Nummer fünf ist unser Mann!«

Es war wirklich kaum mit anzusehen. Aber erst als es 63:61 für die anderen stand, nahm der Trainer der Frognal Flames eine Auszeit und tauschte Grayson gegen einen anderen Spieler aus. Mit eisiger Miene nahm er ihn in Empfang, als er mit hängenden Schultern vom Spielfeld getrottet kam. In dem Lärm konnte ich nicht verstehen, was er zu Grayson sagte, aber die Verachtung stand ihm ins Gesicht geschrieben. Grayson schien den Tränen nahe und wollte sich offenkundig entschuldigen, aber der Trainer hatte sich bereits abgewandt, um taktische Befehle über das Spielfeld zu brüllen. Grayson war ab jetzt nur noch Luft für ihn.

Ohne Grayson schien es für die Flames wieder besser zu laufen, doch wie es aussah, gelang es der Mannschaft nicht mehr, das Ruder herumzureißen. Mit unendlich beschämtem Gesichtsausdruck ließ Grayson sich auf die Reservebank fallen, und dort rückten die anderen Spieler von ihm ab, als hätte er eine ansteckende Krankheit.

Er vergrub seinen Kopf in einem Handtuch.

Obwohl es nur ein Traum war, tat er mir ehrlich leid. Ich beugte mich vor und klopfte ihm von hinten auf die Schulter. »Hey! Es ist doch nur ein Spiel«, versuchte ich ihn zu trösten.

Sehr langsam hob er seinen Kopf und drehte sich zu mir um. »Es ist nicht nur ein Spiel«, sagte er. »Es ist *das* Spiel. Und ich hab's vermasselt!«

»Na ja ...« Das stimmte leider. Er hatte es total vermasselt. »Aber ist es ist trotzdem nur ein Spiel zwischen zwei Highschool-Mannschaften.«

»Bei dem ich versagt habe.« Seine Blicke wanderten die Ränge entlang. »Klar, dass du dabei auch noch zugucken musstest. Und Emily – sie schaut nicht mal zu mir hin, so sehr schämt sie sich für mich.«

»So eine blöde Kuh«, sagte ich spontan und folgte seinem Blick. »Welche ist es denn? Die Dunkelhaarige mit dem blauen Pulli neben Florence?« Ich stockte kurz. »Und ist das etwa *Henry*, der da die Treppe runterkommt? Moment mal!« Ich drehte mich wieder zum Spielfeld um. Da passte Henry den Ball gerade zu Jasper. Ich schaute zurück zur Treppe. Nein, kein Irrtum, das war eindeutig Henry, der mir da zuwinkte. »Grayson? Kann es sein, dass Henry einen Zwillingsbruder hat?«

Aber Grayson hatte erneut den Kopf in seinem Handtuch vergraben und hörte mich nicht. Oder er tat zumindest so.

Ich schaute noch einmal zwischen dem Henry im Basketballtrikot und dem Henry, der in Jeans und T-Shirt von der anderen Seite zielstrebig auf mich zukam, hin und her, dann zuckte ich mit den Schultern. Es war eben ein Traum, da durfte man nicht alles so genau nehmen.

»Entschuldigung – könnt ihr mal ein bisschen rücken? Danke.« Henry drängelte sich in die zweite Reihe und setzte sich direkt hinter mich. »Hi, Käsemädchen. Gutes Spiel?«

149

»Wie man's nimmt. Ihr verliert«, sagte ich, so als wäre es ganz normal, dass es zwei von seiner Sorte gab. »Und hör endlich auf, mich Käsemädchen zu nennen.«

Henry beobachtete, wie sein Alter Ego einen Drei-Punkte-Wurf im Korb versenkte, und pfiff anerkennend durch die Zähne. »Ich spiele aber nicht schlecht!« Er beugte sich so weit nach vorne, dass sein Kopf fast auf einer Höhe mit meinem war. Ich versuchte, mich davon nicht nervös machen zu lassen. Das hier war eine gute Übung, Training für die Wirklichkeit.

»Okay, Käsemädchen. Dann sage ich ab jetzt eben Liv.« Henrys Stimme war ganz leise und tief, dicht an meinem Ohr. »Ich vermute mal, dass es Grayson war, der es verbockt hat, stimmt's?«

Graysons Kopf tauchte aus dem Handtuch auf. Er musste Ohren wie ein Luchs haben. »Ich habe es *total* verbockt«, bestätigte er. Dass es Henry zweimal gab, schien ihn nicht weiter zu stören. »Ich habe den Trainer enttäuscht und die Mannschaft und dich ... und Emily und Florence und meinen Vater und ... hör doch, was sie rufen!«

Die gegnerischen Fans skandierten immer noch seinen Namen. »Spencer, die Looser-Flamme, die Frognal Flames kriegen Beileidstelegramme!« Und: »Das Feuer der Flames erlischt, Looser Spencer hat's erwischt.«

Grayson wurde ganz blass.

»Das ist aber wirklich mies gereimt«, sagte ich.

Henry nickte. »Das Versmaß stimmt hinten und vorne nicht. Idioten.«

Grayson tröstete das nicht, er versteckte sich wieder unter seinem Handtuch. Ich hatte den Verdacht, dass er darunter heimlich Tränen vergoss.

»Das träumt er leider oft«, sagte Henry mitleidig.

»Was? Dass er in ein Handtuch schnieft?«

»Dass er auf dem Basketballfeld total versagt und wir seinetwegen verlieren und sich alle von ihm abwenden.«

»Ist das denn schon mal passiert? In echt, meine ich.«

Henry schüttelte den Kopf. »Nie! Grayson ist in jedem Spiel in absoluter Bestform. Selbst mit einer Schulterprellung hat er in der letzten Saison noch weitergespielt und acht Punkte gemacht. Was tust du eigentlich hier?« Letzteres kam so unvermittelt, dass ich mir meine Antwort nicht erst gründlich überlegen konnte.

»Ich wollte mir das Spiel angucken, was sonst?« Unter seinem prüfenden Blick wurde mir ein wenig unbehaglich.

Er grinste breit. »Barfuß und im Nachthemd? Und ist das nicht wieder Graysons Pulli, den du da trägst? Ich hab ihm gesagt, er soll ihn dir wegnehmen. Bisschen groß für dich, würde ich meinen.«

»Dafür bist du zweimal hier – bisschen oft, würde ich meinen«, erwiderte ich und ahmte seinen spöttischen Tonfall nach. Aber insgeheim ärgerte ich mich. Ich hätte ja nun wirklich etwas anderes anziehen können. Das Nachthemd war alt und hässlich, und mit Graysons Kapuzenpulli darüber sah ich vermutlich aus wie aus einer Anstalt entlaufen. Allerdings konnte man das ja immer noch ändern, schließlich war das hier ein Traum. Ich kniff kurz die Augen zusammen, und als ich sie wieder öffnete, trug ich meine Lieblingsjeans, Sneaker und ein rotes T-Shirt mit der Aufschrift *I am protected by three invisible Ninjas*. Außerdem hatte ich Wimperntusche aufgetragen und ein bisschen Lipgloss.

Ging doch.

»Du bist wirklich gut«, sagte Henry und stand auf. »Oder ich. Je nachdem.« Er betrachtete mich mit schiefgelegtem Kopf. »Gehen wir 'ne Runde spazieren?«

»Aber wir können den armen Grayson doch nicht im Stich lassen.« Vor allem nicht jetzt, wo auch noch die Fans der Frognal Flames in die Schmähgesänge der Gegner eingestimmt hatten. »Schlecht, schlechter, Spencer!«, brüllten sie und: »Wer Grayson Spencer traut, der hat auf Sand gebaut.« Ganz oben in der letzten Reihe stand eine weißgelockte alte Dame in einem Chanel-Kostüm, die »Grayson Ernest Theodor Spencer, ich bin schwer enttäuscht von dir!« rief und dabei wütend einen Regenschirm in die Luft reckte.

Henry stieg neben mir über die Bank und rüttelte an Graysons Schulter. »Hey, Grayson! Jetzt krieg dich mal wieder ein. Das ist nur ein verdammter Albtraum.«

Grayson nahm das Handtuch runter. »Kann man wohl sagen«, murmelte er.

»Nein, ehrlich, Mann. Du träumst das nur. Oder meinst du im Ernst, Tyler Smith von den dämlichen Hampstead Hornets würde so einen spektakulären Dunking hinkriegen? Guck doch mal genau hin.«

»Na ja«, sagte Grayson zweifelnd. »Im Spiel wächst man manchmal über sich hinaus ...«

»Aber Tyler Smith? Nicht in hundert Jahren.« Henry richtete sich wieder auf. »Tu mir einen Gefallen und träum was anderes. Was Schönes! Aber warte, bis wir durch die Tür sind, ja?«

Grayson sah uns unschlüssig an. »Das ist ein Traum?«

»Natürlich ist das ein Traum«, sagte ich. »Meinst du, sonst könnte es Henry zweimal geben?«

»Stimmt«, gab Grayson zu. »Das ist merkwürdig.«

»Komm!« Henry griff nach meiner Hand. »Wir müssen los, Liv.«

»Grayson kann ja mitkommen.« Mein Herz schlug ein bisschen schneller, und ich wusste nicht, warum.

»Auf keinen Fall.« Grayson schüttelte den Kopf. »Ich kneife doch jetzt nicht! Nie würde ich die Mannschaft im Stich lassen! Das wäre feige und ehrlos.«

»Aber Grayson, das hier passiert alles gar nicht wirklich.« Ich musste es über meine Schulter rufen, denn Henry zog mich bereits die Stufen hinauf, und der Lärm in der Halle war entsetzlich.

»Grayson kommt schon allein klar«, versicherte mir Henry.

»Aber … es hört sich an, als wollten sie ihn gleich lynchen!« Wir waren vor Graysons Tür angelangt, und ich drehte mich noch einmal um. »Hör doch!«

»Ich bin ja nicht taub.«

»Brennen soll er, der Verräter, und zwar jetzt und keinen Tag später!«, skandierte der Mob, während Henry die Tür aufstieß und mich über die Schwelle in den Korridor auf der anderen Seite schob. Energisch zog er die Tür hinter uns ins Schloss, und das Gejohle und der Lärm aus der Halle verstummten augenblicklich.

»Du bist ja ein toller Freund«, sagte ich vorwurfsvoll.

»Und du bist noch da.« Ich wusste nicht, ob er es zu mir sagte oder zum Fürchterlichen Freddy, der nun seine Flügel spreizte und sich ein wenig aufplusterte.

»Hier darf nur passieren, wer meinen Namen dreimal rückwärts spricht.«

»Ja, ja, vielleicht demnächst wieder, Dickerchen«, sagte Henry. Er hatte offenbar vergessen, meine Hand loszulassen, und ich beschloss, ihn nicht daran zu erinnern. Noch nicht. Es fühlte sich nämlich ganz gut an.

Verstohlen betrachtete ich Henry von der Seite. Die Lichtverhältnisse in diesem Korridor entsprachen am ehesten denen eines Sommerabends, wenn die Sonne gerade hinterm Horizont verschwunden und es weder richtig hell noch richtig dunkel ist. Es gab hier nirgendwo Fenster oder Lampen, deshalb war auch nicht ersichtlich, woher das Licht überhaupt kam. Auf jeden Fall ließ es Henry ziemlich gut aussehen. Mich auch, hoffentlich, denn er unterzog mich ebenfalls einer eindringlichen Musterung.

»Du bist noch da«, sagte er dann wieder.

»Ist das gut oder schlecht? Und sollten wir nicht wieder hineingehen und dem armen Grayson helfen?«

»Mach dir keine Sorgen wegen Grayson. Dem geht's gut. Morgen früh weiß er nicht mal mehr, was er geträumt hat.«

»Und wir?«

»Das versuche ich gerade herauszufinden.« Er lächelte mich an. »Gehen wir ein paar Schritte?«

»Das tun wir doch längst.« Ja, das taten wir tatsächlich. Wir schlenderten nebeneinander den Korridor hinunter. Hand in Hand. Eine ganz neue Erfahrung für mich, sowohl im Traum als auch in Wirklichkeit. Von mir aus konnte das gerne noch ein bisschen andauern.

»Hoffentlich kommt jetzt nicht Lottie mit dem Beil um die Ecke«, murmelte ich.

»Was?«

»Ach nichts.« Jetzt erst sah ich, dass von diesem Korridor mehrere Gänge abzweigten, weitere Korridore voller Türen, und alle unendlich lang. Wir hätten längst an meiner Tür vorbeikommen müssen, aber offenbar hatte sie wieder ihren Platz gewechselt. »Wenn wir uns eben in Graysons Traum befunden haben, in wessen Traum befinden wir uns dann jetzt gerade?«

»Interessante Frage«, sagte Henry, und zuerst dachte ich, er würde es bei dieser Nicht-Antwort belassen. Dann aber setzte er hinzu:»Es gibt ja nur zwei Möglichkeiten: Entweder es ist mein Traum – in dem Fall träume ich gerade von dir. Oder ...« Er verstummte wieder.

»Oder es ist mein Traum, dann träume ich von dir.« Und zwar einen ganz schön netten Traum. Ich lächelte zu ihm hoch.»Weißt du was? Ich hab noch nie mit einem Jungen Händchen gehalten.«

Er blieb stehen und hob ungläubig eine Augenbraue. »Wirklich nicht?«

»Nein.« Seine Stimme hatte so irritiert geklungen, dass ich schnell hinzusetzte:»Aber rumgeknutscht habe ich schon. Total oft.« Jedenfalls im Traum. Einmal – und dafür schämte ich mich heute noch – sogar mit Justin Bieber. Meine Erfahrungen in der Realität konnte ich dagegen an einer Hand abzählen. An zwei Fingern, um genau zu sein.

»Ah, da bin ich ja beruhigt«, sagte Henry spöttisch, aber ich hatte den Eindruck, er würde meine Hand ein wenig fester drücken, während wir weiterschlenderten.»Das hier fühlt sich anders an als ein normaler Traum«, sagte ich.»Es ist wie neulich auf dem Friedhof. Die ganze Zeit über weiß ich, dass es sich um einen Traum handelt. Deshalb traue ich mich auch, Sachen zu sagen, die ich sonst nicht sagen würde.«

»So etwas nennt man luzides Träumen. Wenn einem bewusst ist, dass man träumt ...«

»Ich weiß, ich hab's im Internet nachgelesen. Aber da stand nichts davon, dass andere genau denselben Traum zur selben Zeit haben können.«

»Nein, im Internet wirst du darüber nichts finden.«

»Wo denn dann? Und wie hängt das alles mit Graysons Pullover und diesen Türen zusammen? Hast du auch eine?«

»Klar.« Gemeinerweise antwortete er nur auf meine letzte Frage.

Ein paar Schritte legten wir schweigend zurück. »Ich zeige dir meine Tür, wenn du mir deine zeigst«, sagte er dann.

»Ich glaube, die da könnte meiner Mutter gehören.« Ich zeigte auf die hellgraue Ladentür, die mir vorhin schon aufgefallen war.

»Matthews'-Mondschein-Antiquariat? Die sehe ich heute zum ersten Mal. Sieht hübsch aus.«

»Es ist todsicher Mums Tür. Es steht sogar ihr Name dran. Seit der Scheidung heißt sie wieder Matthews. Und so ein Buchladen passt total gut zu ihr, aber wenn ich jetzt durch diese Tür ginge, würde ich nicht in einem Antiquariat landen, oder? Sondern in dem Traum, den meine Mutter gerade in diesem Augenblick träumt.«

»Wenn du überhaupt durch die Tür kämst ...«

Ich schüttelte mich. »Bestimmt träumt sie die ganze Nacht von Ernest – igitt. Erinnere mich daran, dass ich da nie aus Versehen mal reingehe!«

157

Noch während ich sprach, wurde mir die Absurdität der Aussage klar, aber Henry lachte nur. »Ja, manche Träume möchte man wirklich nicht miterleben. Jaspers zum Beispiel, in seinen Träumen sind die Menschen meistens nackt ...« Unvermittelt blieb er stehen. »Das ist übrigens meine Tür.«

»Ist ja lustig. Gleich gegenüber von meiner«, sagte ich. »Vorhin war da noch eine rote.«

»Ja, sie wechseln ständig ihren Platz. Das System dahinter habe ich noch nicht ganz durchschaut.«

Seine Tür war wie meine eher antik anmutend, aber höher und breiter und mit schwarzem Bootslack gestrichen. Es gab einen klassischen Türklopfer in Form eines Löwenkopfes, und in die Balken des Türsturzes waren die Worte *dream on* geschnitzt, worüber ich lächeln musste. Seltsam war nur, dass es statt einem Schlüsselloch gleich drei gab, übereinander.

Henry betrachtete in der Zwischenzeit meine Tür. »Sieht aus wie der Eingang zu einem Cottage in den Cotswolds«, sagte er. »Bis auf die Eidechse. Hat sie eine tiefere Bedeutung?«

»Woher soll ich das wissen?« Ich zuckte mit den Schultern. »Warum hast du so viele Schlösser?«

Er antwortete nicht sofort. »Ich bekomme eben nicht gern unangekündigten Besuch«, sagte er dann.

Ich versuchte nachzudenken, aber es war schwer, einen klaren Gedanken zu fassen. Vielleicht, weil Henry immer noch meine Hand hielt. »Wenn das die Eingänge zu unseren

Träumen sind, warum sind wir dann hier draußen?«, fragte ich. »Und was passiert da drinnen gerade ohne uns?«

»Ich habe keine Ahnung. Ich vermute mal, ohne uns passiert da drin gar nichts. Aber sicher kann man da natürlich nicht sein. Das ist so ähnlich wie mit dem Licht im Kühlschrank ...«

Das Geräusch einer ins Schloss fallenden Tür ließ uns beide zusammenfahren. Oder vielmehr auseinander. Aber es war niemand zu sehen. Der Korridor war leer.

»Wir gehen jetzt besser nach Hause und ... äh ... schlafen noch ein bisschen.« Henry grinste schief. Er hatte meine Hand losgelassen und kramte drei Schlüssel aus seiner Hosentasche.

»Warum flüsterst du? Hier ist doch niemand.« Ich starrte wieder in die Richtung, aus der das Geräusch gekommen war.

»Das kann man nie wissen.« Nacheinander drehte Henry die Schlüssel in den Schlössern, und jedes Mal, wenn der Bolzen zurückfuhr, gab es ein lautes metallisches Klicken.

»Schlaf gut, Liv. War nett, mit dir zu träumen.«

»Ja. Fand ich auch.« Seufzend wandte ich mich meinem Eidechsentürknopf zu. Schade, dass es schon vorbei war. Ich hatte noch so viele Fragen. Und überhaupt ... »Danke fürs Händchenhalten.«

Henry war schon halb über die Schwelle getreten, als er sich noch einmal zu mir umdrehte. »Gern geschehen. Ach ja, und Liv?«

»Hm?«

»An deiner Stelle würde ich nicht zu Arthurs Party kommen.«

»Oh.« Ich versuchte mir nicht anmerken zu lassen, dass ich gekränkt war. Erst Grayson und jetzt auch Henry.

»Es sei denn, du stehst auf gefährliche Sachen mit ungewissem Ausgang«, sagte er augenzwinkernd.

Ich fühlte mich ein wenig ertappt.

»Im Ernst, wenn du klug bist, hältst du dich von uns fern. Wir werden dann eben jemand anderen finden müssen, der Anabels Platz einnimmt.«

»Wobei denn?«, fragte ich, aber da war die schwarze Tür schon hinter ihm zugefallen, und ich hörte, wie er von innen verriegelte. Dreimal.

Wenn du klug bist ... Dumm war ich jedenfalls nicht. Deshalb wusste ich auch, dass Menschen, die Sätze sagten wie »Halt dich besser von uns fern« etwas zu verbergen hatten. Aber das war mir ja schon vorher klar gewesen. Hier gab es mehr als ein Geheimnis aufzudecken. Und es lag nun mal in der Natur von Geheimnissen, dass sie auch ein bisschen gefährlich waren.

Vielleicht kam es mir deswegen so vor, als würde es plötzlich kalt werden. Das Licht schien zu verblassen, die Schatten im Gang vertieften sich, und mich überkam das ungute Gefühl, nicht allein zu sein. Schnell schlüpfte ich durch meine grüne Tür und ließ sie hinter mir zufallen. Keine Sekunde später klopfte es von der anderen Seite gegen das Holz, ganz leise und sanft, kaum mehr als ein Scharren. Etwas sagte mir, dass es besser war, nicht nachzuschauen, um was es sich handelte.

»Da bist du ja endlich, Livvy«, sagte jemand hinter mir, und als ich mich umdrehte, sah ich Mia, Lottie und Mum in der hell erleuchteten Küche der Finchleys mit Spielkarten am Tisch sitzen.

»Habt ihr das gehört?«, fragte ich.

»Was denn?«

»Na, dieses merkwürdige Scharren an der …« Ich stockte, denn als ich mich wieder umgedreht hatte, war die Tür verschwunden. An ihrer Stelle befand sich das Küchenfenster, umrahmt von den wohl scheußlichsten Schottenkarovorhängen der Welt.

Von irgendwoher klingelte ein Wecker.

15

»Ist das für die Schule?«, erkundigte sich Lottie und zeigte auf mein Ringbuch.

»Ja«, log ich und hoffte, Lottie würde nicht lesen, was ich geschrieben hatte.

UHRZEIT: 2 Uhr
GRAYSONS PULLOVER: an
ERINNERUNG AN EINEN TRAUM: ja
ERINNERUNG AN DIE GRÜNE TÜR IM TRAUM: ja
DETAILLIERTE BESCHREIBUNG DES TRAUMS:
Eine Überschwemmung. Lottie, Mia, Mum und ich treiben auf einem Floß durch eine unbekannte Stadt, und Buttercup schwimmt nebenher. Ich sehe die grüne Tür an einem der überschwemmten Häuser. Ich weiß, sie ist irgendwie wichtig, aber ich habe keine Lust, zu ihr zu schwimmen. Das Wasser sieht kalt aus. Bestimmt gibt es auch Krokodile.

»An einem Samstag, noch vor dem Frühstück? Übertreibst du es nicht ein bisschen? Ich mache mir Sorgen wegen der dunklen Schatten unter deinen Augen.« Lottie streichelte mir über den Kopf. »Wenn ich es nicht besser wüsste, würde ich denken, du schläfst zu wenig. Aber das kann nicht sein, du warst jeden Abend noch vor zehn im Bett.«

»Ja, stimmt.« In den letzten beiden Tagen hatte ich es kaum erwarten können, bis es endlich Abend wurde und ich ins Bett gehen konnte. Ich hatte nämlich beschlossen, dem Phänomen mit gezielten Selbstversuchen auf den Grund zu gehen. Denn wie sagte Sherlock Holmes? »Es ist ein kapitaler Fehler, eine Theorie aufzustellen, bevor man entsprechende Anhaltspunkte hat. Unbewusst beginnt man Fakten zu verdrehen, damit sie zu den Theorien passen, statt dass die Theorien zu den Fakten passen.«

Also hatte ich eine Art Testreihe gestartet, Träumen mit und ohne Graysons Pullover. Dazu hatte ich mir jede Stunde den Wecker gestellt und sorgfältig Protokoll geführt. Jetzt las ich meine Aufzeichnungen zwecks wissenschaftlicher Auswertung noch einmal durch.

UHRZEIT: 3 Uhr
GRAYSONS PULLOVER: aus
ERINNERUNG AN EINEN TRAUM: ja
ERINNERUNG AN DIE GRÜNE TÜR IM TRAUM: ja
DETAILLIERTE BESCHREIBUNG DES TRAUMS:
Mein Kung-Fu-Lehrer Mr Wu und ich stehen mit vielen Touristen in der Luftseilbahn Adliswil, und Mr Wu will, dass ich ihm den Genickdrehhebel bei einer dicken

amerikanischen Touristin im lila T-Shirt vorführe. Als ich ihn frage, ob er jetzt total spinnt, sagt er: Konfuzius sagt, der Weise vergisst die Beleidigungen wie ein Undankbarer die Wohltaten. Die grüne Tür gehört zur Seilbahn, hängt also mitten in der Luft. Ich gehe trotzdem hindurch und befinde mich im Korridor. Alles sieht ruhig und harmlos aus. Keine Spur von unheimlichen, scharrenden Wesen. Ich suche Graysons Tür und sage Freddys Namen dreimal rückwärts. Aber die Tür ist abgeschlossen. Ich rüttele heftig an der Tür. Der Fürchterliche Freddy sagt, ich hätte keine Manieren. Ich sage, der Weise vergisst die Beleidigungen wie ein Undankbarer die Wohltaten. Dann rüttele ich noch an zwei weiteren Türen, nur so zum Spaß. Alle abgeschlossen. Ein Wecker klingelt mörderisch laut. Mein Wecker. Ich verfluche ihn.

Ich unterdrückte ein Stöhnen. Das las sich eindeutig mehr wie die Aufzeichnungen einer Verrückten als wie etwas, das man wissenschaftlich auswerten konnte.

»Ich tippe auf Eisenmangel, aber vielleicht ist es auch etwas anderes.« Lottie hatte sich an Mum gewandt, die gerade halbnackt durch das Wohnzimmer lief. Für heute war Familienzusammenführung Nummer zwei geplant, diesmal ohne Wachteln, dafür mit Lottie, Butter, Umräumaktion und Auswahl der Wandfarben (und vermutlich weiterer Nervenzusammenbrüchen von Florence). Es war noch gut eine halbe Stunde Zeit, bis wir losmussten, aber Mum war jetzt schon schrecklich nervös. Buttercup trottete ihr hinterher, die Hundeleine im Maul.

»Wir sollten für Liv einen Termin beim Arzt machen«, schlug Lottie vor.

»Hm?« Mum hatte wie immer nur den letzten Satz mitgekriegt. Augenscheinlich suchte sie nach etwas. »Geht es dir nicht gut, Mäuschen? Ausgerechnet heute, wo du auf diese Party willst?«

»Doch, alles bestens. Lottie macht sich nur Sorgen wegen der Augenringe.«

»Ach, du bekommst meinen Concealer, dann sieht das keiner. Hat jemand die Hundeleine gesehen?«

»Wuff«, machte Butter, aber Mum schenkte ihr keine Beachtung. Stattdessen wandte sie sich an Lottie. »Keine Sorge! In Livs Alter hatte ich viel schlimmere Ringe unter den Augen.«

»Ja, weil du gekifft hast, Mum.«

»Unsinn! Gekifft habe ich erst im College.« Mum drehte sich hektisch einmal um sich selbst. »Mia, leg das Ding beiseite und zieh dich endlich an! Ich will nicht, dass wir zu spät kommen, Ernests jüngster Bruder wird da sein und die Maler, und wo ist bloß die verdammte …«

Lottie nahm Buttercup die Hundeleine aus dem Maul und reichte sie Mum.

»Mit fünfzehn hatte ich jedenfalls aus anderen Gründen Ringe unter den Augen«, nahm Mum ihren Gedankenfaden auf und blickte die Hundeleine verdutzt an. »Nein, nicht was ihr wieder denkt. Ich habe nachts Gedichte geschrieben. Aus Liebeskummer.«

»Du Arme. Wie hieß er denn?«, fragte Mia. Sie hockte im Nachthemd auf dem Sofa und starrte auf das Display von Lotties iPad.

»Wer?«

»Na, der Junge, dem du mit fünfzehn Liebeskummergedichte geschrieben hast.«

»Ach, das waren so viele.« Mum machte eine wegwerfende Geste, und Butter nutzte die Gelegenheit und holte sich ihre Hundeleine zurück. »In dem Alter verliebt man sich doch alle drei Wochen in einen anderen.«

»Na ja, du vielleicht«, sagte Mia. »Liv und ich sind da nicht so anfällig. Richtig, Livvy? Wir sind keine hormongesteuerten Dumpfbacken, deren Gehirn nur aus rosa Zuckerwatte besteht.«

Ich war mir da nicht mehr so sicher. Leider dachte ich unverhältnismäßig oft an Henry und die Art, wie er guckte oder lächelte ... Aber okay, ich war noch weit davon entfernt, eine hormongesteuerte Dumpfbacke mit einem Gehirn aus rosa Zuckerwatte zu sein. Es gab ja auch keinen Grund dazu. Als Henry gestern Morgen in der Schule an mir vorbeigelaufen war, hatte er lediglich freundlich »Hi,

Käsemädchen« gesagt, und nichts, aber auch gar nichts in seiner Miene hatte darauf hingewiesen, dass wir im Traum Händchen gehalten hatten. Mein gesunder Menschenverstand sagte mir das Gleiche, aber da war dieses komische Gefühl in meinem Bauch, das ich einfach nicht ignorieren konnte. Auch deshalb hatte ich übrigens mit dieser nächtlichen Versuchsreihe begonnen: Diese Träume trieben mich so oder so in den Wahnsinn.

UHRZEIT: 4 Uhr
GRAYSONS PULLOVER: an
ERINNERUNG AN EINEN TRAUM: nein. Gott, ich bin so müde. Doofes Experiment.
ERINNERUNG AN DIE GRÜNE TÜR IM TRAUM: nein
DETAILLIERTE BESCHREIBUNG DES TRAUMS: –

UHRZEIT: 5 Uhr
GRAYSONS PULLOVER: an
ERINNERUNG AN EINEN TRAUM: Ja.
ERINNERUNG AN DIE GRÜNE TÜR IM TRAUM: Ja
DETAILLIERTE BESCHREIBUNG DES TRAUMS:
Ich liege in einer Hängematte in einem herrlichen Garten unter blühenden Kirschbäumen, umgeben von hohen Ziegelmauern. In der Mauer sehe ich die grüne Tür, und ich weiß, dass ich hindurchgehen sollte, um meine empirische Untersuchung fortzuführen. Aber

meine Augen sind so schwer, und die Hängematte ist so gemütlich, und das Summen der Bienen macht mich ganz schläfrig ... herrlich ... Gnarf!!! Der verfluchte Wecker klingelt.

UHRZEIT: 6 Uhr
GRAYSONS PULLOVER: an
ERINNERUNG AN EINEN TRAUM: ja
ERINNERUNG AN DIE GRÜNE TÜR IM TRAUM: ja
DETAILLIERTE BESCHREIBUNG DES TRAUMS:
Bin, obwohl todmüde, erst schätzungsweise eine Minute vor dem Weckerklingeln eingeschlafen, daher nur kurzer Traum. Durch grüne Tür in Korridor geschlüpft und zu Graysons Tür gerannt, kurz mit Freddy geplaudert, durch Graysons Tür gegangen und in einem Klassenraum gelandet. Graysons Englischunterricht, genauso langweilig wie in echt, gruselig realistisch. Gewecht worden, bevor etwas Interessantes passieren konnte.

Und was bedeutete das jetzt? Außer, dass ich mir zwei Nächte um die Ohren geschlagen hatte, um genau zu protokollieren, wann ich im Traum durch welche Tür gegangen war? Ich raufte mir die Haare.

»Wuff.« Buttercup stand vor mir, die Leine im Maul, den Kopf schief gelegt. Kluger Hund – frische Luft war genau das, was ich jetzt brauchte. Ich klappte mein Ringbuch zusammen und stand auf.

»Ich kann schnell mit Butter rausgehen«, bot ich an. »Dann kannst du dich in Ruhe anziehen.«

»Verlauf dich aber nicht wieder«, sagte Lottie besorgt, und Mum schob hinterher:»Wehe, du bist nicht pünktlich wieder hier.«

Die Mahnung wegen Verlaufens war leider nicht so abwegig, wie es sich anhörte, hier in London hatte mich mein eigentlich zuverlässiges inneres Navigationssystem schon mehrfach komplett im Stich gelassen. Nicht nur, dass sich die Straßen in diesem Stadtteil mit ihren altmodischen, verklinkerten Reihenhäusern in meinen Augen alle ziemlich ähnlich sahen (besonders bei Regen), ich neigte auch dazu, in die falsche Richtung zu laufen, wenn ich aus dem Bus stieg, und ich deutete selbstsicher nach Süden, wenn ich eigentlich nach Norden zeigen wollte – offensichtlich hatte mein Gehirn ein Problem mit der Umstellung von Süd- auf Nordhalbkugel.

Aber mit Buttercup an meiner Seite würde ich garantiert zurückfinden, in ihrem Genpool befand sich auch ein Labrador Retriever, und das waren hervorragende Fährtenhunde.

Sie trippelte fröhlich los, Richtung Kenwood Park (hoffte ich jedenfalls). Es war ein klarer Septembermorgen, ein frischer Wind blies mir die Haare aus dem Gesicht und zerzauste Butters Fell. Wir bogen in eine Straße ein, die Well Walk hieß und diesen Namen auch wirklich verdient hatte.

In der Mitte der Fahrbahn zog sich ein breiter, mit hohen Bäumen bewachsener Grünstreifen hin, mit Bänken und sogar zwei malerischen roten Telefonzellen, die aussahen, als wären sie eigens für Touristen dort hingestellt worden. Die Häuser links und rechts hatten allesamt wunderschöne Türen, die genauso auch in meinem geheimnisvollen Korridor hätten auftauchen können.

Langsam schien sich das Chaos in meinem Kopf ein wenig zu lichten. Die Auswertungen der Aufzeichnungen der letzten beiden Nächte ließen doch immerhin ein paar allgemeingültige Rückschlüsse zu: Erstens: Die grüne Tür tauchte früher oder später in jedem Traum auf. Es dauerte manchmal eine Weile, bis ich sie richtig wahrnahm, aber wenn das geschah, begriff ich auch, dass ich träumte und war in der Lage, alle weiteren Traumschritte weitgehend selber zu bestimmen und zum Beispiel durch die Tür in den Korridor zu treten. Zweitens: Wenn ich Graysons Pullover trug, konnte ich durch seine Tür treten, trug ich ihn nicht, war die Tür abgeschlossen. Drittens: Überhaupt schienen alle Türen in diesem Korridor abgeschlossen zu sein. Viertens: Ich konnte offensichtlich sehr detailliert von Personen träumen, denen ich im echten Leben noch nie begegnet war. Das Mädchen, das in Graysons Basketball-Albtraum neben Florence auf der Tribüne gesessen hatte, hatte ich am Morgen danach auf einem Foto im Tittle-Tattle-Blog eindeutig wiedererkannt, und nur eine halbe Stunde später hatte ich sie höchstselbst auf dem Schulhof stehen sehen. Mit Grayson. Es handelte sich um Emily Clark, die Chefredakteurin der Schülerzeitschrift »reflexx«. Also zugleich Graysons Freundin und seine Vorgesetzte, wenn man Secrecy glauben konnte. Mia hatte Emily nach dieser Entdeckung gleich ganz oben auf ihre Liste mit den Namen der Verdächtigen geschrieben, die als Secrecy in Frage kamen. Das ergab durchaus Sinn, denn erstens verfügte Emily als Chefredakteurin der Schülerzeitschrift über viele Informationen und hatte Zugang zu diversen Quellen, zweitens konnte sie schreiben, und drittens stand sie Florence und Grayson sehr nahe und gehörte damit sicher zu den Allerersten, die Neuigkeiten aus dem Hause Spencer erfuhren.

Und auch Anabel Scott, Arthurs Freundin (oder auch Ex, so sicher konnte man sich da laut Secrecy ja nicht sein), hatte ich in der Nacht von Freitag auf Samstag im Traum kennengelernt, laut Traumprotokoll zwischen drei und vier Uhr, und das war die interessanteste Begegnung von allen gewesen. Allein deswegen hatte sich die ganze Mühe wohl doch irgendwie gelohnt.

Wieder war ich im Traum mit einem philosophierenden Mr Wu Seilbahn gefahren und deshalb bereitwillig durch die grüne Tür in den Korridor getreten. Nachdem ich pflichtschuldigst – ich trug den Pullover nicht – Smalltalk mit dem Fürchterlichen Freddy gehalten und an Graysons Tür gerüttelt hatte, spazierte ich ziellos durch den Korridor, betrachtete die Türen und überlegte, wem sie wohl gehören würden. Matthews'-Mondschein-Antiquariat (verschlossen) war selbstverständlich der Eingang zu Mums Träumen, und ich konnte mir vorstellen, dass die efeuberankte, himmelblau lackierte Tür mit den geschnitzten Eulen über dem Sims Mia gehörte, zumal ein Topf mit Vergissmeinnicht davorstand, und das waren Mias Lieblingsblumen. Auch an Henrys Tür kam ich wieder vorbei, und als ich – schließlich war das hier eine Versuchsreihe – die Türklinke herunterdrückte, sprach mich von hinten jemand an.

»Er vergisst niemals abzuschließen«, sagte eine sanfte Mädchenstimme.

Ich fuhr herum, die Hand auf mein rasendes Herz gelegt.

»Entschuldige, ich wollte dich nicht erschrecken«, sagte das Mädchen. Sie war klein und zierlich. Goldblonde, wellige Haare umrahmten ihr ebenmäßiges Gesicht und flossen über ihre schmalen Schultern bis beinahe zur Taille.

»Du siehst aus wie die Venus von Botticelli«, entfuhr es mir.

»Ja, aber nur, wenn ich nackt in einer Muschel rumstehe.« Das Mädchen lächelte und streckte mir ihre Hand hin. »Hi. Ich bin Anabel Scott. Bist du eine Freundin von Henry?«

»Äh ... nicht direkt.« Ich musste mich zusammennehmen, um sie nicht anzustarren. Anabel Scott war eins von Secrecys beliebtesten Klatschthemen und jemand, auf den ich – zugegeben – auch schon sehr neugierig geworden war. Sie war makellos, von Kopf bis Fuß, kein Wunder, dass Arthur sich in sie verliebt hatte. Zumindest rein optisch waren sie ein perfektes Paar.

Ich erwiderte ihr Lächeln, nahm ihre immer noch ausgestreckte Hand und schüttelte sie, wobei ich mir äußerst merkwürdig vorkam. Aber, hey, das war eben ein höflicher Traum. Kurz überlegte ich, was ich jetzt sagen sollte. Nett, dich kennenzulernen, auch wenn es nur im Traum ist. Studierst du nicht in der Schweiz? Liegst du da jetzt gerade im Bett und schläfst? Und stimmen die Gerüchte, dass Arthur und du euch trennen werdet? Stattdessen sagte ich: »Liv Silber. Ich bin äh neu … äh … hier.« In diesem Korridor.

Anabels grüne Augen weiteten sich. »Dann bist du das Mädchen, von dem Arthur gesprochen hat … Das uns helfen kann …«

»Wobei helfen?«

Sie sah sich vorsichtig um, und ich fragte mich, was sie erwartete. Dass der Fürchterliche Freddy sich heimlich anschlich, um uns von hinten in den Popo zu zwicken?

»Eigentlich darf ich dir das nicht sagen«, flüsterte sie schließlich und biss sich auf die perfekt geschwungene Unterlippe. »Aber schließlich ist es meine Schuld, dass die Jungs in diese Situation geraten sind.«

Manche Sätze haben eine unwiderstehliche Wirkung auf mich, ob in Wirklichkeit oder im Traum. »Eigentlich darf ich dir das nicht sagen« gehörte auf jeden Fall dazu, es kam gleich nach »Halt dich besser von uns fern«.

»Du hast recht«, flüsterte ich zurück. »Es ist bestimmt sicherer, wenn du nicht darüber sprichst.«

Anabel zögerte, eine winzige Falte erschien auf ihrer makellosen Stirn.

»Ich geh dann besser mal wieder«, sagte ich leichthin. »War nett, dich kennenzulernen.«

Noch während ich mich umdrehte, fing sie an, loszusprudeln. Gott, das war wirklich einfach gewesen.

»Ich habe die Jungs dazu überredet, letztes Jahr an Halloween, verstehst du?«, stieß sie hervor. »Eigentlich sollte es nur ein Spiel sein. Ich konnte doch nicht ahnen, dass ...« Wieder sah sie sich ängstlich um. »Man darf ihn nicht belügen. Er kann tief in deine Seele schauen, und er ist gnadenlos, wenn man seine Regeln nicht befolgt.«

Wer? Was? Wovon sprichst du überhaupt? Diese und noch ein paar weitere Fragen lagen mir auf der Zunge. Ich fing mit der ersten an.

»Wer?« Um des Effekts willen beugte ich mich vor und raunte genauso geheimnisvoll wie sie. »Wer ist gnadenlos?«

Sie schüttelte den Kopf und wich meiner Frage aus. »Ich liebe Arthur, das musst du mir glauben. Ich habe immer geglaubt, dass das mit der großen Liebe nur ein Märchen sei – bis ich Arthur getroffen habe ... Es war wie ein Tsunami, der uns überrollt hat. Ich wusste, wir sind füreinander bestimmt, das ist der Mann, auf den ich mein ganzes Leben lang gewartet habe.« Sie stockte und biss sich auf die Lippen.

Herrje. Theatralischer ging es ja wohl nicht. Abgesehen davon, dass ich immer misstrauisch wurde, wenn jemand so offenherzig einem Wildfremden von seiner ach so großartigen Beziehung erzählt, erinnerte ich mich daran, dass im Tittle-Tattle-Blog etwas anderes gestanden hatte, von wegen, auf die große Liebe gewartet: Da gab es doch diesen Ex-Freund, Tom Irgendwas. Und war der nicht tot?

Sie stieß einen Seufzer aus. »Jedenfalls hätte ich wissen müssen, dass man ihn nicht belügen kann.«

»Du meinst Arthur?«

Anabel schaute mich überrascht an. »Nein! Ich spreche von *ihm*.« Jetzt erst bemerkte ich, dass ihre Pupillen riesig waren. Ihre Worte wanderten durch den Korridor und wurden als wisperndes Echo von den Wänden zurückgeworfen.

»Er, den wir durch das Spiel heraufbeschworen haben.«

Ich starrte sie an. »Heraufbeschworen? Wen?« Und warum?

Anabel schwieg ein paar Sekunden, dann flüsterte sie: »Er hat viele Namen. Er ist der Windmann. Hüter der Schatten. Dämon der Nacht.«

Der Korridor verdunkelte sich merklich. Ein kalter Lufthauch streifte meine Arme, und ich spürte, wie sich die Härchen in meinem Nacken aufstellten. Nicht so sehr wegen dem, was Anabel da von sich gab, sondern weil sie eindeutig Angst hatte. Ich konnte es in ihren Augen sehen.

»Er ist der Herrscher über die Träume. Die Akkader

nannten ihn Lilu. Auf Sumerisch heißt er Lulila, in der persischen Mythologie ist sein Name …«

»Lulila, der Windmann?« Die Nackenhärchen sanken in ihre angestammte Position zurück, und ein Kichern brach aus mir heraus, ich konnte nichts dagegen tun.

Anabel sah mich mit großen Augen an. »Du solltest nicht … man spaßt nicht mit einem Dämon der Nacht.«

»Tut mir leid …«, japste ich, um Fassung bemüht. »Aber dann sollte er sich vielleicht einen furchterregenderen Namen zulegen.« Nein, keine Chance. Eine weitere Lachsalve platzte aus mir heraus. »Ich meine, Lulila! Das klingt doch wie aus einem Schlaflied für Teletubbies.«

Die Angst in Anabels Miene war ungläubigem Staunen gewichen und etwas anderem, das ich nicht deuten konnte, weil Lachtränen meine Sicht beeinträchtigten. *Lulila, der Windmann* – ich hatte mich in einen Lachsack verwandelt, es war, als hätte ich noch nie etwas Komischeres gehört.

Anabel schien vor Entsetzen erstarrt zu sein.

Ich wusste selber, dass meine Reaktion vollkommen unangemessen war. Zumal das Licht im Korridor sich so stimmungsvoll verdüstert hatte und die Temperatur eindeutig gefallen war. Aber bevor ich mich zusammenreißen und bei Anabel entschuldigen konnte, klingelte der Wecker.

Und immer noch lachend war ich aufgewacht.

Auch jetzt musste ich wieder so laut kichern, dass Buttercup den Kopf drehte und mich fragend anschaute.

»Alles in Ordnung, Butter. Erledige dein Geschäft, dann gehen wir zurück, und ich bürste dir noch ein bisschen das Fell.« Ich sah auf die Uhr. »Du lernst heute immerhin dein künftiges Zuhause kennen. Und deine neue Patchworkfamilie, samt Patchworkfamilienkater. Da musst du niedlich aussehen. Schließlich sollen sie dich alle liebhaben.«

Buttercup blieb stehen, legte ihren Kopf schief und sah dabei so niedlich aus, dass selbst der konservativste Kater der Welt sie in sein Patchworkherz schließen musste, ja, selbst der Kater des Papstes, falls er einen hatte.

Dann kläffte sie urplötzlich einen Radfahrer an, der vor Schreck beinahe gegen eine Laterne fuhr.

Ich kicherte wieder. Dieser Hund war ein kleiner Teufelsbraten.

Apropos Teufelsbraten: Lulila hatte sich übrigens nur mit einiger Mühe im Internet aufstöbern lassen (es gab allerdings jede Menge Kindermodengeschäfte mit diesem Namen), aber ich hatte ihn schließlich tatsächlich auf einer Liste mit sumerischen Gottheiten und Dämonen gefunden. *Lulila – sumerischer Nachtdämon.* Das war leider alles. Womit ich aber meiner wissenschaftlichen Traumprotokollauswertung getrost einen weiteren Punkt hinzufügen konnte: Fünftens: Offensichtlich war ich in der Lage, von Dingen zu träumen, die ich gar nicht wissen konnte.

16.

Die Stimmung war aus verschiedenen Gründen ein wenig angespannt, als wir bei Ernest eintrafen. Zum einen waren wir tatsächlich zwanzig Minuten zu spät (das hatte aber nicht an mir gelegen, sondern daran, dass wir, geführt von Miss-»zu siebzig Prozent sicher«-Mia, in den falschen Bus gestiegen waren), zum anderen hegten Mia und ich die schlimmsten Befürchtungen, was Lottie und Florence anging.

»Wenn sie auch nur eine Bemerkung macht ...«, murmelte Mia drohend vor sich hin.

Wir hatten Lottie nicht verraten, wie sehr sich Florence gewehrt hatte, ihre Räumlichkeiten abzutreten, selbst Mum war nicht die kleinste Andeutung über die Lippen gekommen. Wir alle wussten, dass Lottie sonst entweder gar nicht mitgekommen wäre oder, was wesentlich wahrscheinlicher war, darauf bestanden hätte, in die Besenkammer zu ziehen.

»Oder wenn die irgendwie blöd guckt ...«, fuhr Mia fort.

Ich wiederum starrte den Fürchterlichen Freddy vor der Eingangstür der Spencers an und konnte mir gerade noch verkneifen »Ydderf, Ydderf, Ydderf« zu sagen, anstatt zu

178

klingeln. Seltsam, wie vertraut mir die übergewichtige Steinfigur im Laufe der vergangenen Nächte geworden war. Fast erwartete ich, dass sie mir zuzwinkerte.

Wir waren von der Bushaltestelle bis hierher gerannt und hatten Mum und Lottie abgehängt, die jetzt erst keuchend um die Ecke in die Einfahrt bogen. Bedauerlicherweise gleichzeitig mit einem großen Mann in Cordhosen und Rollkragenpulli, der aus der anderen Richtung kam und es ähnlich eilig zu haben schien. Er stolperte über die Hundeleine, und das fand Butter gar nicht komisch, sie fing an zu kläffen und herumzutoben und nach den Cordhosen zu schnappen, und es entstand ein kleiner Tumult. Mia und ich versuchten, Butter am Halsband zu packen, aber das war gar nicht so einfach, Butter wand sich wie ein Aal. Die extralange Hundeleine wickelte sich um Lotties Füße und die Beine des Mannes und brachte sie beide zu Fall, während Mum danebenstand und wenig hilfreich ungefähr zehnmal hintereinander »Böser Hund!« rief.

Schließlich gelang es mir, Buttercup am Halsband wegzuziehen, und Lottie und der Mann konnten sich aufrichten. Dabei stießen sie mit ihren Köpfen zusammen, und als Lottie »Au!« sagte, hätte Buttercup sich nur zu gerne erneut ins Getümmel gestürzt. Sie bellte vorwurfsvoll.

»Böser Hund«, sagte Mum mit schwacher Stimme.

Der Mann rieb sich die Stirn. »Alles in Ordnung?«, erkundigte er sich bei Lottie, und das musste man ihm wirklich hoch anrechnen. Jeder andere an seiner Stelle hätte mit einem Anwalt gedroht.

»Entschuldigung«, sagte Lottie ein wenig atemlos und strich sich eine braune Locke aus dem Gesicht. »Normalerweise bin ich ein ganz lieber Hund.«

Mia hielt sich die Hand vor den Mund, um nicht loszukichern.

»Ähm, sie, meine ich«, stotterte Lottie und lief rot an. Offenbar schien der Anblick des Mannes sie kolossal zu verwirren. »Sie ist ein lieber Hund. Ich … äh … sie mag nur keine Briefträger.«

»Oh, ich bin kein Briefträger«, versicherte ihr der Mann. »Ich bin das schwarze Schaf der Familie Spencer, Ernests Bruder Charles. Und ihr müsst unser neuer Familienzuwachs sein. Freut mich, euch alle kennenzulernen.«

Jetzt, wo wir Zeit hatten, ihn näher in Augenschein zu nehmen, wunderte uns diese Eröffnung nicht wirklich, denn Charles wies eine geradezu fatale Ähnlichkeit mit Ernest auf: die gleiche breitschultrige Statur, die gleichen blauen Augen, die gleiche Neigung zur Glatzenbildung, die gleichen riesigen Elefantenohren. Sogar seine Stimme klang ganz ähnlich.

Er schüttelte uns nacheinander die Hand, und wir stellten uns mit unseren Namen vor und versicherten, dass wir uns ebenfalls freuten. Als Lottie an der Reihe war, war sie noch röter geworden und erklärte, sie hieße Tollie Hastlwuber und sei das Minderkädchen.

»So ähnlich jedenfalls«, murmelte Mum.

Mia und ich tauschten einen alarmierten Blick. Was war denn nur mit Lottie los? Wir trauten unseren Ohren kaum, als unser Minderkädchen jetzt auch noch Einblick in bisher verborgene Familiengeheimnisse gewährte.

»Ich war übrigens auch mal das schwarze Schaf der Familie«, erklärte sie eifrig. »Aber dann hat meine Cousine Franziska sich in ihre Putzfrau verliebt, deshalb war sie dann das schwarze Schaf. Bis mein Cousin Basti sie abgelöst hat, weil er sein Hotel in einen Swingerclub umge…«

»Lass uns die Einzelheiten doch auf später verschieben«, fiel Mum ihr hastig ins Wort und drückte energisch den Klingelknopf. »Es gibt schließlich eine Menge Möbel zu rücken … Oh, hallo, Ernest, Liebling! Entschuldige die Verspätung. Aber an mir lag es nicht.«

»Wir sind in den balschen Fus gestiegen«, sagte Lottie mit einem verklärten Lächeln, das allerdings nicht Ernest galt. Allmählich dämmerte mir, was hier los war.

»Ich glaube, wir haben hier einen möglichen Kandidaten für die Aktion *Lottie verkuppeln*«, flüsterte ich Mia zu, als wir ins Haus spazierten. »Das schwarze Glatzkopf-Schaf scheint irgendwie ihr Typ zu sein.«

»Ja, eindeutig«, flüsterte Mia zurück. »Ich werde ihm gleich mal auf den Zahn fühlen.«

Und das tat sie auch, indem sie mit ihrem allersüßesten Lächeln eine indiskrete Frage nach der anderen stellte, entweder an Charles direkt oder einen seiner Verwandten. Am Ende des Tages hatten wir sehr viel geschafft:

Zuerst hatten wir die Familienzusammenführung von Spot und Butter bewerkstelligt, nach Butters unrühmlichen Erstauftritt eine überraschend simple Angelegenheit: Am Anfang starrten sie sich eine Weile lang an – Spot hoheitsvoll von seinem Platz auf dem Sofa, Butter eher ängstlich schnüffelnd an Lotties Bein gedrückt –, dann beschlossen sie, einander für den Rest des Tages einfach zu ignorieren, wobei das Spot eindeutig besser gelang als Butter, die immer wieder mal misstrauische Blicke zum Sofa schickte und uns ansonsten auf Schritt und Tritt durch alle Stockwerke verfolgte. Und das waren wirklich viele Schritte, denn wir mussten gefühlte vierzig Tonnen Möbel und Kartons von rechts nach links, von oben nach unten und zuletzt auch kreuz und quer räumen.

Zwischendurch hatten wir über fünfzig Schattierungen von Weiß kennengelernt und die mit den schönsten Namen herausgesucht (»old lace« für Lottie, »snowwhite« für Mia und »seashell« für mich), wobei sich Florence als überraschend stilsichere Ratgeberin erwies und Grayson als farbenblind. (»Wollt ihr mich verarschen? Das ist doch alles gleich weiß!«)

Und wir hatten ein umfassendes Dossier über Ernests Bruder Charles zusammengestellt: Er war neununddreißig Jahre alt, kinderlos und seit zwei Jahren geschieden. Die Scheidung von »Eleanor, dem gierigen Drachen« hatte ihn ein Ferienhaus in Südfrankreich, einen Jaguar und jede Menge Nerven gekostet. Auch die Falte zwischen seinen Augenbrauen ging ausschließlich auf Eleanors Konto, behauptete jedenfalls Florence. Er spielte Tennis, spendete Geld für den World Wildlife Fund, mochte klassische Open-Air-Konzerte im Park sowie die Musik einer Band namens Lambchop. Apropos Lambchop: Als schwarzes Schaf der Familie bezeichnete man ihn enttäuschenderweise nicht etwa deshalb, weil er nachts Graffiti-Kunst an Tunnelwände sprayte oder Marihuana selber anbaute oder was schwarze Schafe sonst noch so tun, sondern weil er im Gegensatz zu seinen drei großen Brüdern nicht Jura studiert hatte und auch nicht in die Politik gegangen war. Stattdessen besaß er eine Zahnarztpraxis in Islington. (Und der Ausdruck »auf den Zahn fühlen« bekam gleich noch einmal eine andere Bedeutung.) Mia und ich waren ein bisschen enttäuscht. Ein Tierarzt wäre super gewesen, aber Zahnarzt – nein, das gab Abzüge bei den Sympathiepunkten. Zahnärzte riechen auch einfach nicht gut …

Aber nicht nur Charles musste sich einem neugierigen Verhör unterziehen, auch Lottie durfte sich eine Menge merkwürdiger Fragen gefallen lassen, denn offensichtlich hatte Florence ein Problem mit Lotties Nationalität, und es war ihr ein Anliegen zu überprüfen, ob sich Nazis unter ihren Vorfahren befanden. Und wenn ja, ob sie sich schuldig fühle und was sie dagegen tue?

Mia wollte Florence für diese Fragen gerne ohrfeigen, aber Lottie sagte, ihres Wissens seien alle Nazis der Familie im Zweiten Weltkrieg gefallen, und damit war Florence fürs Erste zufrieden. Mit der Familienzusammenführung und der damit verbundenen Änderung der Wohnsituation schien sie sich arrangiert zu haben. Jedenfalls beschwerte sie sich nicht mehr darüber, weit und breit war kein hysterischer Anfall in Sicht. Fast war ich darüber ein bisschen enttäuscht. Florence hatte mir besser gefallen, als sie die Contenance verloren hatte.

Natürlich sparte auch Mum wieder nicht mit peinlichen Äußerungen. Praktischerweise wartete sie damit bis zum Mittagessen, damit es auch garantiert alle mitbekamen.

»Das ist so lieb von dir, dass du Liv heute Abend mit auf diese Party nimmst.« Sie strahlte Grayson an. Es fehlte nur noch, dass sie seine Wange tätschelte. »Ich sage immer, in eurem Alter gehört man an einem Samstagabend nur nach Hause, wenn man vierzig Grad Fieber hat … Ich bin sehr froh, dass Livs Mauerblümchendasein nun ein Ende findet.«

»Ähm …« Grayson fehlten offensichtlich die Worte. Er warf einen Blick zu mir hinüber, und ich konnte mir ein schadenfrohes Grinsen nicht verkneifen.

»Mum, ich glaube, du bist noch nicht auf dem neusten Stand. Bring Grayson nicht in Verlegenheit. Ihm wäre es nämlich lieber, ich würde heute Abend nicht auf diese Party gehen.«

Ernest legte seinen Suppenlöffel beiseite. »Wie bitte?« Grayson schob ein Stück Brot in seinen Mund und murmelte etwas Unverständliches. Er tat mir ein bisschen leid, aber er hatte es ja nicht anders gewollt.

»Unsinn, Maus«, sagte Mum. »Du hast es doch Grayson zu verdanken, überhaupt auf diese Party eingeladen worden zu sein. Nicht wahr, Grayson?«

Grayson schluckte. »Na ja, schon, aber es … ich habe … ähm.« Noch ein kurzer Blick zu mir, dann schien er sich zusammenzureißen und fuhr ohne zu stammeln fort: »Diese Partys sind ziemlich wild, es fließt reichlich Alkohol, und weil Liv doch erst fünfzehn ist, dachte ich, wäre es besser, sie bleibt zu Hause …«

Oh! Das war ja wohl … »In drei Wochen werde ich sechzehn«, sagte ich aufgebracht.

»Tatsächlich? Du siehst aber nicht so aus.«

»Grayson!« Ernest bedachte ihn mit einem vorwurfsvollen Blick. Ich ebenfalls. Was sollte das heißen – ich sah nicht so aus?

»Ich verstehe, worum es ihm geht«, sagte Mum. »Er ist ein verantwortungsbewusster Junge und will Liv nur beschützen«, sie wandte sich an ihren zukünftigen Stiefsohn »Aber das musst du gar nicht, Grayson, Schatz. Du darfst auf der Party einfach Spaß haben – Liv kann wirklich gut auf sich selber aufpassen.« Sie beugte sich zu Ernest hinüber und flüsterte so laut, dass jeder am Tisch sie bestens verstehen konnte: »Zu gut, denke ich manchmal. In ihrem Alter hatte ich schon alles durch: den ersten Alkoholrausch, den ersten Joint, den ersten Sex. Liv ist diesbezüglich eine Spätzünderin. Allmählich mache ich mir wirklich Sorgen, dass sie nach ihrem Vater kommt. Er hat in seinem ganzen Leben nie etwas Leichtsinniges getan. Na ja, doch, er hat mich geheiratet, immerhin.« Sie lachte.

Ernest stimmte in ihr Gelächter ein, wirkte aber leicht verwirrt, genauso wie sein Bruder Charles, der allerdings erleichtert schien, dass es ausnahmsweise mal nicht um ihn ging.

»Da hörst du es«, sagte ich zu Grayson. »Meiner Mum können deine Freunde gar nicht gefährlich genug sein. Selbst, wenn sie nachts auf dem Friedhof schwarze Messen abhielten.«

Vielleicht bildete ich es mir nur ein, aber mir schien, als würde Grayson ein wenig blass werden. Er presste seine Lippen zusammen, schob seinen Stuhl zurück und stand auf. »Ich geh dann mal wieder Möbel rücken.«

»Wenn Grayson nicht auf Liv aufpassen will, kann ich das übernehmen«, bot Florence an, als Grayson das Esszimmer mit einem letzten finsteren Blick in meine Richtung verlassen hatte. »Ich gehe auch auf Arthurs Party, gleich nach unserem Ballkomitee-Treffen.«

Ich bekam gar keine Gelegenheit, mich darüber aufzuregen, denn bei dem Wort »Ball« horchte Mum sofort wieder auf. Florence freute sich über das Interesse und begann den Herbstball mitsamt der festlichen Roben in den glühendsten Farben als romantischsten Tag des Jahres zu schildern. Ein absoluter Höhepunkt im Leben eines jeden Frognal-Academy-Absolventen, aber – und an dieser Stelle huschte ein kurzes, eindeutig schadenfrohes Lächeln über Florences Gesicht – leider, leider ausschließlich für die Oberstufenschüler.

Mum sah aus, als würde sie vor Enttäuschung gleich in Tränen ausbrechen.

»Jüngere Schüler dürfen nur mit einem älteren Schüler als Tanzpartner zum Ball kommen.« Florences Stimme triefte förmlich vor Bedauern. »Und dummerweise geht Grayson ja schon mit Emily hin.«

Mum seufzte.

»Aber mit etwas Glück könnte ich Liv vielleicht einen Ballpartner vermitteln …«, schob Florence hinterher.

Ja, genau das hatte Persephone vorausgesagt. Und Mum ging Florence natürlich voll in die Falle.

»Wirklich?«, sagte sie begeistert, und ich sah ihr an, dass sie im Geiste schon das Ballkleid aussuchte. »Liv, Mäuschen, das wäre doch toll!«

»Hm, schwierig … Emilys Bruder Sam ist noch frei …« Florence legte die Stirn in Falten, als hätte sie diese Überlegung tatsächlich Anstrengung gekostet. »Vielleicht könnte ich ihn ja überreden, Liv mit zum Ball zu nehmen.«

Genau, Sam. Oder Pickel-Sam, wie Persephone ihn genannt hatte.

»Aber ich kann natürlich nichts versprechen.«

Oh, das wurde ja immer besser. Jetzt musste man Pickel-Sam auch noch auf Knien bitten, mit mir auf den Ball zu gehen, vielleicht sogar bestechen.

»Das klingt nach einer grauenhaften Veranstaltung«, sagte ich mit Nachdruck. »Um eins klarzustellen: Ich würde mich lieber einer Wurzelbehandlung ohne Betäubung unterziehen, als da hinzugehen.«

»Liv!«, sagte Mum, und Florence zog pikiert ihre Augenbrauen hoch und murmelte etwas von einem Fuchs und sauren Trauben.

»Ich hatte schon mal eine Wurzelbehandlung ohne Betäubung«, sagte Lottie. »Und glaub mir, das willst du nicht erleben.«

»Eine Wurzelbehandlung ohne Betäubung?«, wiederholte Charles ungläubig, und Lottie nickte. »Mein Onkel Kurt ist Zahnarzt. Ein schlechter Zahnarzt, ein Geizkragen und ein Sadist.« Mit einem Seitenblick auf Florence beeilte sie sich hinzuzusetzen: »Aber er ist trotzdem kein Nazi.«

»Dann mögen Sie Zahnärzte wohl nicht besonders?« Charles' Tonfall klang eindeutig bedauernd. »Ich meine, wenn Sie so schlechte Erfahrungen gemacht haben.«

Lottie errötete ein bisschen. Sie setzte gerade zu einem einzigartigen Buchstabendrehersatzgebilde an, in dem die

Wörter »Zonditoren«, »Kahnärzte« und »Samochisten« vorkamen, als Buttercup sie mit der Schnauze anstupste und damit das Schlimmste verhinderte. Während des Essens hatte Butter sich unter dem Tisch versteckt und den schlafenden Kater mit ängstlichen Blicken fixiert, aber jetzt wollte sie Lottie offensichtlich aus der Patsche helfen, indem sie sie an ihren längst fälligen Mittagsspaziergang erinnerte. Lottie nutzte die Gelegenheit, klappte den Mund zu und schnappte sich die Lundeheine. Sicher war sie der Ansicht, dringend frische Luft zu benötigen. Ein bisschen kaltes Wasser im Gesicht wäre jetzt auch nicht schlecht gewesen.

Florence blickte ihr nachdenklich hinterher. »Ich finde, sie hat einen komischen Akzent, auch für eine Deutsche«, sagte sie so leise, dass Lottie sie (hoffentlich) nicht hören konnte. »Und welcher Rasse gehört euer Hund eigentlich an?«

Ich öffnete den Mund, um Lotties Akzent zu verteidigen (sie hatte nämlich gar keinen, wenn sie nicht gerade Buchstaben verdrehte) und sämtliche Rassen aufzuzählen, die sich (mutmaßlich) unter Buttercups Vorfahren befanden (und das war eine lange Liste), als Mia mir ins Wort fiel.

»Buttercup ist ein Entlebucher Biosphärenhund«, erklärte sie, ohne mit der Wimper zu zucken. »Eine sehr seltene und kostbare Rasse Schweizer Hütehunde.«

Buttercup, die Lottie hinterhergetrippelt war, drehte sich bei diesen Worten noch einmal um und sah so selten und kostbar und niedlich aus wie nur irgend möglich. Lottie, die an der Tür auf sie wartete, ebenfalls.

»Ganz tolle Hunde«, sagte Charles enthusiastisch.

Mia beugte sich über ihren Teller und murmelte, glücklicherweise nicht so lautstark wie Mum: »Wir mögen Tierärzte trotzdem lieber.«

17

Die Villa von Arthurs Vater entsprach genau der Vorstellung, die ich mir ursprünglich von Ernests Haus gemacht hatte – das kamerabewachte Rolltor an der Straße, der parkähnliche Garten, das säulengestützte Portal, das auch in »Vom Winde verweht« eine tragende Rolle hätte spielen können, und – ehrlich wahr! – ein Springbrunnen in der Eingangshalle. Schwer vorstellbar, dass man hier auch einfach nur wohnen konnte.

»Sieht aus wie eine Privatklinik für drogenabhängige Millionärskinder«, flüsterte ich Grayson zu.

»Ist auch so ähnlich«, sagte Grayson. »Nur dass man hier reichlich Drogen und Alkohol bekommt.«

»Meine Mutter wäre begeistert«, sagte ich.

»Ja, bestimmt.« Grayson rieb sich über die Stirn. »Sie ist ein bisschen anders als andere Mütter, oder?«

»Ja, auch schon gemerkt? Übrigens schön, dass du wieder mit mir sprichst.« Auf der Fahrt hierhin hatte er nämlich nur mürrisch vor sich hin gestarrt. Als ich zu ihm ins Auto gestiegen war, hatte er sich ein »Hallo« abgerungen, ansonsten war kein Wort über seine Lippen gekommen.

Jetzt zuckte er mit den Schultern. »So oder so kann ich es

ja nun nicht mehr ändern. Du bist hier, obwohl ich dich davor gewarnt hatte.«

»Ja«, sagte ich zufrieden. Vorhin im Auto war ich so müde gewesen, dass ich Angst gehabt hatte, neben dem schweigenden Grayson einfach einzuschlafen. Diese nächtlichen empirischen Studien und das Möbelrücken hatten mich eindeutig geschlaucht. Aber jetzt war ich wieder einigermaßen wach und bereit, ein paar Geheimnisse zu lüften.

Ein äußerst gestresst wirkender junger Mann hatte uns die Tür geöffnet und mit den Worten: »Die Party der jungen Leute findet im Pool-Haus statt«, durch einen seitlichen Korridor geschickt. Laut Grayson handelte es sich bei dem Mann um den Privatsekretär von Arthurs Vater, der heute Abend ebenfalls eine kleine Party schmiss. (Also der Vater, nicht der Sekretär.) Wobei »klein« bei den Hamiltons vermutlich in anderen Relationen zu verstehen war.

Der »kleine« Pool zum Beispiel war mindestens fünfzehn Meter lang und das Poolhaus drumherum größer als alles, in dem ich bisher gewohnt hatte. Das viele Glas wirkte ein wenig beängstigend. Auf keinen Fall durfte man hier drinnen anfangen, mit Steinen zu werfen. An der Kopfseite des Raumes gab es eine Bar, so gut bestückt, dass sie auch in einem Pub hätte stehen können. Der Pool war wunderschön beleuchtet, aber obwohl das Wasser wirklich einladend aussah, schwamm niemand darin. Na ja, vielleicht kam das ja noch. Es war ziemlich voll hier, und mehrere

Leute tanzten so nah am Poolrand, dass sie vermutlich früher oder später einfach hineinfallen würden und schwimmen *mussten*.

Die Stimmung war jedenfalls bestens. Ich überlegte beim Anblick einiger Mädchen mit engen Kleidern und Schuhen mit hohen Absätzen kurz, ob ich mir underdressed vorkommen und deswegen einen kleinen Minderwertigkeitskomplex zulegen sollte, aber dann entdeckte ich, Gottseidank, noch einige andere in Jeans und T-Shirt und atmete auf. Für meine Verhältnisse war ich nämlich schon ziemlich aufgebrezelt: Das dunkelblaue T-Shirt war tief ausgeschnitten, und die neue Jeans, die ich an einem von Papas großzügigen Tagen in Zürich gekauft hatte, saß perfekt. Außerdem trug ich Lipgloss, Wimperntusche, Mums Concealer und eine kleine Haarspange mit einem silbernen Schmetterling, die ich von Mia geschenkt bekommen hatte, weil sie ihr zu kitschig war.

»Da drüben sind Arthur und Jasper«, sagte ich. Ich musste fast schreien – die Mischung aus Partymusik und Stimmengewirr in einem Gebäude mit so viel Glas war akustisch gesehen eine Katastrophe. »Warum hält Jasper seinen Daumen in die Höhe und grinst so eigenartig?«

»Weil er denkt, dass ich ein Wunder vollbracht und dich gegen den Widerstand deiner Mutter hergebracht habe«, erwiderte Grayson, während Arthur und Jasper sich einen Weg durch die Tanzenden bahnten und auf uns zukamen. »Du kannst einfach nein sagen.« Er packte mich am Arm und sah mich eindringlich an. »Hörst du, Liv, sag einfach nein.«

»Wozu denn?«, fragte ich, aber da hatten Arthur und Jasper uns schon erreicht.

»Die kleine Liz! Mit offenen Haaren und ohne Brille. Wow!« Jasper strahlte mich an. »Super gemacht, Grayson!«, sagte er dann und hob seine Hand, wohl, damit Grayson abklatschen konnte. Aber Grayson grinste nur ein wenig gequält. Und er hatte seine Hand immer noch fest um meinen Unterarm gelegt.

»Wie schön, dass es doch geklappt hat, Liv«, sagte Arthur. Ohne Schuluniform sah er noch besser aus als sonst, wenn das überhaupt ging. Eine klassische Michelangelo-Statue, nur nicht nackt, sondern in Jeans und einem enganliegenden schwarzen Poloshirt.

»Ich hatte aber doch ge...«, begann ich, aber Grayson fiel mir ins Wort.

»Es war nicht einfach, ihre Mutter zu überreden«, sagte er und drückte dabei meinen Arm noch ein bisschen fester. »Ich musste versprechen, sie um elf wieder zu Hause abzusetzen.«

»Äh ...« Ich versuchte, Grayson nicht konsterniert anzustarren.

»Na ja, das ist besser als nichts«, sagte Arthur leichthin. »Habt ihr Hunger? Mein Vater feiert heute Abend auch eine

Party, irgendeinen Geschäftsabschluss. Ich habe uns ein paar Sachen vom Catering gesichert. Sushi, Teigtaschen und Himbeertörtchen.«

»Um ein Haar hätten wir auch noch eine rattenscharfe, rothaarige Kellnerin abgestaubt«, meldete sich Jasper zu Wort. »Aber die wollte Arthurs Dad leider selber behalten … Hey, da ist ja auch Henry.«

Ich holte tief Luft, um mich zu wappnen. Schon die Erwähnung von Henrys Namen ließ mein Herz für einen Schlag stolpern. Da half es auch nichts, dass er aussah, als hätte er seine Haare von einem Tropensturm Windstärke zwölf trockenföhnen lassen. Die Tatsache, dass wir im Traum Händchen gehalten hatten, machte mich einfach befangen, obwohl sein Verhalten nicht den geringsten Anlass zu der Annahme gab, er könne auch nur annähernd dasselbe geträumt haben. In der Schule hatten wir einander geflissentlich übersehen, das heißt, er hatte mich übersehen, ich hatte nur so getan.

»Mann, du wolltest schon vor zwei Stunden hier sein«, sagte Jasper.

»Ja, ich weiß.« Henry schaute auf Graysons Hand, die immer noch meinen Unterarm umklammerte. Grayson zuckte zusammen und ließ mich los, als würde er jetzt erst bemerken, dass er die ganze Zeit meine Blutzufuhr abgequetscht hatte.

»Tut mir leid«, sagte Henry. Unter seinen Augen lagen

dunkle Schatten. »Ich konnte zu Hause nicht weg – die übliche kleine familiäre Wochenend-Krise.« Er und Grayson
vollführten wieder ihr komisches Kindergartenbegrüßungs-
ritual aus Fingerhakeln, Klatschen und Klopfen, und für
einen Moment wirkte Graysons Gesichtsausdruck weniger
angespannt.

»Ist denn jetzt alles okay?«, erkundigte sich Arthur mit-
fühlend bei Henry.

Henry nickte, schien sich aber eine ausführlichere Antwort
ersparen zu wollen. »Hi, Käsemädchen«, sagte er stattdessen
und lächelte mich an. »Doch hier?«

»Ja, meine fürchterlich strenge Mummy hat mir ausnahmsweise mal erlaubt, abends auszugehen«, gab ich mit einem
Seitenblick auf Grayson zurück.

»Aber nur bis elf«, ergänzte der ungerührt.

»Oh, Scheiße!« Jasper zeigte auf ein rothaariges Mädchen
in einem blauen, schulterfreien Kleid, so kurz, dass es eigentlich auch als Badeanzug durchgehen konnte. »Wer hat denn
Madison eingeladen?«

Das war also Jaspers Ex. Sie stand eng an einen Jungen ge-
schmiegt an der Längsseite des türkisfarben schimmernden
Pools und lachte gerade sehr laut.

»Madison ist mit Nathan hier«, sagte Arthur. »Du musst
jetzt ganz stark sein, Jasper. Ich begrüße sie mal schnell, ja?
Aber ich bin gleich wieder da.«

»Pah«, machte Jasper, während er beobachtete, wie Arthur sich zu den beiden gesellte. »Mir doch egal. Es nervt nur, dass sie so tut, als wäre *sie* diejenige gewesen, die *mich* abserviert hat. Dabei war es natürlich umgekehrt.«

»Natürlich«, murmelte Grayson.

»Ich meine ... *Nathan!* Hallo? Wieso versucht Madison mich ausgerechnet mit diesem Vorgartenzwerg eifersüchtig zu machen? Mich, Jasper Grant! Weiß sie denn nicht, dass ich ihn unter der Dusche gesehen habe? Von wegen, wie die Nase des Mannes ... guckt euch diese riesige Nase doch mal an und vergleicht sie dann mit seinem winzigen ...«

»Ja doch, Jasper, wir sind auf deiner Seite«, fiel Henry ihm ins Wort.

Jasper änderte überraschend seinen Tonfall von beleidigt in honigsüß. »Madison kann einem wirklich leidtun. Stimmt's, kleine Lizzy?« Ohne seine Exfreundin aus den Augen zu lassen, legte er seinen Arm um meine Schulter. »Erst läuft sie mir monatelang hinterher und schreibt mir schwülstige Liebesbriefe, aber kaum ist Schluss, wirft sie sich dem Nächsten an den Hals. Aus purer Verzweiflung.« Mit jedem Wort war er mir noch ein bisschen näher gerückt, und jetzt berührten seine Lippen fast mein Ohr. »Du riechst übrigens gut.«

»Lass sie in Ruhe, Jasper«, sagte Grayson, aber Jasper ignorierte ihn.

»Was ist das für ein Parfüm?«, wisperte er in mein Ohr. »Es macht mich ganz verrückt.«

»Ja, offensichtlich. Zumal ich überhaupt kein Parfüm benutzt habe.« Ich befreite mich aus seinem Klammergriff, allerdings, weil Madison immer noch zu uns herüberschaute, sehr viel sanfter, als ich es normalerweise getan hätte.

»Möchtest du was trinken?«, fragte mich Jasper und strahlte, als ich nickte. »Dir zu Ehren kreiere ich heute einen neuen Drink. Ich werde ihn Sweet Liz nennen, nach der süßesten Blondine in diesem Raum.«

Henry schnaubte belustigt.

»Sie heißt Liv. L. I. V. Und sie ist erst fünfzehn, Jas«, sagte Grayson genervt. »Du wirst sie also weder mit Alkohol abfüllen noch als Objekt benutzen, um Madison eifersüchtig zu machen. Überhaupt …«

»Geh du lieber mal zu deiner Emily, du Spaßverderber«, fiel Jasper ihm ins Wort. Er zeigte auf zwei Mädchen, die gerade durch die weit geöffneten Schiebetüren an der Kopfseite des Poolhauses traten, Florence und ein schlankes Mädchen mit halblangen braunen Haaren, Emily Clark, die Chefredakteurin der Schülerzeitschrift.

Neugierig stellte ich mich auf die Zehenspitzen, um einen besseren Blick zu haben. Florence sah großartig aus. Die schimmernden Locken fielen auf ihre lässige Lederjacke, die sie mit einem kurzen Rock und Stiefeln kombiniert hatte. Emily war mindestens einen Kopf größer, und mit dem seriösen Haarschnitt, dem schwarzen Blazer und der schwarzen Hose wirkte sie wie eine ältere Schwester von

Florence – sie sah aus wie eine Studentin, die ihr Studium sehr ernst nimmt. Oder wie jemand, der einem eine Versicherung verkaufen will. Mias und mein Verdacht, Emily könnte hinter Secrecy und dem Tittle-Tattle-Blog stecken, beruhte übrigens im Wesentlichen auf der Tatsache, dass im Blog in den vergangenen drei Jahren nie etwas Gemeines über Emily zu lesen gewesen war. Mal abgesehen von einer Passage über die unvorteilhafte Optik von Reithelmen sowie klitzekleinen Sticheleien über Emilys gute Noten. Aber das damit verbundene Wort »Streberin« konnte als raffiniert getarntes Kompliment beziehungsweise Eigenlob durchgehen, und das Foto, das Emily in Reitkleidung auf einem Pferd zeigte, war kein bisschen unvorteilhaft. Wahrscheinlich war sie sogar der einzige Mensch auf der Welt, der mit einem Reithelm auf dem Kopf nicht total dämlich aussah.

»War Emanzen-Emily etwa beim Friseur?«, fragte Jasper. »Und ist das *Lippenstift*?« Er pfiff leise durch seine Zähne. »Sie muss echt schwer verknallt in dich sein, Grayson.«

Wie zum Beweis lächelte Emily und winkte zu uns hinüber, während Florence sich einem dunkelhaarigen Jungen mit hängenden Schultern zuwandte, dessen unreine Haut trotz des schummrigen Lichts bis hierher erkennbar war. O Gott! Das war Pickel-Sam, garantiert. Sein Blick wanderte suchend umher. Wahrscheinlich hatte Florence ihm gerade hundert Pfund geboten, damit er mit mir auf den Ball ging, und jetzt wollte er überprüfen, ob das ausreichend war. Ich war ziemlich sicher, dass Mum auch bereit war, noch mehr dafür zu zahlen, ihre Tochter in einem viktorianischen Ballkleid zu sehen.

Ich ging hinter Grayson in Deckung.

»Man könnte denken, Emily stünde auf dem Balkon von Buckingham Palace, so huldvoll wie sie lächelt und winkt«, sagte Henry. »Ich glaube, sie wünscht, dass ihr Prinz zu ihr kommt.«

Grayson seufzte abgrundtief, und Jasper versetzte ihm einen Rippenstoß. »Geh schon. Wir passen auf Liz auf.«

»Liv!«

»Sag ich doch.«

»Na gut. Ich bin gleich wieder da«, sagte Grayson zu niemand Bestimmtem, drehte sich um und schlenderte zu Emily hinüber. Jasper, Henry und ich beobachteten, wie er sie begrüßte.

»Kategorie unverbindliches Wangenküsschen«, konstatierte Henry.

»Genau so eins gebe ich meiner Tante Gertrude auch immer zur Begrüßung«, sagte ich. (Und ich hielt die Luft dabei an, weil Tante Gertrude sehr unschön nach nassem Hund und Haarspray zu riechen pflegte.)

Emily schien sich aber nicht mit einem Tante-Gertrude-Küsschen begnügen zu wollen. Sie sah kurz in unsere Richtung, dann legte sie beide Arme um Graysons Hals und zog ihn zu sich hinunter, um ihm einen hollywoodreifen Zungenkuss zu verpassen.

»Uuuh«, machte Jasper, und Henry sagte: »Das war's dann wohl mit dem Lippenstift.«

»Sie will sicher nur nicht, dass jemand denkt, sie könne nach nassem Hund riechen«, sagte ich.

»Unter uns: Ich finde, sie riecht immer ein bisschen nach Pferdestall«, raunte Arthur, der unbemerkt wieder hinter uns getreten war. »Nach Heu und Leder und Pferdeäpfeln ... Aber sagt das bloß nicht Grayson. Zumal es so aussieht, als würde sie allmählich doch mehr Leidenschaft für ihn entwickeln als für ihren Gaul.«

»Und der heißt immerhin *Conquest of Paradise*«, ergänzte Henry, und ohne hinzusehen, wusste ich genau, was er dabei für ein Gesicht machte. Ich bemühte mich, nicht zu kichern.

Emily und Grayson küssten sich immer noch, und irgendwie wurde es allmählich unangenehm, dabei zuzuschauen.

»Vielleicht sollten sie sich lieber ein Zimmer suchen«, murmelte Jasper. Henry und Arthur tauschten einen kurzen Blick.

»Ähm, Liv, möchtest du dir vielleicht das Kino und das Filmarchiv angucken?«, fragte Arthur dann unvermittelt.

Mit einem Schlag war ich hellwach und hochkonzentriert. Ging es etwa schon los? Würde ich jetzt erfahren, warum Grayson sich so bemüht hatte, mich von dieser Party fernzuhalten? Jasper, Arthur und Henry schienen genauso gespannt zu sein wie ich. Sie sahen mich abwartend an, man konnte auch sagen, lauernd.

Sag einfach nein – ich hatte Graysons Worte keineswegs vergessen.

»Ja«, sagte ich mit Nachdruck. »Liebend gern.«

18.

Im Gang zurück zum Haupthaus merkte ich erst, wie laut die Musik auf der Party wirklich gewesen war. In meinen Ohren fiepte es, während die wummernden Bässe hinter uns zurückblieben und schließlich nur noch unsere Schritte unnatürlich laut auf dem polierten Granitboden hallten.

Ich drehte mich um. »Wo ist denn Jasper?«

»Er mixt uns ein paar Drinks und kommt dann nach. Hier entlang.« Wir hatten das Endes des Ganges erreicht und bogen in die Empfangshalle mit dem Springbrunnen ein, der friedlich vor sich hin plätscherte. Niemand war zu sehen, aber man konnte gedämpftes Stimmengewirr und Klaviermusik hören.

»Kino und Archiv liegen im Untergeschoss«, erklärte Arthur und öffnete eine Tür.

Eine Treppe führte vor uns in die Tiefe. Meine Füße blieben von ganz allein stehen.

»Vielleicht nicht die schlauste Idee, mit zwei fremden Typen in einen düsteren Keller zu gehen, oder, Liv?« Henry trat neben mich und sah mich von der Seite an, die Augenbraue wie üblich spöttisch hochgezogen.

Merkwürdigerweise hatte ich gerade genau dasselbe gedacht (und meine Füße offensichtlich auch). Hatte meine Mum nicht erst vor wenigen Stunden die Befürchtung geäußert, ich würde nie im Leben etwas Leichtsinniges tun, genau wie mein Vater? Ha, von wegen!

Aber wie Mr Wu immer sagte: »Wer über jeden Schritt lange nachdenkt, der steht sein Leben lang auf einem Bein.«

Ich setzte mich wieder in Bewegung. »Wovor sollte ich denn Angst haben?«, erkundigte ich mich mit meinem allersüßesten Unschulds-Lächeln. (Das mit der Augenbraue konnte ich übrigens auch, und zwar ziemlich gut, aber ich wollte es mir für später aufheben. Mit solch beeindruckenden mimischen Kunststücken muss man sparsam umgehen, sonst büßen sie schnell ihre Wirkung ein.)

»Der Keller ist nicht düster, und wir sind keine Fremden.« Arthur klang ein wenig beleidigt, und tatsächlich schien mir der Begriff »Keller« etwas unpassend, als wir unten ankamen. Dank einer Reihe edler Decken- und Wandleuchter war es taghell, und der Boden des Flurs, der mich mit seinen vielen Türen ein bisschen an den Korridor aus meinen Träumen erinnerte, war mit luxuriösen Teppichen bedeckt.

»Na ja, die Wände hier sind wirklich dick. Niemand würde deine Schreie hören.« Henry schien es nicht lassen zu können.

Ich zuckte betont lässig mit den Schultern und zitierte diesmal laut aus dem reichen Sprichwörterschatz von Mr Wu:

»Aber wenn der Drache steigen will, muss er gegen den Wind fliegen.« *Außerdem kann ich Kung-Fu.*

Henry lachte, und Arthur öffnete eine schwere Tür am Ende des Ganges.

»Hereinspaziert!«, sagte er mit einladender Geste und ließ mir den Vortritt.

Ich starrte beeindruckt auf ansteigend angelegte Reihen von mit rotem Samt überzogenen Kinosesseln, mindestens zehn Plätze pro Reihe, links und rechts von Treppen eingerahmt, die mit schwarzem flauschigem Teppichboden ausgelegt waren. Wahnsinn: Diese Leute hatten tatsächlich ein richtiges Kino in ihrem Keller! Als Arthur an einem Schalter neben der Tür drehte, wurde der Saal ganz sanft von unzähligen winzigen Strahlern erhellt, die wie Sterne von der mit schwarzem Stoff tapezierten Decke leuchteten.

Ein spitzer Schrei schallte durch den Raum. Unwillkürlich sah ich zu den Lautsprechern hinüber, denn der Schrei hätte auch aus »Scary Movie« stammen können, aber stattdessen tauchten in einer der letzten Sitzreihen zwei Köpfe auf. Einer männlich, distinguiert, grauhaarig; einer weiblich, mit teurer Bond-Street-Frisur, die im Moment allerdings recht derangiert aussah.

»Ach, Mrs Kelly. Und Sir Braxton. Lassen Sie sich bitte nicht stören«, sagte Arthur höflich und drehte den Schalter ungerührt weiter auf, bis der Sternenhimmel aus lauter Supernovas bestand und das Kino in gleißend helles Licht getaucht war. »Meine Freunde und ich sind in einer halben Stunde wieder weg. So über den Daumen gepeilt.«

»Verdammte Scheiße«, murmelte der Mann und begann hektisch, seine Klamotten in Ordnung zu bringen. Es dauerte nur ein paar Sekunden, dann kam er die Treppe hinabgestürmt, das Hemd noch nicht mal ganz zugeknöpft. Ich machte nicht schnell genug den Weg frei, und prompt erwischte er mich mit der Wucht einer einfahrenden S-Bahn an der Schulter. Wenn Henry mich nicht aufgefangen hätte, wäre ich hingefallen.

»Rüpel«, sagte ich. Auch wenn ich den Grund für seine Eile verstand, musste er mich ja nicht gleich als Prellbock benutzen.

»Meinst du mich?« Henry lachte leise und strich mir das Haar aus der Stirn, bevor er mich losließ. Ich bemühte mich, ganz normal weiterzuatmen. Er sollte auf keinen Fall merken, wie sehr mich seine Nähe aus dem Konzept brachte.

Die arme Frau brauchte ein bisschen länger, bis sie sich wieder vollständig angezogen hatte. Als sie schließlich mit hochrotem Kopf die Treppe hinabkam, hielt sie den Blick angestrengt auf den Boden gerichtet.

»Wie schön, Sie mal wieder zu sehen, Mrs Kelly«, sagte Arthur und deutete eine Verbeugung an, als sie an uns vorbeischoss. Trotz High Heels legte sie ein olympiareifes Tempo vor. »Und grüßen Sie doch bitte Ihren Mann von mir, falls er auch auf der Party sein sollte.«

Mrs Kelly stöckelte den Gang entlang, als habe sie nichts gehört.

»Das war gemein«, sagte Henry.

»Sir Braxton hätte ja auch auf sie warten können«, sagte ich mitleidig.

»Tja.« Arthur schloss die Tür zum Korridor und dimmte das Licht wieder. »Gentlemen sind eben vom Aussterben bedroht, wie meine Großmutter immer sagt. Wo waren wir stehengeblieben? Ach ja.« Er lächelte mich an. »Und – was hältst du von unserem Kino?«

Sofort war ich wieder bei der Sache. »Es ist toll«, sagte ich vorsichtig und streichelte über den weichen Samtstoff einer Sessellehne. Und weswegen waren wir nun hier?

»Ich könnte uns einen Horrorfilm aus den Fünfzigern von nebenan holen«, schlug Arthur vor. Er stand immer noch neben der Tür, die Hände in den Hosentaschen. »Die sind zwar kein bisschen gruselig, aber wenn man meinem Vater Glauben schenken will, cineastisch unheimlich wertvoll. Was magst du am liebsten, Liv? Zombies, Geister, Vampire …?«

»Oder vielleicht Dämonen?«, setzte Henry hinzu.

War das das Stichwort? Ging es jetzt endlich los mit dem Lüften der Geheimnisse? Ich setzte wieder mein Unschuldslamm-Lächeln auf. »Wir können doch jetzt keinen Film gucken – ihr habt da oben fünfzig Gäste.«

»Ich schätze, mittlerweile sind es locker siebzig«, sagte

Arthur mit einem Schulterzucken. »Aber die kommen auch ohne mich klar. Das hier ist wichtiger.«

Etwas rumpelte gegen die Tür.

»Ah, unsere Drinks.« Arthur öffnete die Tür, und Jasper stolperte herein, beladen mit Gläsern, mehreren Flaschen, einem Eimer mit Eiswürfeln und zwei Orangen, die er mit schiefgelegtem Kopf zwischen Ohr und Schulter fixiert hatte. Sein Gesicht wurde halb von einem Büschel Minze verdeckt, das quer in seinem Mund steckte und hinunterfiel, als er anfing zu sprechen. Henry konnte es gerade noch auffangen, bevor es auf den Boden plumpste.

»Ich hab kein Tablett gefunden, also dachte ich, ich mixe das Zeugs einfach hier unten zusammen«, erklärte Jasper, während er versuchte, alles andere vorsichtig auf einem der Sitze abzustellen. »Und? Habt ihr sie schon gefragt?«

»Nein«, gab Arthur zurück. »Das wollten wir eigentlich ganz langsam und behutsam anfangen.«

»Was gefragt?« Ich sammelte die Orangen ein, die auf dem schwarzen Teppichboden davongekullert waren.

»Na, ob du bei unserem ... Spiel für Anabel einspringst«, erwiderte Jasper. »Was natürlich nur geht, wenn du noch Jungfrau bist. Deshalb sollten wir das auch gleich als Erstes klären: Bist du noch Jungfrau?«

Was bitte ging ihn das denn an? Ging's noch?

»Ach, halt die Klappe, Jas«, sagte Henry, während mir das Unschuldslamm-Lächeln aus dem Gesicht kippte.

»Wieso denn?« Jasper krauste verständnislos seine Stirn. »Was nutzt es, wenn wir ihr stundenlang versuchen zu erklären, worum es geht, und sich dann herausstellt, dass sie ohnehin nicht in Frage kommt? Ich habe neulich erst wieder gelesen, dass Mädchen ihr erstes Mal im Durchschnitt mit fünfzehn erleben, und sie ist fünfzehn und ziemlich scharf, jedenfalls wenn sie ihre komische Brille nicht trägt, also ist die Frage ja wohl berechtigt. Bist du noch Jungfrau, Liv, ja oder nein?«

Ich starrte ihn entgeistert an. »Ihr spielt ein Spiel, bei dem man nur als *Jungfrau* mitspielen darf?«

»Oh, gut gemacht, Jasper, jetzt hält sie uns für verrückt«, sagte Henry.

»Das wollte ich nicht.« Jasper verzog reuevoll das Gesicht. »Ich wollte nur keine Zeit verlieren … Wie hättet ihr es denn angefangen?«

Henry lehnte sich mit dem Rücken gegen die Wand und verschränkte seine Arme. »Wir hätten vermutlich erst mal auf die Vorzüge des Spiels hingewiesen, bevor wir zum verrückten Teil übergegangen wären.«

»Langsam und behutsam.« Arthur sah deutlich weniger amüsiert aus als Henry.

»Und was genau ist das für ein Spiel?«, fragte ich schnell.

Arthur öffnete den Mund, um zu antworten, aber Jasper kam ihm zuvor. »Auf jeden Fall eins ohne Würfel. Und ums Gewinnen geht es auch nicht. Es ist mehr so eine Art Rollenspiel ... obwohl man eigentlich auch keine Rolle spielt. Im Grunde ist es gar kein *Spiel*. Wenn du jetzt verwirrt bist, geht es dir wie mir. Ich finde das nämlich auch verwirrend. *Sehr* verwirrend. So verwirrend, dass ich uns jetzt erst mal was zu trinken mache.« Er hatte die Gläser nebeneinander auf der Sitzlehne aufgereiht und schraubte den Deckel einer Ginflasche auf.

Arthur sah aus, als würde er Jasper am liebsten packen und ihm den Mund zuhalten, aber nach einem Blick zu Henry begnügte er sich damit, Jasper wütend anzufunkeln. Jasper wiederum entgingen die Bemühungen seiner Freunde, wortlos mit ihm zu kommunizieren, völlig. »Ich gebe gerne zu, dass ich es bis heute nicht richtig kapiert habe«, plapperte er weiter. »Vor allem diese Traumsache ist irgendwie zu hoch für mich. Aber mit ein bisschen Übung hat es auch bei mir geklappt, und, wow, die Sache mit den Wünschen hat mich echt umgehauen, und ja, es ist cool, jedenfalls war es das, bis ... oh, Mist, ich habe den Messbecher vergessen.«

Das durfte doch wohl nicht wahr sein! Jetzt fing er mit dem blöden Messbecher an. »Bis was?«, fragte ich, ungeduldiger als beabsichtigt.

»Bis wir gegen die Spielregeln verstoßen haben. Na ja, eigentlich nur Anabel, aber das macht für ihn wohl keinen Unterschied.« Jasper hatte beschlossen, sich wegen des Messbechers nicht länger zu grämen. Großzügig verteilte er den Gin über die Eiswürfel. »Es ist nämlich so, dass mindestens einer der Mitspieler jungfräulichen Blutes sein muss, weil das letzte Siegel nur mit Hilfe von jungfräulichem Blut gebrochen werden kann, und letztes Jahr an Halloween, als wir mit dem Spiel angefangen haben, dachte ich noch, dass das mit dem jungfräulichen Blut quasi auf alle zutraf, bis auf mich und Anabel ... 'tschuldige, Arthur ...«

»Schon okay.« Arthur hatte sich in einen der Kinosessel fallen gelassen und den Kopf in seinen Händen vergraben. Offenbar hatte er es aufgegeben, Jasper zum Schweigen bringen zu wollen.

Ich rieb mir unauffällig über die Arme, auf denen sich eine Gänsehaut gebildet hatte, weil mir gerade aufging, dass das, was Jasper gesagt hatte, ziemlich genau mit der Geschichte zusammenpasste, die Anabel mir erzählt hatte. Letzte Nacht im Traum. Von einem Spiel, das sie an Halloween begonnen hatten und das aus dem Ruder gelaufen war ... und dass es ihre Schuld gewesen war.

Kurz sah ich zu Henry hinüber, der nach wie vor an seinem Platz an der Wand lehnte. Ähnlich wie Arthur machte er keinen Versuch mehr, Jasper zu stoppen. Vielleicht weil ich bisher noch nicht schreiend davongelaufen war, vielleicht aber auch nur, weil Jasper einfach nicht zu stoppen war.

Er hatte den Gin beiseitegestellt und goss nun Martini in die Gläser, ebenfalls reichlich. Allein von dem Geruch konnte man schon beschwipst werden. »Jedenfalls hat sich dann herausgestellt, dass Grayson überraschenderweise doch was mit Maisie hatte und Henry ein blöder Geheimniskrämer ist, der uns sowieso nie was verrät, und Arthur mit fünfzehn von dieser wahnsinnig süßen französischen Praktikantin entjungfert wurde, aber leider versäumt hat, das seinem allerbesten Freund zu erzählen ...« Jasper bedachte Arthur mit einem vorwurfsvollen Blick. »Und dass in Wirklichkeit – wer hätte das gedacht? – Anabel tatsächlich bei Spielbeginn die Einzige von uns war, die noch keinen Sex hatte. Was ja im Grunde auch völlig gereicht hätte. Aber dann hat Anabel wie und mit wem auch immer ähm ... gegen die Spielregeln verstoßen, sehr komplizierte und dramatische Geschichte, das, und alles ging schief, und jetzt brauchen wir eine neue Anabel, und zwar eine, die garantiert Jungfrau ist und es auch bis zum Ende vom Spiel bleiben wird. Also, wie sieht es aus, Liv? Bist du noch Jungfrau, ja oder nein?« Da er die letzten Sätze ohne Pause herausgesprudelt hatte, rang er jetzt röchelnd nach Luft.

Arthur gab ein dumpfes Stöhnen von sich.

»Tja, Liv, nun bist du im Bild«, sagte Henry sarkastisch.

»Und? Jetzt so richtig verschreckt?«

Leider nein. Eher im Gegenteil. Ich brannte darauf, ein paar konkrete Fragen zu stellen, aber noch wollte ich nicht zugeben, wie viel ich bereits wusste. Zumal das meiste Wissen ja aus dubiosen Träumen stammte.

»Ich glaube, jetzt würde ich gern etwas über die Vorzüge des Spiels erfahren«, sagte ich.

»Oh, *davon* gibt es jede Menge! Mal sehen ...« Jasper legte seine Stirn in angestrengte Denkfalten. »Wenn du bei uns mitmachst, dann hättest du beispielsweise gleich vier potentielle Begleiter für den Herbstball, um die dich jedes Mädchen an dieser Schule glühend beneiden würde.«

Henry lachte kurz auf. »Du willst sie mit dem Herbstball ködern?«

»Warum nicht? Andere würden dafür einen Mord begehen ... ich hätte es nur vielleicht zuerst sagen sollen, oder?«

»Ach Jasper, du bist ein hoffnungsloser Fall.« Arthur streckte seine Hand aus. »Gib mir ein Glas.«

»Ich bin noch nicht fertig«, sagte Jasper und schlug ihm auf die Finger. »Es fehlt noch Campari und eine Orangenscheibe. Und ein Minzblatt. Wir wollten uns doch nur noch mit Stil betrinken, weißt du nicht mehr?«

In diesem Augenblick wurde die Tür aufgerissen. Helles Licht aus dem Korridor fiel in den Raum.

»Hi, Grayson.« Arthur angelte sich die Ginflasche von Jaspers Sitz.

»Hi, Grayson?«, wiederholte Grayson zornig. »Habt ihr sie noch alle? Einfach mit Liv zu verschwinden, wenn ich mal eine Minute nicht aufpasse ...«

»Das war eindeutig mehr als eine Minute«, murmelte Henry.

»Die Drinks sind gleich fertig«, sagte Jasper.

»Ihr seid wirklich das Letzte!«

Arthur stieß einen tiefen Seufzer aus. »Komm rein und mach die Tür zu, Grayson.«

Aber Grayson schüttelte den Kopf. »Es ist spät. Ich muss Liv nach Hause brin… Ach, Scheiße, Arthur, trinkst du da etwa Gin direkt aus der Flasche?«

»Jetzt komm mal runter, Grayson, Liv ist nichts passiert«, sagte Henry.

»Ja, genau.« Arthur legte seine Beine über die Lehne auf den Nachbarsessel und hielt Grayson die Flasche hin. »Nimm einen Schluck und guck uns nicht so an, als hätten wir gerade eine Bank überfallen. Wir haben nur versucht, Liv in unser Geheimnis einzuweihen.«

»Ach ja? Ich hoffe, ihr habt nichts vergessen — die Sache mit Anabels Hund zum Beispiel und die Albträume und das, was mit … ach, verdammt!« Grayson sah aus, als würde er jeden Moment vor Wut platzen. »Komm, Liv, wir gehen«, presste er zwischen den Zähnen hervor.

Ich rührte mich nicht von der Stelle. Er sah ein bisschen verzweifelt aus, aber ich konnte doch hier nicht weg, nicht jetzt, wo ich so kurz davor war, auf den Kern des Geheimnisses zu stoßen.

»Es ist gerade mal Viertel nach zehn, Mann, entspann dich«, sagte Arthur mit einem Blick auf seine Armbanduhr. »Bitte«, setzte er dann beinahe flehend hinzu.

Grayson schloss die Tür. »Ich habe euch hundertmal gesagt, dass wir eine andere Lösung finden müssen — aber ihr ignoriert das natürlich. Warum hört ihr nicht *ein*mal … ach, verdammt! Was immer sie dir erzählt haben, Liv – vergiss es einfach wieder!«

»Vorher würde ich es gerne verstehen«, sagte ich.

»Das ist das Problem«, sagte Arthur. »Es ist wirklich schwer zu verstehen, wenn man es nicht selber erlebt hat.«

»Ich habe das aber doch gut erklärt«, sagte Jasper beleidigt. »Vor allem, wenn man bedenkt, dass ich es selber nicht kapiere.«

Grayson wollte etwas erwidern, aber ich war schneller. »Ihr spielt also seit letztes Jahr Halloween ein Spiel, das eigentlich gar kein richtiges Spiel ist, und bei dem mindestens ein Mitspieler noch Jungfrau sein muss«, sagte ich hastig. »Richtig?«

»Richtig!« Jasper warf einen triumphierenden Blick in die Runde. »Seht ihr, sie hat es doch begriffen.«

Die anderen reagierten nicht. Grayson rieb sich mit dem Handrücken über die Stirn, Arthur nahm einen weiteren Schluck aus der Ginflasche, Henry pflückte einzelne Blätter von dem Minzbüschel und zerrieb sie zwischen seinen Fingern.

»Und *warum*?«, fragte ich.

Henry hob den Kopf. »Warum wir das Spiel spielen, oder warum die Spielregeln besagen, dass mindestens einer der Mitspieler Jungfrau sein muss?«

»Beides«, sagte ich.

Das Schweigen dehnte sich aus. Selbst Jasper gab mir keine Antwort, sondern holte ein Taschenmesser aus seiner Jeans und versuchte damit, eine der Orangen in Scheiben zu schneiden, was aber nicht besonders gut gelang.

»Na ja, sagen wir mal so.« Es war Arthurs Stimme, ein wenig metallisch und hohl, die die Stille im Raum schließlich unterbrach. »Es war Halloween, und im ganzen Norden von London war der Strom ausgefallen, weswegen die Halloweenparty früher zu Ende war. Wir waren total aufgedreht und verliebt und bereit, etwas Verrücktes zu tun.«

»Du warst verliebt«, stellte Henry richtig. »Wir anderen waren einfach nur betrunken ...«

»Das stimmt.« Grayson ließ sich resigniert mit dem Rücken gegen die Tür fallen.

»Die Stimmung war jedenfalls bestens«, fuhr Arthur fort. »Es war mitten in der Nacht, wir waren allein bei Anabel zu Hause, und der französische Rotwein von Anabels Vater hatte es wirklich in sich ...«

»Du darfst nicht vergessen zu erzählen, dass draußen so richtig gruseliges Halloweenwetter herrschte, mit Nebel und so.« Jasper riss das Wort wieder an sich, ohne aufzuhören, die Orange zu massakrieren. »Anabel hatte jede Menge Kerzen angezündet, und als sie dann mit diesem unheimlichen Buch ankam und vorschlug, mal was ganz anderes auszuprobieren, fühlte es sich irgendwie so ... richtig an. Eine Dämonenbeschwörung an Halloween – ich meine, das passt doch perfekt, oder etwa nicht? Es hat auch echt Spaß gemacht, am Anfang, und es kam mir so harmlos vor wie ... wie Bleigießen an Silvester. Da rechnet ja auch niemand damit, dass das Blei sich plötzlich selbständig macht und einen nachts in seinen Träumen heimsucht. Oder Hunde ermordet ...«

Na endlich.

»Das ist also euer Spiel? Eine Dämonenbeschwörung?«

Und was hatte es mit diesem Hund auf sich?

Jasper nickte. »Ich weiß, das hört sich total idiotisch an.«

»Das ist auch total idiotisch«, sagte Grayson.

»Es sollte doch nur ein Spaß sein. Niemand von uns hat geglaubt, dass es wirklich funktioniert.« Jasper seufzte. »Wir haben Anabel einfach nur diese Formeln nachgesprochen, ein bisschen Blut in unseren Rotwein geträufelt, einen lustigen Dudenfuß auf den Boden gemalt und uns etwas gewünscht ...«

»Zum tausendsten Mal, Jas: Es heißt Drudenfuß«, sagte Henry.

»Wie auch immer.« Jasper verdrehte die Augen. »Niemand hat ahnen können, dass die Sache so ... so *echt* werden würde.«

Das hörte sich an, als hätten sie eher einen Exorzisten nötig als eine Jungfrau. »Diese Dämonenbeschwörung hat also wirklich funktioniert?« Vor lauter Anstrengung, jeglichen Anflug von Zweifel und Spott aus meiner Stimme zu verbannen, klang ich wie eine um Verständnis bemühte Therapeutin aus einem schlechten Fernsehfilm. Eine, der man genau anhört, wie irre sie ihre Patienten findet. »Wie genau muss ich mir das denn vorstellen?«

Niemand antwortete mir. Henry ließ scheinbar gedankenverloren grüne Minzekrümel zu Boden rieseln, Arthur sah mit gerunzelter Stirn den Eiswürfeln in Jaspers Gläsern beim Schmelzen zu, Grayson kaute auf seiner Unterlippe, und Jasper hackte erneut auf die Orange ein.

Allmählich hatte ich es satt, ihnen all ihre Geheimnisse stückchenweise aus der Nase zu ziehen, zumal eine Antwort ja immer gleich zehn weitere Fragen aufwarf. »Ihr habt also letztes Jahr an Halloween zum Spaß einen Dämonen beschworen«, fasste ich noch einmal zusammen. »Nach einer Spielanleitung, die ihr in einem alten Buch gefunden habt und die besagt, dass einer der Mitspieler Jungfrau sein muss. Weil eure Jungfrau aber jetzt keine Jungfrau mehr ist, braucht ihr einen Ersatzspieler. Und dafür habt ihr aus irgendeinem Grund mich ausgesucht.«

Den Grund kannte ich: weil ich in diesem Traum Montagnacht direkt vor ihren Füßen gelandet war.

»Vorausgesetzt, du bist noch Jungfrau«, bestätigte Jasper.

»Ja, das habe ich verstanden. Was ich nicht verstanden habe, mal abgesehen davon, wie das Spiel funktioniert – warum hört ihr nicht einfach damit auf?«

»Oh, glaub mir, so einfach geht das nicht«, Jasper beugte sich vor und fuhr mit gedämpfter Stimme fort: »Wir haben es versucht, aber man kann keinen Pakt mit einem Dämon schließen und dann aussteigen, weißt du.«

»Ach so. Natürlich nicht«, sagte ich mit meiner Therapeutinnenstimme und blickte prüfend zu Henry hinüber. Für einen Moment fühlte ich mich auf den Highgate-Friedhof zurückversetzt. Henry wusste, dass sie nicht *von mir*, sondern *mit mir* geträumt hatten, da war ich mir ziemlich sicher – aber wie es aussah, hatte er seinen Verdacht nicht mit den anderen geteilt. Von Grayson vielleicht abgesehen, der ja immerhin den Pullover zurückgefordert hatte.

Die nächste Frage versuchte ich so zu formulieren, dass sie gezwungen waren, mir mehr Informationen zu liefern. »Aber was genau hat er euch getan, dieser Dämon? An den ihr ja augenscheinlich wirklich glaubt, oder nicht?«

Wieder erntete ich nur Schweigen. Dummer Fehler, die zweite Frage hätte ich mir verkneifen müssen. Ich seufzte. So kam ich nicht weiter.

»Okay«, sagte ich, um die ganze Sache abzukürzen.

»Okay?« Nicht nur Jasper sah mich fragend an.

Ich holte tief Luft und schaute einmal in die Runde. »Ich mache es. Ich ersetze Anabel in diesem Spiel. Aber nur, wenn ihr mir alle meine Fragen beantwortet, und glaubt mir, das sind wirklich viele.«

Kaum hatte ich das gesagt, war die Stimmung im Raum wie ausgewechselt – zumindest fingen alle auf einmal an zu reden.

»Heißt das, du bist noch Jungfrau?«, rief Jasper aus. »Ich wusste es! So eine hässliche Brille muss doch für irgendwas gut sein!«

Arthur stellte die Ginflasche beiseite, stand auf und sagte feierlich: »Liv Silber, du rettest uns das Leben! Und ich verspreche dir, jede Frage zu beantworten, so gut ich das kann.« Er lachte. »Oh, ich würde dich jetzt so gern umarmen, aber wenn ich das mache, haut Grayson mir garantiert eine rein.«

Grayson sah tatsächlich so aus, als würde er Arthur gern verprügeln. »Du weißt nicht, was du tust!«, sagte er und noch etwas anderes, das aber in dem Lärm unterging, den seine Freunde machten.

Nur Henry schwieg. Er schaute mich lediglich an und schüttelte beinahe unmerklich den Kopf. Dann lächelte er.

19.

»Ich bringe dich noch nach oben«, sagte Grayson, nachdem es ihm wie durch Zauberei gelungen war, Ernests fetten Mercedes in eine winzig kleine Parklücke zu manövrie-
ren. »Damit du keinen Ärger kriegst, weil du so spät dran
bist.«

»Spinnst du?« Ich knallte die Beifahrertür sehr viel fester
zu als nötig. »Es ist zehn nach elf, und wir sind nur schon
hier, weil du dieses Märchen von der strengen Mutter erfunden hast und ich dich vor deinen Freunden nicht als Lügner
dastehen lassen wollte ...« Dabei wäre ich so gern noch geblieben. In der verbleibenden Zeit hatte ich ja nicht mal
einen Bruchteil der Fragen stellen können, die in meinem
Kopf herumschwirrten. Und auf der kurzen Fahrt hierher
hatte Grayson nichts, aber auch gar nichts zur Klärung der
Lage beigetragen, sondern mir nur Vorwürfe gemacht und
dabei überdurchschnittlich oft die Worte »verdammt« und
»dumm« gebraucht.

Allerdings hatte ich auch so schon jede Menge Antworten
bekommen, über die ich erst einmal gründlich nachdenken
musste. Ehrlich gesagt konnte ich es gar nicht mehr erwarten,
mir mein Ringbuch zu schnappen und alles aufzuschreiben –

dieses Mal vielleicht mit Hilfe von übersichtlichen Schaubildern.

Grayson war ebenfalls ausgestiegen. »Wir sind hier in London. Weißt du, wie hoch die Verbrechensrate in dieser Stadt ist?«

»Ja, klar, und vor allem in dieser runtergekommenen Ecke hier ist es brandgefährlich.« Ich deutete auf die friedlich im Licht der nostalgischen Straßenlaternen vor sich hin schlummernde Straße, die wie aus einem Werbeprospekt für idyllisches, urbanes Wohnen aussah. »Straßenbanden liefern sich am laufenden Band Schießereien, Triebtäter lauern in den Vorgärten, und da vorne kommt gerade Jack the Ripper um die Ecke ... oh, Scheiße.«

Es war zwar nicht Jack the Ripper, der da gerade um die Ecke kam, sondern Mum, die ihre Abendrunde mit Butter gedreht hatte, aber das war annähernd genauso schlimm.

»Wenn ich du wäre, würde ich jetzt ganz schnell wieder in dieses Auto steigen und davonfahren, Grayson!«, zischte ich.

»Jetzt stell dich verdammt nochmal nicht so an. Ich will dich nur an die verdammte Tür bringen, weil sich das verdammt nochmal so gehört!« Grayson vertat seine letzte Chance zur Flucht, indem er mich wütend aus seinen karamellbonbonfarbenen Augen anfunkelte.

Und da hatte Mum uns auch schon entdeckt. »Huhu«, rief sie und ließ Butter von der Leine, damit sie vorauslaufen und an uns hochspringen konnte.

Zwei Sekunden lang durfte ich mich an Graysons überrumpeltem Gesichtsausdruck weiden. »Tja, selber schuld, würde ich mal sagen«, flötete ich. »Jetzt kannst du ihr erklären, warum wir schon um kurz nach elf zurück sind.«

»Weil ihre Tochter immer ja sagt, wenn sie nein sagen sollte?« Grayson beugte sich hinunter, um Butter zu streicheln, und äffte meine Stimme nach: »Was? Ihr macht was Verbotenes und Gefährliches, das ich nicht verstehe und vor dem man mich ausdrücklich gewarnt hat? Klar doch, Leute – ich bin dabei!«

»Du bist so ein ...« Während ich noch nach dem passenden Wort suchte, war Mum bei uns angelangt.

»Hallo, ihr beiden! Schon zurück? War es denn nicht schön auf der Party?«

»Oh doch.« Ich lächelte möglichst maliziös. »Aber Grayson wollte mich unbedingt loswerden.«

»Eigentlich wollte ich nur verhindern, dass man dich gleich bei deiner ersten Party in London wegen Alkoholvergiftung ins Krankenhaus bringen muss«, schoss Grayson zurück. »Einer von Jaspers Drinks hätte dafür nämlich völlig ausgereicht.«

Jetzt lächelte ich nicht mehr, schon gar nicht maliziös. »Bitte? Ich hab da nicht mal dran genippt!«

»Ja, weil ich dich rechtzeitig nach Hause gebracht habe. Hätten sie dich gefragt, hättest du ja nicht nein sagen können! Wo das doch so ein schwieriges Wort für dich ist.«

»Oh, ihr Süßen!« Mum sah ehrlich gerührt aus. »Ihr verhaltet euch schon wie echte Geschwister. Ich muss sofort Ernest anrufen und ihm davon erzählen.«

Ich verdrehte die Augen. Das war wieder mal so typisch. Sie sah nur, was sie sehen wollte. Kopfschüttelnd stieg ich die Treppe zur Haustür hoch. Butter folgte mir. »Wiedersehen«, sagte ich so hoheitsvoll wie möglich.

Aber Grayson war noch nicht fertig. »Ich würde gerne noch mit reinkommen«, hörte ich ihn sagen. »Wenn ich darf.«

»Natürlich darfst du, Schatz«, rief Mum, noch bevor ich herumwirbeln und Grayson mit Blicken töten konnte. Sie kramte den Haustürschlüssel aus ihrer Hosentasche und schloss die Tür auf. »Lottie hat Blaubeer-Muffins gebacken. Backen beruhigt ihre Nerven, und deshalb musste sie heute Abend gleich drei Bleche machen ... Ich fürchte, die Bekanntschaft mit Charles hat sie ein bisschen aus dem Konzept gebracht.«

Ich war auch ein bisschen aus dem Konzept gebracht.

»Was guckst du denn so?« Grayson schob sich an mir vorbei über die Schwelle und lief vor mir die Treppe hoch. Butter folgte ihm mit freudig wehenden Ohren. Erst kurz vor der Wohnungstür holte ich die beiden wieder ein.

»Was bitte soll das?«, zischte ich Grayson an. Meine Haare waren mir ins Gesicht gefallen, und als ich sie zurückstrich, merkte ich, dass die Schmetterlingshaarspange nicht mehr da war. Ich musste sie irgendwo verloren haben.

»Was meinst du?« Grayson hockte sich auf den Boden und kraulte Butter den Bauch. Die Verräterin hatte sich vor ihm auf den Rücken gerollt. »Ich werde doch wohl mit meiner neuen Familie ein paar Blaubeer-Muffins essen dürfen.«

»Natürlich darfst du das«, sagte Mum, die es auch in den dritten Stock geschafft hatte, und zwar ohne ihre Frisur zu ruinieren und fast ohne zu keuchen. »Wir freuen uns sehr darüber.«

Das entsprach nicht ganz der Wahrheit, nur Mum freute sich, Lottie und Mia wirkten weniger erfreut denn peinlich berührt, als sie Grayson erblickten. Sie trugen nämlich Bademäntel und hatten eine grünlich-graue Gesichtsmaske aufgelegt, mit der sie ein bisschen wie Zombies aussahen.

»Schöne Wohnung«, sagte Grayson höflich, während Lottie und Mia sich ins Bad flüchteten.

Ich lachte auf. »Du bist so ein Schleimer.«

Mum bedachte mich mit einem strengen Blick. »Ich weiß ja nicht, worüber ihr euch gestritten habt, aber ihr solltet euch wirklich wieder vertragen.« Sie legte den Kopf schräg. »Muffins?«

»Ja, gerne«, sagte Grayson. »Können Liv und ich die vielleicht in ihrem Zimmer essen? Damit wir uns in Ruhe wieder vertragen können?«

Wie bitte?

»Natürlich.« Mum griff sich gerührt an die Brust. »Weißt du, Liv hat sich immer einen großen Bruder gewünscht … ach, das ist alles so … ich muss wirklich Ernest anrufen.« Mit einem letzten pathetischen Seufzer verschwand sie in ihrem Schlafzimmer. Ich glotzte ihr sprachlos hinterher.

Grayson schlenderte den Flur hinunter. »Welches ist dein Zimmer?«, erkundigte er sich. »Das hier?«

»Ja, aber … kannst du mir bitte mal verraten, was das soll? Wartet Emily nicht auf der Party auf dich?«

»Doch, vermutlich.« Mit einer Hand angelte er sein iPhone aus der Jeans, mit der anderen drückte er bereits die Türklinke hinunter. »Holst du uns diese Muffins?«

Ich war so überrumpelt, dass ich fast zu spät geschaltet hätte. Aber dann fielen mir siedend heiß meine Traumprotokolle ein. Sie lagen im Zimmer auf einer Kommode, und ich wollte auf keinen Fall, dass Grayson sie sah. Also schubste ich ihn zur Seite und raffte das Ringbuch sowie alle lose herumfliegenden Zettel zusammen, bevor er einen Blick darauf werfen konnte. Aber darauf hatte er es gar nicht abgesehen. Er steuerte vielmehr zielstrebig auf mein Bett zu, genauer gesagt, auf dessen Fußende. Dort lag sein Kapuzenpulli, ordentlich gefaltet, damit Lottie nicht auf die Idee kam, ihn zu waschen, solange ich meine empirischen Untersuchungen noch nicht abgeschlossen hatte. Mit einem zufriedenen Lachen nahm er ihn an sich.

Schlagartig wurde mir alles klar. »Ach, *deswegen* das ganze

Getue!«, sagte ich. »Du willst deinen blöden Pullover zurück.«

Mist, verdammter. Ich hatte ihn wirklich unterschätzt. So viel Raffinesse hatte ich ihm gar nicht zugetraut.

Grayson checkte sein iPhone. »Richtig«, sagte er lässig, den Blick auf das Display gerichtet. »Ich hatte das unbestimmte Gefühl, du würdest ihn freiwillig nicht wieder rausrücken ... Oh, auf der Party scheint mächtig was los zu sein. Offenbar versucht Jasper gerade, den armen Nathan im Pool zu ertränken. Tja, dann bin ich jetzt mal wieder weg. Das will ich mir auf keinen Fall entgehen lassen. Träum was Schönes, Liv.«

Das selbstzufriedene Grinsen auf seinem Gesicht war kaum zu ertragen. Ebenso wenig wie das Gefühl, reingelegt worden zu sein.

»Nicht so schnell!« Ich warf mich mit dem Rücken gegen die Tür und versperrte ihm den Ausgang. »Wir haben uns doch noch gar nicht wieder vertragen!«

Damit hatte er offensichtlich nicht gerechnet. Er guckte verdutzt und sah gleich wieder mehr aus wie er selbst.

Ich bedachte ihn mit einem zuckersüßen Lächeln. »Soll ich Mum holen, damit sie uns dabei hilft? Sie ist in so etwas unheimlich gut.«

»Sehr witzig. Ich muss jetzt wirklich zurück«, sagte Grayson und machte zu meiner Genugtuung so gar keinen lässigen Eindruck mehr.

Ich rührte mich nicht von der Stelle. »Tja, das hättest du dir früher überlegen sollen. Ich meine, bevor du die Londoner Verbrechensrate ins Feld geführt hast. Weiß Emily eigentlich davon, dass du dich nachts mit deinen Freunden auf Friedhöfen triffst, um Dämonen zu beschwören?«

»Wir treffen uns nicht auf ... nein. Das weiß sie nicht.« Unruhig begann er, im Zimmer auf und ab zu wandern. Offenbar hatte er begriffen, dass er nur mit Gewalt an mir vorbeikam. »Und sie soll es auch niemals erfahren. Emily ist der vernünftigste Mensch, den ich kenne. Sie würde nicht verstehen, wie man überhaupt in so eine Sache hineingeraten kann. Sie würde mich schlicht für verrückt erklären ... Sie glaubt ja nicht mal an Horoskope.«

»Ich auch nicht, um ehrlich zu sein. Genauso wenig wie an Dämonen.«

»Ja, denkst du vielleicht, ich habe an so was geglaubt?«, fragte er aufgebracht. »Eigentlich glaube ich auch jetzt noch nicht daran. Es ist nur ... es sind ein paar wirklich schlimme und seltsame Sachen passiert, und ich habe einfach keine logische Erklärung für das alles.«

Ich war zwar immer noch sauer, aber leider verstand ich ganz genau, was er meinte. »Wenn man alle logischen Lösungen eines Problems eliminiert, ist die unlogische – obwohl unmöglich – unweigerlich richtig«, sagte ich, und da lächelte er.

»Sherlock Holmes, richtig?«

Ich nickte überrascht.

Für einen Moment herrschte Schweigen zwischen uns. Grayson ließ sich auf meine Bettkante nieder und sah mich an, als warte er auf etwas.

Ich zögerte einen Moment. »Erzählst du mir davon?«, fragte ich dann. »Ich meine, so, dass ich eine Chance habe, das alles zu verstehen?«

»Ich weiß nicht …« Zweifelnd schob Grayson sich die Haare aus der Stirn. »Ich bin immer noch wütend auf dich, weil du nicht auf mich gehört hast.«

»Aber glaubst du nicht, es wäre besser, mich aufzuklären als mich weiterhin mit Vorwürfen zu überhäufen? Immerhin habe ich versprochen, dabei mitzumachen.«

»Noch könntest du es dir anders überlegen.« Ein Hoffnungsschimmer trat in seine Miene.

Ich schüttelte nur den Kopf und ließ mich neben ihm auf das Bett fallen. »Fang doch einfach bei den Träumen an«, sagte ich.

Er fing nicht bei den Träumen an, sondern ganz von vorn. Aber wenigstens fing er an. Von Jasper, Arthur, Henry und sich und ihrer Freundschaft seit Grundschultagen, von den Höhen und Tiefen und den Dummheiten, die sie im Laufe der Jahre gemeinsam erlebt und begangen hatten. Und schließlich auch von dieser seltsamen Nacht letztes Jahr an Halloween. So wie er davon erzählte, klang es nicht weniger lächerlich als vorhin bei Jasper, und ich bemühte mich um ein möglichst neutrales Gesicht, aus Sorge, er könne sonst gleich wieder aufspringen und davonlaufen. Aber ich muss zugeben, das war eine echte Herausforderung (ich meine, das mit dem neutralen Gesicht), erst recht, als Grayson schließlich widerstrebend ins Detail ging.

Anabel hatte ihnen ein staubiges Buch mit versiegelten Seiten gezeigt, das angeblich schon seit Generationen im Besitz der Familie war. Befolgte man die Rituale in diesem Buch, behauptete Anabel, beschwor man einen uralten Dämon aus der Unterwelt herauf, der einem zu unermesslicher Macht verhelfen und die sehnlichsten Herzenswünsche erfüllen konnte.

»Ja. Und Unsterblichkeit war bestimmt auch noch im Angebot, oder?«, konnte ich mir gerade noch so verkneifen zu sagen. Nicht zu fassen. So betrunken konnte man doch gar nicht sein? Aber offenbar schon. Denn beim Nachspielen des gruseligen Initiationsrituals hatten sie sich richtig ins Zeug gelegt, wenn ich Grayson glauben durfte: Nachdem sie das erste Siegel gebrochen hatten, zeichneten sie mit Kreide magische Symbole auf den Fußboden, malten sich gegenseitig geheimnisvolle Worte auf die Haut und sprachen die Formeln und Treueschwüre nach, die Anabel ihnen vorlas – die Hälfte davon auf Lateinisch. Mit salbungsvollen Worten versprachen sie, den Regeln des Buches bis zum Ende zu folgen und den Dämon aus der Unterwelt zu befreien, wenn er im Gegenzug ihre geheimen Wünsche erfüllte, welche sie auf

Zettel schrieben und feierlich in Flammen aufgehen ließen. Das Ganze besiegelten sie mit ihrem Blut, das sie in einen Kelch tropften und – mit Rotwein aufgegossen – reihum tranken. Kurzum, sie benahmen sich wie im Kindergarten. Na gut, wie im Vampir-Kindergarten.

Mich wunderte gar nicht, dass Grayson an dieser Stelle der Erzählung einen beschämten Laut von sich gab, eine Mischung aus Stöhnen und Jaulen.

»Und, ist er euch erschienen, euer Dämon?« Das mit dem neutralen Gesichtsausdruck konnte ich jetzt endgültig vergessen. »Oder hattet ihr am nächsten Tag einfach nur einen fiesen Kater?«

Grayson funkelte mich an. »Ich weiß selbst, wie lächerlich das klingt. Und ich hätte das Ganze ja auch sofort wieder vergessen, genau wie die anderen. Aber schon in der nächsten Nacht fingen diese Träume an …« Er schauderte. »Im Traum erinnerte mich der Dämon an das Versprechen, das wir ihm für die Erfüllung unserer Wünsche gegeben hatten.«

»Logisch. Dein Unterbewusstsein musste diesen Schwachsinn ja irgendwie verarbeiten«, sagte ich.

»Kann schon sein.« Grayson rieb sich über die Stirn. Er hatte plötzlich genau den gleichen Gesichtsausdruck wie Mum, wenn sie verzweifelt nach etwas sucht, das sie verlegt hat. »Aber wie erklärst du dir dann, dass wir in der Nacht alle exakt das Gleiche geträumt haben? Ohne Ausnahme. Von jedem hat der Dämon dasselbe verlangt: Wir sollten das

zweite Siegel brechen und mit dem nächsten Ritual fort-
fahren ...«

Irgendwo in Graysons Hosentasche piepte es, offenbar
der Signalton seines Handys, das eine eingehende SMS an-
kündigte. Er zog es nicht mal heraus, aber ich war froh um
die kurze Ablenkung, weil ich für einen Moment tatsächlich
ein mulmiges Gefühl in der Magengegend verspürt hatte.
»Ihr habt also alle von einem Dämon geträumt?« Das
wollte ich jetzt genauer wissen. »Wie sah er denn aus?«

Grayson machte eine unbestimmte Handbewegung. »Ich
glaube, nur in Jaspers Träumen hatte er überhaupt eine Gestalt – er schwört bis heute, der Dämon habe ausgesehen wie
Saruman, der Weiße, nur mit Hörnern und einem schwarzen Umhang –, bei uns anderen war er lediglich ein Schatten,
eine wispernde Stimme, eine körperlose Präsenz, was aber
nicht so angsteinflößend war, wie es klingt, eher ... ich weiß
auch nicht ... *verführerisch.*« Er seufzte. »Ein merkwürdiger
Zufall? Wir waren uns nicht sicher. Und öffneten das zweite
Siegel in Anabels Buch.«

Ich hätte vermutlich genau dasselbe getan.

»Diesmal war ich nüchtern, deshalb kam mir das Ritual
noch ein bisschen lächerlicher vor als das erste, aber wir haben es durchgezogen.«

»Und dann?« Ich registrierte sehr wohl, dass ich Grayson
inzwischen gespannt zuhörte. Vielleicht ein bisschen zu gespannt.

»Erst geschah gar nicht viel. Nur unsere Träume wurden immer lebhafter und eindringlicher. Wir träumten von dem Dämon und voneinander, von Türen und Korridoren, und am nächsten Tag konnten wir uns genau erinnern, was wir in diesen Träumen miteinander gesprochen hatten.« Er biss sich auf die Unterlippe. »So, als hätten wir uns tatsächlich getroffen. Das war … angsteinflößend. Na ja, jedenfalls für mich und Anabel, Henry fand es interessant, Arthur berauschend, und Jasper – ach, ich glaube, Jasper fand es einfach nur lustig.«

Ich spürte, dass wir zum Kern der Geschichte kamen, und wieder breitete sich dieses mulmige Gefühl in meinem Magen aus. »Ihr konntet also miteinander träumen«, wiederholte ich. »Und weil ihr dafür keine logische Erklärung hattet, fingt ihr an, an die Existenz dieses Dämons zu glauben.«

Er brachte es fertig, gleichzeitig den Kopf zu schütteln und zu nicken. »Sagen wir doch, wir zogen mehr und mehr in Betracht, dass es ihn wirklich gab, außerhalb unserer Einbildung. Und deshalb machten wir weiter und brachen die nächsten Siegel, eins nach dem anderen. Einige Rituale aus dem Buch führten wir nun im Traum durch, in jeder Neumondnacht, und das Faszinierende war, dass wir das an jedem beliebigen Ort tun konnten. An Orten, die man sonst nachts nicht aufsucht.«

Wie der *Highgate Cemetery*, wäre mir beinahe herausgerutscht. Aber ich war mir immer noch nicht sicher, ob Grayson wirklich wusste, dass ich bei dem Friedhofstraum mit dabei gewesen war, oder ob er es – wegen seines Pullovers – lediglich in Betracht zog.

»Arthur, Henry und auch Anabel waren ganz fasziniert von den Träumen und den Möglichkeiten, die sich da auftaten – sie wurden geradezu süchtig danach, alles auszuprobieren und in den Träumen anderer Menschen herumzuspazieren.«

Verständlich. »Und Jasper und du?«

Er zuckte mit den Schultern. »Jasper war das alles zu verwirrend und zu anstrengend, glaube ich, und ich fand es mit der Zeit irgendwie ... nicht richtig. Abgesehen davon, dass es mich auch nicht besonders interessiert, was andere so träumen.«

»*Wirklich nicht?* Bei niemandem?« Das war mir herausgeschlüpft, ehe ich es verhindern konnte.

»Ausnahmen bestätigen die Regel.« Ein flüchtiges Lächeln huschte über Graysons Gesicht. »So oder so ist es aber unfair, Menschen im Traum auszuspionieren«, sagte er, und ich konnte nicht umhin, mich ein kleines bisschen beschämt zu fühlen. Seine Stimme wurde wieder ernst. »Aber der Dämon hatte damit bereits einen Teil unseres Paktes erfüllt: Denn in die Träume anderer Menschen eindringen zu können, ihre geheimsten Ängste und Sehnsüchte zu kennen bedeutet nichts anderes als ...«

»... unermessliche Macht«, flüsterte ich und versuchte,

die Gänsehaut, die über meine Arme kroch, zu ignorieren. Um mich abzulenken, ging ich hinüber zum Fenster und starrte auf die Umrisse eines Ahornbaums, der im Hinterhof wuchs. Ich musste mich konzentrieren. »Gut, für diese Träume haben wir bis jetzt noch keine logische Erklärung gefunden«, sagte ich mit fester Stimme. »Aber handfeste Beweise für die tatsächliche Existenz eines wie auch immer gearteten Dämons gibt es auch nicht, wenn man mal ganz objektiv ist. Er ist doch, wenn überhaupt, nur in euren Träumen erschienen.«

»Richtig«, gab Grayson zu. »An diesem Gedanken habe ich mich auch festgehalten. Bis …«, er machte eine kleine Pause. »Bis unsere Wünsche anfingen, in Erfüllung zu gehen. Zuerst Jaspers, dann meiner, dann Arthurs …«

Ich drehte mich um und blickte ihn ungläubig an. »Eure geheimen Herzenswünsche?«

Er nickte. »Ja, das, was wir an Halloween auf diese Zettel geschrieben hatten, trat tatsächlich ein.«

»Diese Wünsche habt ihr euch einfach so erzählt? Ich meine, sie waren doch geheim, oder nicht?«

»Das stimmt. Aber wenn man sich so gut und so lange kennt wie wir, weiß man auch, was der andere sich insgeheim wünscht und wonach er sich sehnt …« Für einen Moment war er unfähig weiterzusprechen, dann schien er sich zusammenzureißen. »Na ja, und Jasper kennst du jetzt auch ein bisschen, er ist nicht der Typ, der ein Geheimnis lange für sich behalten kann. Er hat genau einen Tag durchgehalten, bis er uns von seinem Wunsch erzählt hat. Und tatsächlich, die Frognal Flames haben die Basketball-Schulmeisterschaft gewonnen, und das, obwohl wir an Halloween in der Tabelle noch weit hinten lagen, so weit, dass unser Sieg eigentlich einem Wunder gleichkam.«

Ich spürte, wie befreiendes Gelächter in mir aufstieg, es ließ sich einfach nicht aufhalten. Zugegeben, in den letzten Minuten hatte ich mich ein bisschen zu sehr mitreißen lassen, ganz besonders von der Sache mit den Träumen, aber nun war ich wieder glasklar im Kopf. Was zu viel war, war zu viel. Die Basketball-Schulmeisterschaft? Hallo? »Dämonischer geht's ja wohl nicht«, sagte ich immer noch lachend. »Kann es nicht sein, dass ihr einfach nur gut gespielt habt?«

Grayson lachte nicht mit. »Es blieb ja nicht bei diesem einen erfüllten Wunsch«, sagte er leise, als ich mich endlich wieder eingekriegt hatte.

Der Klang seiner Stimme ließ mich schlagartig ernst werden. »Was hattest du dir denn gewünscht?«, fragte ich und setzte mich wieder neben ihn.

Graysons Hände streichelten über den Kapuzenpulli. »Nicht so wichtig. Wichtig ist, dass es in Erfüllung gegangen ist.«

Es klopfte an die Tür, und Mum steckte ihren Kopf ins Zimmer. Als sie uns nebeneinander auf dem Bett sitzen sah, strahlte sie. »Ach, wie schön, dass ihr euch wieder vertragen habt«, sagte sie. »Aber Grayson, wolltest du denn gar nicht auf die Party zurück? Deine Freundin wartet doch bestimmt auf dich!«

»Äh, ja, stimmt«, sagte Grayson und stand auf. »Ich sollte längst wieder zurück sein.«

Ich überlegte, ihm den Kapuzenpulli wieder zu entreißen und mich damit im Bad einzuschließen oder so etwas wie »Halt, stopp, das war doch noch nicht alles«, zu schreien, aber unter Mums wachsamem Blick ging das schlecht. Deswegen blieb mir nichts anderes übrig, als Grayson in den Flur zu folgen. Der Verlust des Pullovers ärgerte mich zwar, aber in einigen Tagen würden wir unter demselben Dach wohnen, und heute war ich ohnehin viel zu müde, um meine empirischen Untersuchungen fortzusetzen. Ich würde noch schnell die Zähne putzen und dann einfach nur schlafen. An einem Stück. Alles andere konnte bis morgen warten.

Mum küsste Grayson zum Abschied auf beide Wangen und drängte ihm noch eine Pappschachtel voller Blaubeer-Muffins auf. »Für die Party – nach Mitternacht geht es doch erst richtig los«, sagte sie.

»Ich bring dich noch nach unten bis zur Haustür.« Ich schob mich an Mum vorbei. »Die sollte ab zehn immer von innen abgeschlossen werden, gerade in diesem Teil von London, wo es vor Verbrechern nur so wimmelt …«

Grayson grinste, aber er protestierte nicht. Gemeinsam

liefen wir die Treppen hinunter, und ich warf ihm von der Seite verstohlene Blicke zu. Es war so schade, dass er jetzt schon gehen musste, wo er doch gerade so schön auskunftsfreudig gewesen war.

»Hatte dein Wunsch etwas mit Emily zu tun?«, platzte ich heraus.

»Nein, wieso?«

Ich überlegte und versuchte es noch einmal anders. »Wie hoch war die Wahrscheinlichkeit, dass sich dein Wunsch erfüllte?«

»Weniger als dreißig Prozent«, erwiderte er prompt.

Dreißig Prozent. Die Chancen auf weiße Weihnachten in diesen Breitengraden waren noch geringer. Aber verdächtigte man deswegen immer gleich einen Dämon, wenn es am 24. Dezember schneite? Ich überlegte, ob ich Grayson meinen anschaulichen Vergleich mitteilen sollte, aber da waren wir auch schon bei der Haustür angekommen. Als die kalte Nachtluft auf meine nackten Unterarme traf, fröstelte ich.

Grayson zog den Autoschlüssel aus seiner Hosentasche. »Ich hätte es nicht gedacht, aber irgendwie hat es gutgetan, mit dir über all das zu sprechen.« Er beugte sich vor und gab mir einen leichten Kuss auf die Wange. »Danke, dass du mich nicht die ganze Zeit ausgelacht hast.«

Ich räusperte mich verlegen. »Das ist ein schwieriger Fall, Dr. Watson«, sagte ich dann mit meiner besten Sherlock-Holmes-Stimme. »Mit einer ausnehmend mysteriösen Komponente. Aber ich bin mir sicher, am Ende wird es für alles eine logische Erklärung geben.«

»Am liebsten hätte ich dich da rausgehalten.« Grayson lächelte schwach. »Aber nun stecken wir wohl beide irgendwie drin.«

Tja, und so richtig unrecht war mir das nicht, wenn ich ehrlich war.

»Wir sehen uns.« Grayson wandte sich zum Gehen, und ich blickte ihm nachdenklich hinterher. So übel war er gar nicht. Nein, nicht wirklich.

Auf halbem Weg zu Ernests Mercedes blieb er stehen und drehte sich wieder um. »Die Huntington-Krankheit«, sagte er unvermittelt.

»Was?«

»Mein Wunsch.« Seine Finger spielten nervös mit dem Autoschlüssel.

Mir stockte kurz der Atem.

»Meine Mutter ist an Huntington gestorben. Und davor mein Großvater und ein Onkel.« Seine Stimme hatte sich verändert, sie war ganz flach geworden, und er schaute mich nicht an, sondern hielt den Kopf gesenkt. »Es bestand eine über siebzigprozentige Wahrscheinlichkeit, dass bei Florence und mir ebenfalls die Huntington-Mutation vorlag.«

Ich konnte ihn nur erschrocken anblicken.

»Dad hat sich jahrelang geweigert, uns diesen Gen-Test machen zu lassen«, fuhr er hastig fort. »Aber Florence und ich konnten mit der Ungewissheit nicht leben, und schließlich haben wir uns zu dieser Untersuchung angemeldet.« Er machte eine kleine Pause. »*Das* war mein Wunsch. Dass Florence und ich nicht an dieser Krankheit zugrunde gehen werden.«

»Ihr seid also gesund, Florence und du?« Als er nickte, atmete ich tief aus. Ich hätte gerne etwas Nettes und Tröstendes gesagt, aber ich fühlte mich furchtbar hilflos. Ich hatte gewusst, dass seine Mutter gestorben war, als er und Florence noch klein gewesen waren, aber die Ursache dafür war mir neu. »Und jetzt fragst du dich, ob die Untersuchung dasselbe Ergebnis gezeigt hätte, wenn du keinen Pakt mit einem Dämon eingegangen wärst?«

»Ja«, sagte er schlicht. »In schwachen Momenten denke ich, dass unsere Gesundheit das Werk des Dämons sein könnte ... krank, oder?« Endlich hob er den Kopf und blickte mir in die Augen. »Und dann frage ich mich, was er mir nehmen wird, wenn ich gegen seine Regeln verstoße.«

Tittle-Tattle

★ B L O G ★

?

Der Frognal Academy Tittle-Tattle-Blog mit dem neusten Klatsch, den besten Gerüchten und brandheißen Skandalen unserer Schule

ÜBER MICH:
Mein Name ist Secrecy – ich bin mitten unter euch und kenne all eure Geheimnisse

UPDATE   ACTIVITY

9. September, 3 Uhr morgens

Arthur Hamiltons Saison-Start-Party ist dem Ruf wilder Partys im Hause Hamilton wirklich mal wieder gerecht geworden. Auf dem Foto seht ihr Nathan Woods von den Frognal Flames, wie er sich nach dem Genuss von fünf Cocktails im Pool abkühlt. Leider hat er vergessen, vorher seine Schuhe und seine Klamotten auszuziehen und sein Handy aus der Hosentasche zu nehmen. Na ja, so was passiert ... Es kursiert eine Version der Geschichte, in der es heißt, Nathan sei nicht gesprungen,

sondern geschubst worden, und zwar von Madisons Ex
Jasper, weil der schrecklich eifersüchtig sei und die
Trennung von Madison schwer bereue. Aber, Leute,
diese Version der Geschichte stammt von Madison
selber, und die behauptet ja auch, ihre Haare seien
von Natur aus rot. Als ob sich niemand mehr erinnern
könnte, dass sie bis vor vier Jahren noch straßenköter-
blond war.

Ob Nathan trotzdem mit Madison zum Herbstball
gehen wird? Ich werde es euch berichten. Eine Nomi-
nierung für sie als Ballkönigin ist jedenfalls schon bei
mir eingegangen. Vom E-Mail-Account ihrer kleinen
Schwester. Ups.

Eine der wenigen Mittelstufenschülerinnen auf der
Party war übrigens Liv Silber, in Begleitung ihres zukünftigen Stiefbruders. Ich bin ziemlich sicher, dass wir
Liv auch auf dem Herbstball treffen werden – die Frage
ist nur, mit wem?

Hier werdet ihr es als Erstes erfahren, so viel steht
fest – und zwar sehr bald, wenn mich nicht alles
täuscht.

Wir sehen uns!

Eure Secrecy

P.S. Zur Einstimmung auf den Ball hier schon mal ein
Link zu Johann Strauß' Walzer »Hommage an Königin

Victoria«. Wisst ihr noch, wie Hazel-Sellerie-hat-mein-Leben-verändert-Pritchard letztes Jahr beim Tanzen gestolpert ist und die halbe Reihe mit zu Boden gerissen hat? Ich bin aber sehr zuversichtlich, dass sich dieses Jahr trotzdem wieder ein Tapferer findet, der sie zum Ball begleitet. Ernsthaft, Jungs, traut euch ruhig: Es sind dreizehneinhalb Kilo weniger zu stemmen.

20

»Was sollen wir nur mit dir machen, du hässliche kleine Kröte?« Lindsay ließ ihre langen, künstlichen Fingernägel gegeneinander klappern. »Du hast eine Lektion verdient, findest du nicht?«

Weil es nur eine rhetorische Frage war, schwieg ich. Ich wusste genau, was jetzt kommen würde, ich konnte die Vorfreude darüber in Lindsays babyblauen Augen sehen. Und nichts, was ich sagen konnte, würde sie davon abhalten, auch kein Betteln und Flehen.

»Wir hatten schon lange nicht mehr die Hand-in-der-Tür-Quetsch-Nummer«, sagte Samantha, die meinen Arm auf den Rücken gedreht hatte und mich wie in einem Schraubstock festhielt. Die große und ziemlich fette Samantha galt als die Gefährlichste der Gang, weil sie es in der Regel war, die die Schläge austeilte. Aubrey assistierte ihr bei den Prügeleien, indem sie das Opfer festhielt, und Lindsay sah meist nur zu, aber sie war es, die bestimmte, auf welche Art und Weise gequält wurde, deshalb fürchtete ich sie am allermeisten. Am wenigsten schlimm war vermutlich noch Abigail, die immer nur Schmiere stand. Auch jetzt.

»Au ja, die Türquetsche.« Aubrey klatschte begeistert in

die Hände. Samantha drehte meinen Arm noch ein Stückchen weiter in die Höhe, und ich konnte nur mit Mühe einen Schmerzenslaut unterdrücken. Noch nie in meinem ganzen Leben hatte ich mich so machtlos gefühlt.

»Na gut«, sagte Lindsay. »Aber vorher sollten wir sie noch taufen, was meint ihr?«

»Au ja«, jauchzte Aubrey wieder. »Erst tunken wir sie mit dem Kopf ins Klo, und dann quetschen wir ihre Hand … Bist du Links- oder Rechtshänderin?«

Samantha lachte laut. »Ist doch egal, es tut auf beiden Seiten gleich weh.« Sie stieß mich vorwärts, und Aubrey half ihr, indem sie mit der Hand nach meinem Pferdeschwanz griff und mich daran in die Klokabine zerrte. Im Vorbeistolpern konnte ich einen Blick in den Spiegel erhaschen, sah meine weitaufgerissenen, ängstlichen Augen im kalkweißen Gesicht, Aubreys viel zu stark geschminkte Visage und Lindsays genüssliches Lächeln. Und eine grüne Tür an der gekachelten Wand hinter uns. Samantha versetzte mir einen Tritt in die Waden, so dass ich auf die Knie fiel, direkt vor die Kloschüssel. Aubrey riss meinen Kopf an den Haaren in den Nacken und kicherte. »Sie hat Glück, die Putzfrau war vorhin erst da.«

»Fragt sich nur, was ungesünder ist: Dreck oder Desinfektionsmittel. Noch ein paar letzte Worte, bevor du das trinkst?«, fragte Lindsay.

Samantha trat mich aufmunternd in den Rücken. Aber

ich schwieg. Eine sarkastische Bemerkung wäre reine Verschwendung gewesen, Lindsay und ihre Gang verstanden nämlich keinen Sarkasmus. Sie wussten nicht mal, wie das Wort geschrieben wurde. Und ehrlich gesagt fiel mir gerade auch gar nichts Sarkastisches ein. Ich wollte nur nach meiner Mama rufen. Und weinen. Aber den Gefallen würde ich ihnen nicht tun. Ein letztes Mal versuchte ich mich aufzubäumen, mit aller Kraft, und Samantha trat mich wieder, dieses Mal so fest, dass ich gegen meinen Willen aufschrie.

Ich hatte keine Chance.

Ihre fette Hand legte sich um meinen Nacken und zwang meinen Kopf erbarmungslos in die Kloschüssel, mit der anderen verdrehte sie mir immer noch den Arm.

Plötzlich verstummte Lindsays Lachen, stattdessen hörte ich sie erschrocken nach Luft schnappen. Jemand sagte mit zorniger, kalter Stimme: »Lass sie sofort los, du fette Schlampe!«, und seltsamerweise ließ Samantha mich tatsächlich los und stolperte zurück. Das Blut schoss schmerzhaft zurück in meinen Arm, als ich versuchte mich aufzurappeln.

Ein großer Junge mit verstrubbeltem Haar war mir zur Hilfe gekommen. Henry. Er hatte Lindsay beiseitegeschubst und Samantha grob am Arm aus der Klokabine gezerrt. Aubrey war von allein zu den Waschbecken geflüchtet und glotzte Henry von dort aus genauso verwirrt an, wie ich mich fühlte.

Hier stimmte doch was nicht.

»Wo kommt der denn auf einmal her?« fragte Aubrey, und Lindsay sagte: »Das ist ein Mädchenklo, du Hirni.« Aber sie sahen alle irritiert, ja beinahe ängstlich aus. Sogar Samantha, die sich sonst von niemandem ungestraft fette Schlampe nennen ließ. Gegen Henry wirkte sie plötzlich gar nicht mehr so groß und stark, sie rieb sich ihren Arm an der Stelle, an der er sie gepackt hatte und murmelte irgendwas Unflätiges vor sich hin.

»Ihr seid wirklich das Letzte!« Henrys graue Augen funkelten vor Wut. »Vier gegen eine. Und sie ist viel kleiner als ihr. Verschwindet jetzt, bevor ich eure hässlichen Köpfe in die Kloschüssel tunke!«

Das ließen sie sich nicht zweimal sagen, sie drehten sich um und rannten raus. Vor der Tür hörten wir, wie sie Abigail ankeiften, von wegen, sie hätte doch aufpassen sollen, dass niemand reinkam, und Abigail verstand anscheinend nur Bahnhof, weil sie mindestens siebenmal »Hä? Welcher Typ?« fragte, dann entfernten sich ihre Stimmen, und es war still.

Ich lehnte mich an die Kabinenwand und atmete immer noch viel zu schnell. Henry strich mir die Haare aus der Stirn, was nicht gerade dazu beitrug, mich zu beruhigen.

Er sah mich besorgt an. »Hey, alles ist gut, Liv.«

»An dieser Stelle tunken sie immer meinen Kopf ins Klo«, versuchte ich ihm zu erklären. »Und du gehörst nicht hierhin.«

»Ja, ich weiß. Aber ich konnte doch nicht zusehen, wie sie

dich ...« Seine Fingerspitzen fuhren vorsichtig über meine Wange. »Mein Gott, was für gruselige Monster waren das denn?«

»Junior-Highschool-Monster«, sagte ich.

»*Junior* Highschool? Die? Aber die waren riesig.«

»Durch Überernährung, weil sie vermutlich schon in der Grundschule von allen Kindern die Lunchboxen konfisziert haben. Außerdem sind sie sitzengeblieben, mehrfach, schätze ich.« Allmählich hatte ich begriffen, wie es sein konnte, dass er hier war. »Das ist ein Traum, oder? Denn das hier ist Berkeley, und in Berkeley kannte ich dich noch gar nicht.« Vor Erleichterung bekam ich ganz weiche Knie. Nur ein Traum. Gottseidank. »Natürlich – die grüne Tür! Ich hab sie im Spiegel kurz gesehen und mich gewundert ...«

»Warum zur Hölle träumst du denn so was, Liv?« Henry streichelte mich immer noch.

»Weil es genauso passiert ist. Vor drei Jahren in Berkeley. Nur, dass mich da keiner gerettet hat.« Stattdessen hatte ich mir eine Viertelstunde lang die Seele aus dem Leib gekotzt. Das hatte mir immerhin »die Türquetsche« erspart. Die hatten sie ein paar Wochen später an einem Mädchen namens Erin ausprobiert. Mir wurde jetzt noch schlecht, wenn ich an Erins Hand dachte.

»Deshalb siehst du so ... jung aus.« Henry lächelte. »Süß. Diese Zahnspange!«

Ich fuhr mir mit der Zunge über die Zähne. Oh ja, an das

ganze Metall im Mund konnte ich mich noch zu gut erinnern. Trotzdem – in Henrys Gegenwart wollte ich auf keinen Fall wie dreizehn aussehen.

Er pfiff leise durch die Zähne, als mein Körper sich wieder meinem heutigen Ich anglich. Sein Beschützerinstinkt schien sich zu verabschieden, die Besorgnis verschwand aus seiner Miene, er hörte auf, mich zu streicheln. Mit einem breiten Grinsen lehnte er sich an die gegenüberliegende Kabinenwand und verschränkte seine Arme. »Du bist ganz schön gewachsen in den letzten drei Jahren.«

»Ja, leider auch an der Nase.« Ich sah an ihm vorbei in den Spiegel, strich mir über den Nasenrücken und kontrollierte, ob mein Umstyling geglückt war. Der Einfachheit halber hatte ich wieder das Outfit vom letzten Mal an: Jeans, Sneaker und das Ninja-T-Shirt. Ich überlegte, ob ich meinen Haaren noch ein bisschen mehr Volumen verpassen sollte, aber das wäre mir wie Schummeln vorgekommen.

»Ich mag deine Nase«, sagte Henry.

»Ja, vielleicht, weil deine auch zu lang ist.« Ich lächelte zu ihm hoch. Ich war zwar gewachsen, aber immer noch viel kleiner als er. Es war süß gewesen, wie er mich vorhin verteidigt hatte. Im Traum war er immer so nett zu mir, viel netter als in Wirklichkeit. Andererseits ... »Was suchst du eigentlich hier? Das ist mein ganz persönlicher Albtraum *und* das Mädchenklo! Du hast hier nichts verloren.«

Er ignorierte meine Fragen und betrachtete sich ebenfalls

im Spiegel. »Meine Nase ist überhaupt nicht zu lang. Die ist genau richtig. So eine Nase muss schließlich zum Rest vom Gesicht passen.« Sein Spiegelbild zwinkerte mir zu. »Sollen wir vielleicht woanders hingehen? Hier ist es irgendwie unromantisch.«

»Ja, und mit so hässlichen Erinnerungen verknüpft.« Ich seufzte. »Ehrlich gesagt wusste ich gar nicht, dass ich immer noch von dieser Sache träume. Und dass ich mich noch so genau an ihre Gesichter und ihre Stimmen erinnere.«

Henry wurde sofort wieder ernst. »Sind sie wenigstens von der Schule verwiesen worden?«

Ich schüttelte den Kopf. Ich war damit nie zu einem Lehrer gegangen. Und Mum hatte ich es auch nicht erzählt, sie hätte sich sonst schrecklich aufgeregt. Nur Lottie hatte gemerkt, dass mit mir was nicht stimmte, und es aus mir herausgequetscht. Sie war leichenblass im Gesicht geworden. Und dann hatte sie mich zu Mr Wu geschleppt, damit ich lernte, mich selbst zu verteidigen. Am nächsten Morgen war sie mit mir zur Schule gefahren, und ich musste ihr Aubrey, Samantha, Lindsay und Abigail zeigen. Ich weiß nicht, was sie dann gemacht hat, aber sie haben mich nie wieder belästigt. Dabei war ich nach ein paar Wochen Kung-Fu-Unterricht bei Mr Wu so gut, dass ich es mir fast gewünscht hätte.

»Wir könnten ihnen hinterherlaufen und sie so richtig verprügeln«, schlug Henry vor. »Jetzt, wo du weißt, dass du nur träumst.«

Ich winkte ab. »Ach nein. Ich wette, wenn ich sie heute treffen würde, hätte ich nur Mitleid mit ihnen … Los, sag schon, was suchst du hier, Henry?«

»Ich wollte dich einfach mal besuchen kommen. Ich konnte ja nicht ahnen, dass ich in einem Mädchenklo landen würde, im schrecklichsten Moment deines Lebens.« Er hielt mir seine Hand hin. »Komm, wir gehen irgendwohin, wo es netter ist.«

»Das war überhaupt nicht der schrecklichste Moment meines Lebens.« Ich nahm seine Hand, als wäre es das Normalste und Selbstverständlichste der Welt, und ließ mich von ihm aus der Kabine zur grünen Tür ziehen, die wie ein Fremdkörper zwischen den mit Sprüchen beschmierten Kacheln prangte. Wenn ich ehrlich war, fand ich es ganz und gar nicht selbstverständlich, Henrys Hand zu halten. Mein Herz offenbar auch nicht, denn es begann wieder schneller zu schlagen.

Henry legte seine freie Hand auf die Eidechse und machte Anstalten, die Tür zu öffnen.

»Oh nein«, sagte ich, denn mir war gerade eine Idee gekommen. Ich zog ihn von der Tür weg. »Nicht da lang.«

»Aber …«

Ich ließ ihn nicht ausreden. »Wenn du schon mal hier bist, können wir doch noch bleiben. Es gibt auch schöne Ecken in Berkeley. Komm, hier entlang.« Ich stieß die Tür vom Mädchenklo auf und freute mich, als uns dahinter nicht etwa der breite, öde Schulflur erwartete, sondern Sonnenschein und eine frische Brise. Jawohl! Diese Art zu träumen machte richtig Spaß. Und ich war wirklich gut, es sah alles genauso aus, wie ich es in Erinnerung hatte. Wir standen hoch oben in den Berkeley Hills. Von hier konnte man über die halbe Stadt und die Bay schauen. Die Abendsonne tauchte alles in weiches, goldenes Licht.

Ich zog Henry zu einer Bank unter einem riesigen Baum, meinem alten Lieblingsplatz. Hier hatte ich Stunden gesessen, Gitarre gespielt und aufs Meer geschaut. Ich konnte mir ein triumphierendes Lächeln nicht verkneifen. Wenn das mal kein romantisches Plätzchen war!

»Wir haben damals nur ein Stück die Straße hinauf gewohnt.«

»Nicht schlecht«, sagte Henry beeindruckt, und ich wusste nicht, ob er meine Fähigkeiten zum eleganten Kulissenwechsel meinte, direkt aus einem versifften Schulklo an einen Ort mit solch atemberaubender Aussicht, oder die Tatsache, dass wir mal hier gewohnt hatten. Das Haus wäre tatsächlich nicht übel gewesen, es hatte sogar einen Pool gehabt. Aber wir hatten es mit einer griesgrämigen Philosophie-Dozentin und ihrer putzwütigen Mutter teilen müssen, deshalb hatten wir uns dort nie zu Hause gefühlt, sondern immer nur wie Pensionsgäste.

»Das ist der Indian-Rock-Park«, erklärte ich und hoffte, dass er das Schild ein paar Meter weiter nicht bemerken würde, das meine Erinnerung an den Namen des Parks soeben aufgefrischt hatte. »Butter hat hier mal ein Eichhörnchen gefangen ...«

»Wer ist Butter?« Henry ließ sich auf die Bank fallen, und ich setzte mich neben ihn, schon um seine Hand nicht loslassen zu müssen.

»Unsere Hündin. Princess Buttercup. Mein Vater hat sie uns geschenkt, als er und Mum sich getrennt haben. Als Trostpflaster, denke ich.«

»Oh, *das* kenne ich. Wir geben einem neuen Haustier der Einfachheit halber immer den Namen von Dads jeweiliger Geliebter.« Er schenkte mir ein schiefes Lächeln. »Meistens nehmen wir den Künstlernamen, der ist in der Regel klangvoller. Die Kaninchen heißen Candy Love, Tyra Sprinkle, Daisy Doll und Bambi Lamour, dann gibt es noch zwei Ponys namens Moira Mystery und Nikki Baby.«

Ich schaute ihn ungläubig von der Seite an. Das war ja fürchterlich. Ich würde mich nie wieder über meine Familie beschweren. »Ganz schön viele ... Haustiere.« Vorsichtig drückte ich seine Hand, und sein Lächeln vertiefte sich. Mein Gott, er hatte so schöne Augen. Und was seine Nase anging: Er hatte recht, sie war genau richtig lang. Und seine Haare ...

Er räusperte sich. »Eigentlich war das witzig gemeint«, sagte er. »Aber du darfst mich auch gerne weiter so mitleidig anstarren.«

Mitleidig? »Äh, ja.« Verlegen schaute ich zur Seite. Mist. Im Traum war es viel schwieriger einzuschätzen, wie viel Zeit verging, während man jemandem tief in die Augen schaute. Zu tief, in diesem Fall.

Mein Blick fiel auf etwas, das neben der Bank am Baumstamm lehnte.

»Meine Gitarre«, stellte ich peinlich berührt fest. Jetzt übertrieb mein Unterbewusstsein es aber endgültig mit der Romantik.

»Oh, wie schön«, sagte Henry ironisch. »Möchtest du mir etwas vorspielen?«

»Nur über meine Leiche«, erwiderte ich und spürte, wie ich rot anlief. Tatsächlich waren meine Gedanken unkontrolliert vorwärts galoppiert, und ich hatte schon gehört, wie ich Henry etwas von Taylor Swift vorträllerte, während die Sonne langsam unterging und den Himmel über dem Meer rot färbte und eine Herde Wale unten in der Bucht ihre Bahnen zog ... oh mein Gott! Und hatte ich gerade wirklich gedacht, sein Haar sähe in diesem Licht aus wie aus purem Gold gesponnen? Das war ja ... brechreizerregend. Ich hatte sie wohl nicht mehr alle! Es fehlte nicht mehr viel, und ich würde zu einer dieser hormongesteuerten Dumpfbacken mutieren, die Mia so verachtete.

Abrupt ließ ich seine Hand los.

Henry sah mich fragend an, und ich konnte seinem Blick kaum standhalten. Was sollte er von mir denken? Erst musste er mich vor einer gewalttätigen Mädchengang retten, und dann schleppte ich ihn zum Sonnenuntergang in die Hügel, die Gitarre schon bereitgelegt ...

Ich versuchte, einen sachlichen Ton anzuschlagen. »Du hast meine Frage immer noch nicht beantwortet: Was hast du in meinem Traum zu suchen?«

Henry lehnte sich zurück und verschränkte seine Arme. »Und wie bist du durch meine Tür gekommen? Ich dachte, das geht nur, wenn man ...« Ich verstummte wieder.

»Wenn man *was*? Graysons Pullover trägt?« Mit einem boshaften kleinen Lachen zog Henry einen glitzernden Gegenstand aus seiner Hosentasche und hielt ihn in die Luft. Es war meine Schmetterlings-Haarspange.

Ich schluckte. Ach, *so* war das.

»Genau genommen braucht man nur etwas, das dem anderen gehört«, fuhr Henry fort und drehte die Haarspange zwischen seinen langen Fingern. »Und dann muss man natürlich die richtige Tür finden und die Barrieren überwinden.« Er sah sich irritiert um. »Wo kommt denn der Nebel plötzlich her?«

»Tja, hier scheint eben auch nicht immer nur die Sonne«, sagte ich schnippisch. »Genauer gesagt ist diese Ecke hier durchaus für ihre Wetterumschwünge bekannt.« Was gelogen war. Ich hatte nur die romantisch-rosige Wärme des Sonnenuntergangs ein wenig mildern wollen. Und Nebel war das Erste, was mir spontan eingefallen war. Leider war es immer noch romantisch, wie die Nebelschwaden jetzt majestätisch vom Meer die Hügel hinaufzogen. Aber wenigstens herrschte nicht mehr dieses kitschige Weichzeichnerlicht, bei dem ich nicht klar denken konnte.

»Was für Barrieren meinst du?« Ich sah mich nach meiner Tür um. Wo war sie eigentlich? Ah, gleich dahinten, eingebettet in einen der riesigen Felsbrocken, denen der Park seinen Namen zu verdanken hatte.

Henry zuckte mit den Schultern. »Na ja, die meisten Menschen schützen ihre Tür unterbewusst. Mehr oder weniger stark. So wie Grayson mit dem Fürchterlichen Freddy. Aber bei dir konnte man einfach hereinspazieren. Da war keine Barriere, nicht die allerkleinste.«

»Verstehe«, sagte ich langsam und versuchte so auszusehen, als verstünde ich wirklich. »Bei mir kann man einfach so hereinspazieren, wenn man mir zum Beispiel eine Haarklammer geklaut hat?«

»Ja. So sieht es aus. Offensichtlich bist du ein sehr vertrauensvoller Mensch.« Ich versuchte, mich nicht von seinem Lächeln ablenken zu lassen. »Du aber nicht. Dein Unterbewusstsein hat gleich drei Schlösser an deiner Tür installiert.«

Henry schüttelte den Kopf. »Nein, Liv. Das war nicht mein Unterbewusstsein. Das war *ich*.« Er rieb sich fröstelnd über die nackten Arme. »Kannst du nicht wieder die Sonne scheinen lassen? Das war wirklich viel schöner. Ich meine, wann ist man schon mal in Kalifornien?«

Ich kaute nachdenklich auf meiner Unterlippe. »Also könnte ich meine Tür auch gegen unerwünschte Besucher absichern?«

»Ja, das solltest du sogar.« Henrys Tonfall hatte sich verändert. Er klang jetzt nicht mehr amüsiert, sondern todernst. »Es könnte durchaus sein, dass sich noch andere für deine Träume interessieren. Nirgendwo lernt man einen Menschen besser kennen, und nirgendwo kann man mehr über seine Schwächen und Geheimnisse erfahren als in seinen Träumen.«

»Verstehe ...« *immer noch nicht ganz.* Ich sah wieder zu der Tür hinüber. Ein unheimlicher Gedanke, dass jeder, der einen persönlichen Gegenstand von mir besaß, einfach so in einen meiner Träume hereinplatzen konnte. Das war ja noch viel schlimmer als die Vorstellung, jemand würde in meinem Traumtagebuch lesen. Plötzlich hatte ich das dringende Bedürfnis, die Tür mit Brettern zu vernageln und Vorhängeschlösser anzubringen und einen riesigen Wachhund zu organisieren.

»Warum hat Grayson seine Tür denn nicht besser geschützt?«, fragte ich. »Ich meine, jeder Depp kann Freddy rückwärts sagen.«

»Grayson ist der ehrlichste und offenherzigste Mensch, den ich kenne«, erwiderte Henry. »Ich glaube nicht, dass er in seinen Träumen viel zu verbergen hat. Außerdem ist er viel zu bescheiden und denkt nicht, dass jemand an seinen Träumen interessiert sein könnte.« Er zuckte mit den Schultern. »Und er möchte sich damit auch nicht wirklich beschäftigen, ihm ist das alles einfach nur unheimlich.«

»Dir nicht?«

Mit einem Seufzer beugte Henry sich vor und griff nach meiner Gitarre. »Oh doch, sehr sogar. Aber das macht es ja gerade so interessant.«

Ich nickte. »Ja, genau. Die interessanten Dinge sind immer auch die gefährlichsten«, sagte ich leise. »Und trotzdem muss man ihnen auf den Grund gehen.«

»Oder genau deshalb.« Abrupt wandte Henry den Blick ab und begann, die Gitarre zu stimmen.

»Bitte sag, dass du nicht Gitarre spielen kannst!«, entfuhr es mir.

Er hob eine Augenbraue. »Weil ...?«

»Weil ...« Weil das verdammt noch mal zu viel des Guten war! Es reichte doch, dass er schöne Augen hatte und viktorianische Gedichte auswendig rezitieren konnte und dass mir immer ganz warm im Magen wurde, wenn er lächelte ... Aber vielleicht spielte er ja furchtbar mies, dann hatte ich wenigstens etwas, das ich an ihm doof finden konnte. Ich sah ihn herausfordernd an. »Kannst du nun spielen, oder tust du nur so?«

Er zupfte an den Saiten und bedachte mich mit einem überlegenen Lächeln. »Das hier ist ein Traum, Liv, und wenn ich wollte, könnte ich Gitarre spielen wie Carlos Santana. Oder wie Paul Galbraith, je nachdem, was du besser findest.«

»Oh.« Wer war Paul Galbraith? Ich würde ihn morgen früh googeln müssen.

Henry begann zu spielen, sehr leise. Bach. Und er spielte gut. Ich starrte auf seine Finger. So eine Technik konnte man doch nicht einfach nur träumen. Oder doch? Im Traum konnte man ja schließlich auch fliegen, ohne genau zu wissen, wie das eigentlich funktionierte.

Aber trotzdem ... hach.

»Jetzt bist du hin und weg, stimmt's?«, fragte Henry spöttisch, und ich riss mich zusammen. Immer noch hatte er dieses überlegene Lächeln aufgesetzt.

»Träum weiter«, sagte ich und legte so viel Verachtung wie nur möglich in meine Stimme. »Dieses Präludium ist so babyleicht, das konnte ich schon als Achtjährige spielen.«

»Ja, klar doch.« Er stellte die Gitarre beiseite und stand auf. »Ich gehe dann mal. Bevor der Wecker klingelt und diesem schönen Traum ein Ende bereitet.« Sein Lächeln bekam jetzt etwas Unverschämtes. »Vielen Dank für diese interessanten Einblicke in deine Psyche.«

»Keine Ursache.« Ich unterdrückte das Bedürfnis, mit den Zähnen zu knirschen. »Die Haarspange kannst du gerne behalten. Aber genauso gut kannst du sie mir auch wiedergeben, denn noch einmal wirst du ganz sicher nicht durch diese Tür kommen.«

»Tja, das will ich hoffen«, erwiderte er, plötzlich wieder ganz ernst. Er nahm die Haarspange aus seiner Hosentasche, legte sie auf seine flache Hand und fixierte sie mit seinem Blick. Der silberne Schmetterling bebte, begann mit den Flügeln zu schlagen und erhob sich in die Luft. Ich starrte ihm mit offenem Mund hinterher.

»Denk daran, es müssen wirksame Barrieren sein«, sagte Henry. »Und sie müssen nicht nur Menschen fernhalten können.«

»Sondern?« Nur widerwillig riss ich mich vom Anblick des davonschwebenden Schmetterlings los. »Den Herrn der Schatten und der Finsternis? Den unheimlichen Windmann? Müsste er mir dafür nicht erst mal einen persönlichen Gegenstand klauen, oder hat er solche billigen Tricks nicht nötig?«

Er seufzte. »Vielleicht solltest du das alles ein bisschen ernster nehmen.«

»Tut mir leid, das kann ich nicht. Ohne handfeste Beweise glaube ich nicht an die Existenz von Dämonen, die in Träumen herumgeistern und Wünsche erfüllen können.« Ich sah ihm in die Augen. »Du denn?«

Er hielt meinem Blick stand, ohne zu zwinkern. »Vielleicht ist das, was passiert ist, tatsächlich alles Zufall. Aber vielleicht auch nicht. Wie erklärst du dir das hier?« Er machte eine weitschweifende Geste. »Wie erklärst du dir unsere Träume?«

So weit war ich in meinen Überlegungen noch nicht gekommen. Ich war ja vorher eingeschlafen, weil ich nach Graysons Abschied so müde gewesen war. »Ich ... ähm ... Psychologie?«, sagte ich ein wenig trotzig.

»Psychologie?« Er schnaubte belustigt.

»Ein noch unerforschtes Gebiet der Psychologie. Ich denke, mit ein bisschen Übung kann jeder so träumen – auch ohne einen Pakt mit dem Teu... äh einem Dämon abzuschließen. Ich habe den Weg durch meine grüne Tür ja auch gefunden, und zwar ganz allein, ohne dämonische Hilfe.«

»Und da bist du dir ganz sicher?«

Na ja ...

»Ja«, sagte ich mit fester Stimme. »Und zwar deshalb, weil es keine Dämonen gibt. Na gut, ihr habt die Basketball-Meisterschaft gewonnen, und Grayson und Florence haben diese Genmutation nicht geerbt – aber wo bitte ist da der Zusammenhang? Es ist ganz einfach: Solange ich diesen Dämon nicht leibhaftig vor mir stehen sehe, glaube ich nicht an seine Existenz. Eine Erscheinung im Traum zählt nicht – das wäre wieder reine Psychologie.«

»Und wenn *dein* Herzenswunsch in Erfüllung ginge?« Henry sah vor sich auf den Boden und schob mit seiner Schuhspitze kleine Steinchen hin und her.

»Das käme auf den Wunsch an«, sagte ich. »Nur wenn ich mir etwas absolut Unmögliches gewünscht hätte, so wie ... wie mit Tieren zu sprechen, in der Zeit zu reisen oder

Lottie mit Prinz Harry zu verheiraten, würde meine Überzeugung vielleicht ins Wanken geraten. Obwohl – so unwahrscheinlich wäre das mit Lottie und Prinz Harry nun auch wieder nicht, dass man deshalb gleich an Dämonen glauben müsste. Was hast du dir eigentlich gewünscht?«

Henry antwortete nicht. Sein Blick wanderte sehr langsam von den Steinchen zu meinen Füßen, die Beine hinauf über mein Ninja-T-Shirt bis hoch in mein Gesicht, und ich spürte, dass ich rot wurde. Schon wieder. Als er bei meinen Augen angekommen war, sagte er: »Wie gesagt, ich muss jetzt gehen. Es war aber wieder sehr nett, mit dir zu träumen, Liv.«

Na, das war doch typisch. Immer musste er gehen, wenn es zu persönlich wurde. »Ist es in Erfüllung gegangen?«, fragte ich hinter ihm her.

Schweigen.

Er war schon bis zu dem Felsen mit der grünen Tür gelangt, als er sich wieder zu mir umdrehte, die Hand bereits um die Messing-Eidechse gelegt. »Ich wusste genau, dass du mitmachen würdest. Du warst viel zu neugierig, um nein zu sagen. Irgendwie wäre ich auch enttäuscht gewesen.«

»Ich war nicht nur neugierig – ich ... ich ...« Stammelnd suchte ich nach den richtigen Worten.

»Sag bloß, die Sache mit dem Herbstball hat dich überzeugt?«

»Haha.«

»Was war es dann?«, wollte er wissen.

»Ich dachte, ihr braucht meine Hilfe«, sagte ich mit fester Stimme. »Gegen diesen gefährlichen Dämon, vor dem ihr solche Angst habt.«

»Und ich dachte, du glaubst nicht an Dämonen?«

»Eben! Deshalb bin ich ja auch die Richtige dafür. Jetzt mal ehrlich, Henry, glaubst du denn an diesen Dämon? In echt, meine ich?«

»In echt?« Er hatte die Tür geöffnet, und hinter ihm konnte ich das diffuse Licht des Korridors erkennen. Aber jetzt ließ er die Eidechse los und war mit ein paar Schritten wieder bei mir. Ehe ich reagieren konnte, hatte er sich zu mir hinuntergebeugt und mich auf den Mund geküsst. Es war kein besonders langer Kuss, eigentlich nicht viel mehr als eine ganz zarte Berührung seiner Lippen, trotzdem schloss ich meine Augen, es war wie ein Reflex, gegen den ich mich nicht wehren konnte.

Als ich sie einen Schmetterlingsflügelschlag später wieder öffnete, war Henry schon zurück auf der Türschwelle. Weit weg von mir.

»Was echt ist und was nicht, das kann man in dieser Sache nur schwer unterscheiden«, sagte er. »Und ja – ich glaube, dass es hier nicht mit rechten Dingen zugeht. Aber das muss ja nicht unbedingt schlecht sein.« Und damit ließ er die Tür sanft hinter sich ins Schloss fallen und war verschwunden.

21

»Das Buffet wird einen Querschnitt durch alle Spezialitäten der damaligen Kolonien bieten, und sie werden über der Tanzfläche Herbstlaubkonfetti von der Decke rieseln lassen.« Persephone nahm einen Schluck von ihrem Mineralwasser, um sich die Kehle zu befeuchten. Das hatte sie auch dringend nötig, denn seit einer Viertelstunde schwärmte sie ununterbrochen von den streng geheimen Überraschungen, die der Herbstball für seine Gäste bereithalten würde. Bis jetzt war allerdings noch nichts wirklich Überraschendes dabei gewesen. Trotzdem hingen die beiden Mädchen, die mit uns am Tisch in der Cafeteria saßen, wie gebannt an Persephones Lippen. Ich hatte ihre Namen vergessen, gut möglich, dass sie sie mir auch noch gar nicht verraten hatten, in Gedanken nannte ich sie deshalb der Einfachheit halber Himpelchen und Pimpelchen.

»Nicht zu fassen, dass du da jetzt schon zum zweiten Mal hingehen darfst«, sagte Himpelchen. »Du hast ja so ein Glück.«

»Das hat mit Glück nichts zu tun.« Persephone bedachte mich mit einem verschwörerischen Lächeln. »Stimmt's, Liv?« Ihr Blick wanderte zwei Tische weiter, wo sich Florence und

Emily niedergelassen hatten. Und der Junge mit der unreinen Haut, den ich aufgrund seiner Ähnlichkeit mit Emily ganz richtig als ihren Bruder Sam identifiziert hatte, laut Persephone meine Fahrkarte ins Paradies. Ich versuchte deshalb schon die ganze Zeit, mich hinter Pimpelchens breitem Rücken zu verstecken, damit sie mich nicht entdeckten und Florence auf die Idee kam, uns einander vorzustellen. Und ich hoffte sehr, dass sie vor uns mit dem Essen fertig sein würden, denn wir mussten zwingend an ihrem Tisch vorbei, um das Tablett abzugeben.

»Man darf nicht auf den Prinzen auf seinem weißen Pferd warten, sondern muss seine Beziehungen nutzen«, fuhr Persephone fort. »Und man darf auf keinen Fall zu anspruchsvoll sein, was den Ballpartner angeht. Ich war beispielsweise letztes Jahr mit Ben Ryan dort ...«

»Ist der nicht schwul?«

»Richtig. So etwas muss einem egal sein, wenn man als Mittelstufler auf diesen Ball will. Mein diesjähriger Ballpartner ist auch nicht meine erste Wahl, wisst ihr, Gabriel kaut an seinen Fingernägeln, und er hat diese Hände, groß wie Klodeckel, aber er ist auf jeden Fall besser als gar kein Ballpartner. Das muss man nämlich pragmatisch betrachten, nicht romantisch. Versteht ihr? Was nicht heißt, dass man nicht nach Höherem streben darf – träumen ist erlaubt.«

Himpelchen und Pimpelchen nickten ehrfürchtig. »Aber

es hat nun mal nicht jeder eine Schwester im Ballkomitee«, sagte Himpelchen.

»Und uns fragt ja keiner.« Pimpelchen rührte traurig in ihrem Tiramisu.

»Nun, wahrscheinlich nicht«, stimmte Persephone zu. »Aber ich werde euch alles berichten. Und Fotos zeigen. Das Paar-Foto-Shooting wird übrigens dieses Jahr in einer stilechten, viktorianischen Kulisse stattfinden und hinterher in Sepia ausgedruckt. Man wird dadurch auf den Bildern wie eine authentische Figur aus einem Oscar-Wilde-Roman wirken, Jane Eyre oder so.«

»Oh, wie unglaublich romantisch«, hauchte Himpelchen. »Ich meine natürlich, ganz pragmatisch betrachtet.«

»›Jane Eyre‹ ist nicht von Oscar Wilde. Aber ›Das Gespenst von Canterville‹«, murmelte ich. »Auch *sehr* romantisch.«

Persephone wollte etwas erwidern, sie holte Luft und zeigte mit dem Löffel auf mich, aber dann erstarrte sie mitten in der Bewegung und riss die Augen weit auf, ein sicheres Zeichen dafür, dass Jasper in Sichtweite war. Ich hätte mich gern darüber lustig gemacht, aber ich war definitiv die Letzte, die das tun durfte. Denn wo Jasper auftauchte, war meist auch Henry nicht weit, und schon der Gedanke an seinen Anblick ließ mein Herz schneller schlagen.

Ich drehte mich um. Und richtig, Jasper, Arthur, Henry und Grayson hatten soeben die Cafeteria betreten, und wie üblich zogen sie alle Blicke auf sich. Es musste schrecklich sein, so angestarrt zu werden. Aber wieso mussten sie denn auch immer alle zusammen aufkreuzen und diese Gleichschrittnummer abziehen? Oder wie jetzt ausgerechnet an der sonnigsten Stelle im Raum stehen bleiben und sich suchend umschauen, so dass ihre Haare in allen Schattierungen von blond aufleuchteten? Damit auch der letzte Depp merkte, wie gut sie aussahen?

Über mich glitten ihre Blicke genauso flüchtig hinweg wie über jeden anderen im Raum, ich war nicht mal sicher, ob sie mich überhaupt wahrnahmen in diesem Meer aus Schuluniformen und Köpfen. Als würde uns nichts verbinden. Als hätte dieses Gespräch im Kino niemals stattgefunden. Als hätte ich es nur geträumt.

Den ganzen Sonntag hatten Mum, Mia, Lottie, Ernest und ich mit Sightseeing verbracht, wie ganz gewöhnliche London-Touristen. Big Ben, Tower, St Paul's, Hyde Park, Buckingham Palace, Millennium Bridge und das verdammte Riesenrad – Ernest hatte uns überallhin geschleppt und gefühlte zwei Millionen Fotos von uns geschossen. Grayson und Florence waren nicht mit von der Partie gewesen, verständlich, sie wohnten ja schon ihr ganzes Leben lang in dieser Stadt. Florence war allerdings abends mit in die »Hamlet«-Vorstellung im Globe Theatre gegangen, die den Touristentag abschließen sollte, und sie hatte mir die ganze Aufführung verdorben, weil sie neben mir saß und den Text halblaut mitsprach, wenn es spannend wurde. Wie sich herausstellte, hatte sie in der letzten Schulaufführung die Ophelia gespielt. Na klar, die schönste Ophelia aller Zeiten. Ich brachte es aber nicht mehr fertig, sie zu hassen, seit ich wusste, dass ihre Mutter an Huntington gestorben war. Und wie schrecklich musste es gewesen sein, nicht zu wissen, ob sie und Grayson das Gen in sich trugen? Als Hamlet »Es gibt mehr Dinge zwischen Himmel und Erde, als Eure Schulweisheit sich erträumen lässt« sagte, musste ich heftig nicken. Wie wahr, wie wahr.

Alles in allem war es ein schöner Tag gewesen, auch wenn ich lieber Highgate besichtigt hätte oder durch Notting Hill geschlendert wäre, aber das konnte man ja noch nachholen – ohne Ernest. Die Stunden waren nur so verflogen, ich hatte kaum Zeit gehabt, über Dämonen, Wünsche, Träume und Küsse nachzudenken, geschweige denn, übersichtliche Schaubilder zu erstellen. Hundemüde war ich nach »Hamlet« (»Der Rest ist Schweigen.«) ins Bett gekippt und hatte wunderbar geschlafen, nicht ganz traumlos zwar, aber tief und fest und mit der Gewissheit, dass niemand mehr durch die grüne Tür gelangen konnte, wenn ich es nicht wollte. Auch Henry nicht, dessen Haar dort drüben in der Sonne glänzte wie flüssiger Waldhonig.

Oh nein, hatte ich das gerade wirklich gedacht? Flüssiger Waldhonig – *hallo?* Ich biss mir beschämt auf die Unterlippe und war einmal mehr dankbar, dass niemand meine Gedanken lesen konnte.

Immerhin atmete ich einigermaßen normal, was man von Persephone nicht behaupten konnte. Erst als meine Dämonenbeschwörer sich zu Florence und Emily an den Tisch gesetzt hatten, löste sich Persephones Erstarrung. Sie holte tief Luft. »Wie gesagt – träumen ist erlaubt«, wiederholte sie dann, als wäre nichts gewesen. »Aber man muss Realist bleiben.«

Himpelchen seufzte sehnsüchtig. »Dieser Arthur Hamilton ist so unglaublich schön! Ich kriege jedes Mal eine Gänsehaut, wenn ich ihn sehe. Aber Henry Harper ist auch total süß. Und sexy.«

»Er wäre noch süßer, wenn er mal was mit seinen Haaren machen würde«, sagte Persephone. »So wie Jasper – der ist immer perfekt gestylt. Ich finde überhaupt, Jasper sieht von den vieren am männlichsten aus. Irgendwie erwachsen.«

»Ja, und so benimmt er sich auch«, murmelte ich.

»Ich finde Grayson am hübschesten«, sagte Pimpelchen. »Gleich nach Arthur, meine ich. Er guckt immer so lieb, und er hat total schöne braune Augen.«

»Ja, das stimmt. Wie dunkles Karamell«, sagte ich und zuckte im gleichen Moment zusammen. Oh Gott, ich musste hier weg – dieses Geplapper war ansteckend. Abrupt schob ich meinen Stuhl zurück und stand auf. »Ich hab ganz vergessen, dass ich meiner Schwester noch was Wichtiges ... äh ... – wäret ihr so lieb und würdet mein Tablett nachher für mich wegbringen? Danke.« Ohne eine Antwort abzuwarten, trat ich die Flucht an mit einem weiten Umweg, einem Riesenbogen um den Tisch, an dem Henry und die anderen saßen.

Mia staunte nicht schlecht, als ich in der Cafeteria der Unterstufe auftauchte und mich an ihren Tisch fallen ließ. Nicht ohne Besitzerstolz in der Stimme stellte sie mich ihrer Sitznachbarin vor, Daisy Dawn.

Daisy Dawn war hocherfreut, mich kennenzulernen. Wo ich doch Mias Schwester war und im Tittle-Tattle-Blog so häufig Erwähnung fand.

»Wir reden gerade über den Herbstball«, teilte sie mir mit leuchtenden Augen mit. »Lacey sagt, dass sie von Hannah gehört hat, dass Anabel Scott extra für den Ball aus der Schweiz kommen wird. Damit Arthur nicht mit einem anderen Mädchen hingehen muss. Ich bin so gespannt, was sie dieses Jahr für ein Kleid tragen wird – das letzte war dunkelrot, mit Samt, total schön.«

Ich stöhnte. Das durfte doch nicht wahr sein. Die Seuche hatte längst um sich gegriffen.

»Okay, ich muss dann mal wieder los. War nett, dich mal kennenzulernen, Daisy Dawn.«

Noch in der Cafeteria und mit Mias verdutztem Blick im Rücken verfiel ich in Laufschritt, im Gang begann ich zu rennen. Ein bisschen atemlos kam ich schließlich bei meinem Spind an und gab den vierstelligen Code ein, mit dem sich das Schloss öffnen ließ. Der kleine Sprint hatte mir gutgetan, die Zuckerwatte hatte sich aus meinem Gehirn verzogen.

»Vier, drei, zwei, eins? Keine besonders sichere Kombination, würde ich sagen.« Ich fuhr herum. Henry! War er nicht eben noch in der Cafeteria gewesen?

»Nur zu! Raub mich aus«, sagte ich schnell, bevor ich rot werden oder irgendwas Schwülstiges über graue Augen oder Waldhonighaare denken konnte. »Wir hätten da ein wahnsinnig wertvolles Mathebuch über Funktionen und Gleichungen, ein Paar Turnschuhe Größe 38 und ein museumsreifes Handy, von dem ich mir schon seit Jahren wünsche, dass es jemand klaut.«

Als Henry lachte, zog sich meine Magengegend zusammen. Er bekam so süße Kringel in den Mundwinkeln, wenn er lachte, und er hatte übrigens auch schöne Zähne, und es war mir ein Rätsel, wie ich jemals hatte denken können, seine Nase sei zu lang. Und diese unglaublich faszinierenden Augen …

»Geht es dir gut?«, erkundigte er sich angelegentlich.

»Bestens«, sagte ich und gab mir in Gedanken eine kräftige Ohrfeige.

»Und was ist nicht gewiss?«

Ha! »Das wüsstest du wohl gern, was?« Henry musste vergangene Nacht versucht haben, durch meine grüne Tür in meine Träume zu gelangen – das würde auch die dunklen Schatten unter seinen Augen erklären. Ich grinste schadenfroh. *Was ist nicht gewiss?* Diese Frage war Bestandteil der Barrieren, mit der ich die Tür gesichert hatte. Und zwar viel phantasievoller, als Henry mit seinen langweiligen Schlüsseln und mit einem deutlich höheren Schwierigkeitsgrad als bei Grayson. Nur wer die richtige Antwort kannte, durfte passieren.

Henry lächelte. »Ja, das wüsste ich furchtbar gern. Aber ich bin froh, dass du meinen Rat befolgt hast. Sehr wirkungsvolle Barriere. Jedenfalls bei mir.«

»Nicht nur bei dir«, sagte ich selbstsicher.

»Stammt es aus einem Gedicht? Shakespeare, vielleicht?«

»Nein«, sagte ich. »Viel schwieriger. Shakespeare kann doch jeder dahergelaufene Dämon googeln.«

»Hm.« Henry zog die Stirn kraus. »Ich liebe Rätsel.«

Genau wie ich.

Wir schwiegen einen Moment. »Apropos«, sagte Henry dann, »ich soll dir übrigens ausrichten, dass wir uns am Samstag bei Jasper treffen, um deine Aufnahme in den Zirkel zu vollziehen. Seine Eltern sind übers Wochenende verreist.«

Am Samstag schon? »Ich dachte, das geht nur an Neumond.« Ich verkniff mir die anderen Fragen, die sich zeitgleich über meine Lippen drängen wollten. (Tut das weh? Ist es schlimm, dass ich kein Blut sehen kann? BIN ICH EIGENTLICH WAHNSINNIG?)

»Nein, Samstag ist ein guter Tag dafür. Es sei denn, du überlegst es dir noch anders.«

Ich schüttelte langsam den Kopf. »Schiffe sind nicht dafür gemacht, im Hafen zu liegen«, zitierte ich Mr Wu.

»Fein«, sagte Henry. »Dann sehen wir uns am Samstag.«

»Ja, *das* ist gewiss«, erwiderte ich, um ihn zu ärgern.

»Oh, wie gemein. Kannst du mir nicht wenigstens einen kleinen Hinweis geben?«

In diesem Augenblick klingelte es. Die Mittagspause war vorbei. Noch mehr Schüler drängelten sich in den Gang, das Stimmengewirr wurde lauter, Spindtüren wurden geöffnet und zugeknallt.

»Ein Hinweis? Na gut.« Ich musste zugeben, das hier machte Spaß. »Mal überlegen … die Antwort muss auf Deutsch erfolgen. Hilft dir das weiter?«

»Nein, nicht wirklich.« Henry kaute grübelnd auf seiner Unterlippe herum. »Deutsch, also. Deshalb auch dieses Dirndl … Oh, hi, Florence. Emily. Und Sam. Schon wieder.«

Oh nein, ich musste weg. Auch wenn Sam von nahem gar nicht so picklig aussah, wie ich gedacht hatte.

Florence zauberte ein Lächeln in ihr Gesicht, ich staunte, wie professionell sie das konnte. »Hallo, Liv, wie schön, dass ich dich hier treffe. Das sind Sam und Emily.«

»Ich bin Sams Schwester«, ergänzte Emily. »Und Graysons Freundin. Freut mich, dich kennenzulernen. Am Samstag auf der Party sind wir irgendwie gar nicht dazu gekommen.«

Richtig, erst hast du rumgeknutscht, als gäbe es kein Morgen, und dann habe ich deinem Freund und seinen Freunden versprochen zu helfen, einen Dämon aus der Unterwelt zu befreien.

Sam sagte gar nichts. Er guckte nur unbehaglich. Henry hingegen machte einen ausgesprochen amüsierten Eindruck.

»Sam ist sechzehn. Und wahnsinnig schlau«, sagte Florence.

»Ja, sein IQ liegt fünfzehn Punkte über meinem. Und mich hat man schon als hochbegabt eingestuft«, sagte Emily.

Ach du Scheiße.

»Er hat zwei Klassen übersprungen und macht im Sommer seinen Abschluss.« Eine Mutter hätte nicht stolzer klingen können als Florence. »Und dann – wo wirst du noch mal studieren, Sam?«

»Harvard«, sagte Sam und guckte noch unbehaglicher.

»Ach, *so* ein Zufall!«, flötete Florence. »Liv ist nämlich zur Hälfte Amerikanerin, und soviel ich weiß, kommt ihre Familie aus der Gegend um Boston, richtig?«

»Ähm, ja. Meine Großeltern und meine Tante Gertrude leben dort.« Ich klappte die Tür meines Spinds zu. »Ich hab's leider eilig, ich muss hoch in den dritten Stock.«

»Ach, wie praktisch, da müssen wir auch hin«, sagte Emily.

Mist, verdammter. Ich blieb wie angewurzelt stehen. Kurz ging mein Blick hinüber zu Henry, der sich mit seinem Rücken an den Spind gelehnt hatte und gespannt zuhörte. Na toll. Sollte ich es mit dem Klo-Klassiker versuchen? Dahin würden sie mir ja wohl nicht folgen. Zumindest nicht alle.

Florence hakte sich bei mir ein. »Auf dem Weg nach oben kann Sam dich dann auch gleich was fragen. Los, frag sie, Sam.«

Oh nein, das ging viel zu schnell. Vielleicht sollte ich mich losreißen und einfach davonlaufen? Pickel-Sam mochte zwar schlau sein, aber besonders sportlich sah er nicht aus. Nie im Leben würde er mich einholen.

Andererseits tat er mir auch ein bisschen leid, es musste schrecklich sein, so von seiner Schwester und ihrer Freundin herumkommandiert und gezwungen zu werden, mit einem wildfremden Mädchen auf einen bescheuerten Ball zu gehen. Die Mädchen in seiner Stufe waren alle älter als er und daher vermutlich nicht so scharf darauf, seine Tanzpartnerin zu werden. Und dann auch noch das Hautproblem ... Armer Sam.

Ich versuchte ein kleines Lächeln in seine Richtung. Vielleicht wollte er mich ja nur was ganz Harmloses fragen, zum Beispiel, ob ich das Mittagessen gut fand oder ob ich auf Buchstabierwettbewerbe stand oder was meine Lieblings...

»Möchtest du mit mir auf den Ball gehen?«, fragte Sam.

Nein! Nein, nein, nein, nein, nein.

Ich schloss versuchsweise einmal kurz die Augen, aber das half gar nichts. Der arme Kerl stand immer noch vor mir und sah aus, als würde er gleich im Boden versinken. Was würde er erst tun, wenn ich nein sagte? Weinen? Weglaufen? Sich einen Strick nehmen? Was zur Hölle sagte man überhaupt in so einer Situation? »Ähm. Das ist wirklich sehr … nett von dir …«, stammelte ich und suchte verzweifelt nach weiteren Worten, während Florence und Emily mich erwartungsvoll anschauten. Was Henry tat, wusste ich nicht, ich vermutete, dass er schadenfroh grinste.

Ich *hasste* Florence. Das hier war allein ihre Schuld. Ich meine, ich hatte mich doch klar genug ausgedrückt, was den Ball anging. Lieber eine Wurzelbehandlung ohne Betäubung, hatte ich gesagt, oder nicht?

»Ich weiß«, sagte Sam.

Ich weiß? Bitte? »Was weißt du?«

»Dass ich nett bin«, sagte Sam. »Du bist in der Mittelstufe … ich könnte so ziemlich jedes Mädchen aus der Mittelstufe fragen, aber Florence dachte, das mit uns wäre eine gute Idee, so eine Art Familiending. Also – gehst du mit mir auf den Ball?«

Ich öffnete den Mund (das heißt, eigentlich musste ich ihn gar nicht mehr öffnen, denn er stand schon offen), aber bevor ich etwas sagen konnte, hatte Henry das Wort ergriffen.

»Obwohl das ein wirklich wahnsinnig romantischer und total unwiderstehlicher Antrag war, muss Liv da leider passen«, sagte er.

Das war allerdings sehr viel eleganter, als das schroffe »Nein!«, das mir auf der Zunge gelegen hatte.

»Henry!« Florence ließ mich los und funkelte ihn aufgebracht an. »Misch dich nicht ein. Natürlich geht Liv mit Sam zum Ball. Wir haben das genau ...«

»... geplant, ja, da bin ich sicher.« Henry trat an meine Seite. »Aber Liv kann nicht mit Sam zum Ball gehen, weil sie schon mit mir hingeht.« Er zwinkerte mir zu. »Stimmt's, Liv?«

Wieder ruhten alle Blicke auf mir.

»Ja«, sagte ich. »Das stimmt.«

»Das glaube ich nicht«, sagte Florence. »Ihr kennt euch doch überhaupt nicht.«

»Na ja, Sam hat sie bis gerade eben ja auch noch nicht gekannt«, sagte Henry.

»Du hasst solche Veranstaltungen, Henry. Letztes Jahr warst du auch nicht da.«

»Na, dann wird es ja höchste Zeit«, sagte Henry. »Das ist schließlich mein letztes Jahr auf der Frognal Academy. Meine letzte Chance, so einen wundervollen Frack anzuziehen und Walzer mit Hebefiguren zu tanzen ...«

»Aber ...« Florence wandte sich mir zu. »Wieso hast du denn gestern Abend nichts davon gesagt, Liv?«

Ich versuchte, ihrem bohrenden Blick standzuhalten. »Ich konnte doch nicht wissen, dass du derartige Pläne schmiedest ... tut mir echt leid.«

»Hm.« Florence wirkte zwar immer noch misstrauisch, aber Emily sah aus, als würde sie gern jemanden erwürgen. Mit bloßen Händen. Sam hingegen wirkte gefasst bis gleichgültig. Ich überlegte, ob ich ihm zwei wirklich nette Mädchen empfehlen sollte, die bestimmt nicht nein sagen würden, aber mit den Namen Himpelchen und Pimpelchen würde er wohl nicht weit kommen.

»Wir gehen«, sagte Emily und zog Sam am Ärmel fort. »Ich habe gleich gesagt, das ist eine dumme Idee.«

Florence folgte den beiden, nachdem sie uns einen letzten prüfenden Blick zugeworfen hatte. »Hast du nicht!«, hörten wir sie noch sagen.

Ich atmete auf. »Das war knapp«, sagte ich und schaute in Henrys lachende graue Augen. »Danke!«

»Nichts zu danken, Käsemädchen. Verrätst du mir denn jetzt, was nicht gewiss ist?«

»Nein! Aber weil du gerade so nett warst, gebe dir noch einen kleinen Hinweis«, fügte ich hinzu und senkte meine Stimme zu einem geheimnisvollen Raunen. »Es geht um jemanden namens Hans.«

Und dann musste ich wieder rennen, um noch rechtzeitig zum Erdkundeunterricht zu kommen.

22.

Am darauffolgenden Samstag zogen wir bei den Finchleys aus und bei den Spencers ein. Keine große Sache, um ehrlich zu sein. Ernest hatte ursprünglich drei Tage für den Umzug eingeplant. Er hatte einen neuen Akkuschrauber und eine neue Bohrmaschine gekauft, Mrs Dimbleby für die Verpflegung sowie seinen Bruder Charles »fürs Grobe« engagiert, einen LKW gemietet und alles generalstabsmäßig durchorganisiert. Erst als Mum ihm unsere eingelagerten Habseligkeiten zeigte, war ihm klargeworden, dass es für die paar Kartons reichte, zweimal mit Charles' Kombi hin- und herzufahren. Und dass wir weder Gemälde noch Möbel besaßen, für deren Montage man Akkuschrauber oder Bohrmaschine benötigte, und auch sonst nichts, das eine generalstabsmäßige Planung rechtfertigte. Ich fragte mich, was er erwartet hatte: Wir hatten immer nur möbliert gewohnt und gelernt, unsere Zuneigung nicht an Gegenstände zu hängen, die größer waren als ein Buch. (Von meiner Gitarre und einem Teddybären namens Mr Twinkle mal abgesehen.)

Außerdem waren wir ausgesprochen umzugserfahren und routiniert, wenn es um das Auspacken von Kisten ging. Noch vor dem Mittagessen hatten all unsere Besitztümer ihren Platz gefunden, der Dreck war beseitigt, und Mum sagte, was sie immer sagte, wenn sie die Bücherregale fertig eingeräumt hatte: »Zu Hause ist da, wo deine Bücher sind.«

Ernest guckte ziemlich verwirrt aus der Wäsche. Seinem generalstabsmäßigen Plan zufolge hatte es nach der Stärkung mit Mrs Dimblebys Shepherd's Pie erst richtig losgehen sollen. Stattdessen machten alle Feierabend. Bis auf Grayson, der musste in die Schule, weil die Frognal Flames heute ihr Saison-Auftaktspiel bestreiten mussten. Mum schlug vor, den freien Nachmittag zu nutzen und als Zuschauer in die Halle zu gehen, um Grayson anzufeuern. Sie war in ihrer Jugend bei den Cheerleadern gewesen und hätte es toll gefunden, wenn Mia und ich diesbezüglich in ihre Fußstapfen treten würden. Als sie hörte, dass es an der Frognal Academy gar keine Cheerleader gab, war sie entsetzt, murmelte etwas von »emotionslosen Briten« und verfolgte ihren Plan nicht weiter. Stattdessen gesellte sie sich zu Mrs Dimbleby in die Küche, um ihr das Rezept für den Shepherd's Pie zu entlocken. Nicht, dass Mum wirklich kochen konnte, aber sie erweckte gern den Eindruck. Und der Shepherd's Pie war wirklich gut gewesen, so gut, dass Mia ihre vegetarische Phase kurzerhand für beendet erklärte.

Mrs Dimbleby war um die sechzig, hatte zartrosa getöntes Haar (ein Friseurunfall, wie sie mir versicherte) und war ein bisschen korpulent. Wegen ihres herzlichen Lächelns und der Tatsache, dass sie Buttercup in der Küche mit zarten

Fleischbröckchen fütterte, schloss ich sie gleich in mein Herz.

Mit meinem neuen Zimmer war ich ebenfalls sehr zufrieden. Es war zwar das kleinste der fünf Schlafzimmer im ersten Stock, aber mit sechzehn Quadratmetern immer noch größer als so manches Zimmer, das Mia und ich uns in den letzten Jahren geteilt hatten, und ich fühlte mich auf Anhieb wohl darin. Ich liebte den Holzboden, die Einbauregale und die hell gestrichenen Wände, aber das Beste war die breite, gepolsterte Fensterbank, von der man in den Garten blicken konnte. Der einzige Nachteil war, dass das Zimmer direkt neben dem Master-Bedroom von Ernest und Mum lag. Ich konnte nur hoffen, dass die Wände dick genug waren, um das nachts vergessen zu können. Überhaupt hoffte ich sehr, dass Ernest nicht die Angewohnheit hatte, in Unterhosen durch das Haus zu laufen, ich wusste nicht, ob meine Nerven dafür stark genug waren. Zum Master-Bedroom gehörte aber selbstverständlich ein eigenes Badezimmer, Florence, Grayson, Mia und ich mussten uns das Bad teilen, das gleich neben dem Treppenaufgang lag. Obwohl es mit zwei Waschbecken, sowie Dusche und Badewanne ausgestattet war, plädierte Florence für die Aufstellung eines Bad-Plans, damit es nicht zu morgendlichen Engpässen käme, wie sie sich ausdrückte. Da es im Haus genügend Toiletten gab und Lottie unterm Dach über ein eigenes Badezimmer verfügte, machte ich mir um Engpässe keine Sorgen. Sorgen hatte ich nämlich wirklich schon genug. Mal abgesehen davon, dass ich heute Abend zum ersten Mal in meinem Leben einen Dämon beschwören würde, meine ich.

Mum hatte ich erzählt, dass Grayson und ein paar Freunde einen Spiele-Abend veranstalteten und mich dazu eingeladen hatten. Das war ja gar nicht so weit von der Wahrheit entfernt, und solange Mum mich nicht nach der Art des Spiels fragte (»Ach, so eins mit Dämonen und Blut und so«), musste ich nicht mal lügen. Mum hatte natürlich keine Sekunde gezögert, mir die Erlaubnis zu erteilen. Sie wurde nicht müde zu wiederholen, wie wunderbar es doch war, dass meine Mauerblümchen-Ära nun zu Ende sei.

Die Woche war unglaublich schnell vergangen. Gleich am Dienstag hatte der Tittle-Tattle-Blog ganz groß berichtet, dass ich mit Henry zum Ball gehen würde. »Was hat sie, was andere nicht haben? Ist Henry Harper tatsächlich ihrem Charme erlegen, oder wurde er von Grayson genötigt?« Davon, dass Sam mich vorher gefragt hatte, war keine Rede gewesen. Ein weiterer Grund, Emily zu verdächtigen, hinter Secrecy zu stecken. Denn natürlich würde sie nichts schreiben, das ihren Bruder in einem schlechten Licht erscheinen ließ.

Dass die Neuigkeit nun in aller Öffentlichkeit breitgetreten wurde, war das eine, fast schwerer wog allerdings der Umstand, dass Florence Mum von der Sache erzählt hatte. Und die hatte sich erwartungsgemäß vor Freude nicht mehr eingekriegt und sich von ihr sofort zwei Adressen für Läden geben lassen, die angeblich hinreißend schöne Ballkleider verkauften. Jetzt hatte ich ein doppeltes Problem: Donnerstagnachmittag war es Mum nämlich gelungen, mich in einen dieser Läden zu zerren, und richtig: die Ballkleider waren wirklich hinreißend. Vor allem, wenn man auf die Preisschilder sah. Aber Mum hatte Tränen der Rührung vergossen, als ich in einem rauchblauen Tüllmonster vor ihr stand, und ich brachte es nicht über mich, ihr zu erklären, dass das mit dem Ball ein Fake war, weil Henry mich doch nur vor Pickel-Sam hatte retten wollen. Tja, und jetzt wusste ich nicht, wie ich Henry erklären sollte, dass meine Mum ein dreihundert Pfund teures Ballkleid für mich erworben hatte ... Ich hatte ja selber keine Ahnung, wie das hatte passieren können.

Wie ich überhaupt noch Geheimnisse würde haben können, solange ich mit Grayson und Petze Florence unter einem Dach lebte und die Informationen ungebremst in beide Richtungen fließen konnten, war mir ebenfalls ein Rätsel.

Aber es war durchaus auch Gutes passiert in dieser Woche: Ich hatte mich im West-Hampstead-White-Crane-Kung-Fu-Club angemeldet und für eine Fortgeschrittenen-Klasse eingetragen. Die erste Trainingsstunde gestern hatte großen Spaß gemacht, der Lehrer, Mr Arden, war zwar nicht so gut wie Mr Wu, aber dafür ging er verschwenderischer mit Lob um und nervte nicht mit chinesischen Sprichwörtern. Und er legte mehr Wert auf den Aspekt der Selbstverteidigung als auf die von Mr Wu ständig beschworene Einheit von Körper und Geist, und das war genau das, was ich brauchte.

Trotz aller Ablenkung hatte ich mich mit jedem Tag ein bisschen mehr zu fürchten begonnen – in erster Linie, weil ich nicht so recht wusste, was heute Abend auf mich zukam. In Erinnerung an den Friedhofstraum war meine größte Angst, dass ich nicht ernst würde bleiben können, wenn ich schwülstige Sprüche nachsprechen oder Drudenfüße auf den Boden zeichnen sollte. Ich war nicht mehr sicher, ob es wirklich so eine gute Idee gewesen war, dieser Sache zuzustimmen. Nicht, weil ich mich inzwischen vor dem Dämon fürchtete, den es gar nicht gab, sondern weil Menschen, die derartige Rituale ausübten, nun mal einfach kein guter Umgang waren.

Im Schlaf hatte ich mich bewusst vom Korridor ferngehalten. Ich träumte zwar seit der »Hamlet«-Aufführung jede Nacht alberne Theater-Träume, in denen Florence die Ophelia spielte, aber in der Gewissheit, dass niemand meine Traumbarriere überwinden und mir einen Überraschungsbesuch abstatten konnte, hatte ich trotzdem immer ganz gut geschlafen.

Als Grayson am frühen Abend bestens gelaunt von seinem Spiel nach Hause kam, war Florence unterwegs zu einem Ballkomitee-Treffen, und Mum und Ernest waren mit Butter in den Park gegangen. Lottie, Mia und ich nutzten Butters Abwesenheit, um uns mit Spot, dem roten Kater, anzufreunden. Nach dem Vorbild von Mrs Dimbleby bestachen wir ihn mit Fleischstückchen und waren sehr zufrieden, dass er sich von uns streicheln ließ und dabei so laut schnurrte, dass das ganze Sofa zu vibrieren schien.

Mia strahlte Grayson an. »Spot mag uns«, sagte sie stolz.

»Der mag jeden, sogar meine Grandma«, sagte Grayson im Vorbeigehen.

Ich folgte ihm in die Küche. »Und – habt ihr gewonnen?«, erkundigte ich mich.

»Ja. Natürlich.« Grayson schraubte eine Flasche Wasser auf und leerte sie in einem Zug. »Hundertvier zu zweiundsechzig. Wir haben sie *vernichtet*.«

»Ach stimmt ja, ich habe ganz vergessen, dass ihr jedes Spiel gewinnt, weil ihr ja einen Pakt mit einem Dämon geschlossen habt, echt praktisch«, sagte ich, während ich zusah, wie das ganze Wasser in Grayson hineingluckerte. Was war er – ein Kamel? »Ähm, wegen heute Abend ...«

Grayson setzte die Flasche ab. »Du hast es dir anders überlegt«, sagte er erleichtert.

»Nein, hab ich nicht. Ich wollte nur wissen, was ich anziehen soll.«

»Was?« Er verdrehte die Augen. »Lass einfach das an, was du gerade trägst. Das sieht doch prima aus.«

»Nicht dein Ernst, oder?« Ich sah an meinen total verdreckten Umzugsklamotten hinab. Das T-Shirt mit der Aufschrift *Freak out and call Mom* war obendrein mindestens eine Nummer zu klein.

»Es ist doch vollkommen egal, was du anhast«, sagte Grayson. »Seit wann bist du denn so ein *Mädchen*? Die Klamotten sind jetzt wirklich dein geringstes Problem.«

Da hatte er natürlich recht. Ich verwendete trotzdem eine Menge Zeit darauf, mich für den Abend zurechtzumachen. Wenn ich schon ein Date mit einem Dämon hatte, dann wollte ich doch bitte schön auch gut aussehen. Abgesehen von anderen Anwesenden, für die ich gern ein bisschen Aufwand betrieb. Der Trick war allerdings, dass niemand auf die Idee kommen sollte, ich hätte mir besonders viel Mühe gegeben. Immerhin trug ich heute Kontaktlinsen statt Brille. Deshalb wischte ich auch das Lipgloss wieder ab. Zu offensichtlich. Henry sollte sich bloß nichts einbilden.

Je näher der Abend rückte, desto aufgeregter wurde ich, und so richtig konnte ich nicht einordnen, woran das lag. An Henry? Oder eher an der Tatsache, dass nun endlich all meine Fragen beantwortet werden würden? Als Grayson Ernests Mercedes um halb neun vor dem hübschen Reihenhaus von Jaspers Eltern in der Pilgrim's Lane parkte, merkte ich jedenfalls zu meinem eigenen Entsetzen, dass ein gar nicht so kleiner Teil von mir begonnen hatte, sich auf den Abend zu freuen.

Der wahnsinnige Teil, vermutlich.

23.

Das Buch sah lange nicht so alt aus, wie ich es mir vorgestellt hatte, und auch nicht so dick. Es war nicht viel mehr als eine Kladde mit abgegriffenen Kanten und vergilbten Seiten. Wer immer dort die Anweisungen zur Befreiung des Dämons aus der Unterwelt hineingeschrieben hatte, hatte das nicht im finsteren Mittelalter mit einer angespitzten Krähenfeder getan, sondern sehr viel später. Vielleicht sogar mit Kugelschreiber – aber das konnte ich wegen des Kerzenlichts nicht mit Sicherheit sagen. Das Siegel, das die letzten Seiten des Buches zusammenhielt, wirkte allerdings sehr alt und kostbar. Und es war blutrot, wie es sich gehörte, genauso wie die Reste der bereits gebrochenen Siegel, die noch an den Seiten hingen.

»Es ist eine Abschrift aus den siebziger Jahren«, sagte Arthur, als habe er meine Gedanken gelesen.

»Aha«, erwiderte ich. »Und es stand einfach so bei Anabel zu Hause im Bücherregal?«

»Natürlich nicht«, sagte Arthur. »Sie hat es in einem alten Sekretär gefunden, einem Erbstück.«

»Natürlich«, sagte ich. In einem alten Sekretär, na klar. Vermutlich in einem Geheimfach, zusammen mit einem magischen Ring und einem Brief vom Weihnachtsmann.

»Und – hast du dir einen Wunsch überlegt, Liv?«

Der Herzenswunsch, ja. Ich musste zugeben, dass das ein Detail dieser Dämonenbeschwörungskiste war, das ich wirklich knifflig fand. Die letzten Tage hatte ich versucht, die Geschichte mit Graysons Wunsch und der Huntington-Krankheit zu verdrängen. Aber jedes Mal, wenn ich Grayson gesehen hatte, war mir wieder eingefallen, was er mir erzählt hatte, und jedes Mal hatte ich eine Gänsehaut bekommen. Auch wenn es eine absolut wasserdichte und logische Erklärung dafür gab, nämlich die Wahrscheinlichkeitsrechnung, konnte ich nicht …

»Liv?«

Ich nickte hastig. »Ja, ich weiß, was ich mir wünschen werde.«

Henry hatte sich wie üblich mit dem Rücken an ein Bücherregal gelehnt und die Arme verschränkt. Jaspers Mutter schien eine Vorliebe für pastellfarbene Liebesromane zu hegen, und es irritierte mich sehr, gleich neben Henrys Kopf Titel zu lesen wie »Küss mich, Rebell!« und »Lass mich in deinen starken Armen sterben«. Am besten sah ich gar nicht mehr hin.

Das Wohnzimmer der Grants war (von den Büchern mal abgesehen) durchaus geschmackvoll eingerichtet, jedenfalls wenn man sich die Möbel und Teppiche am richtigen Platz vorstellte – sie waren an die Wand gerückt worden, damit jemand – Arthur? – mit Kreide einen riesigen Drudenfuß auf den dunklen Holzboden hatte zeichnen können. Die geheimnisvollen, irgendwie kantigen Zeichen, die den Drudenfuß umrahmten, waren mir völlig fremd.

Der Raum wurde durch Kerzen erleuchtet, die auf zwei Kommoden, dem Sideboard und den Fensterbänken standen, einige davon für meinen Geschmack etwas zu nahe an den Vorhängen. Jasper und Grayson waren damit beschäftigt, weitere Kerzen anzuzünden, die sie auf den Tischen verteilten. Aber gruselig war die Atmosphäre dadurch nicht. Das konnte auch an den vielen gerahmten Fotografien liegen, von denen einen Jasper und sein großer Bruder als Babys und Kleinkinder anstrahlten. Meine Güte, die waren ja echt knuffelig gewesen ...

»Überleg dir sehr genau, wie du deinen Wunsch formulierst«, sagte Arthur, den Blick in das Buch gesenkt. »Denn man wird ihn dir *genauso* gewähren ... Und je komplizierter er ist, desto länger wird es dauern, das solltest du vielleicht auch noch wissen.«

»Wie lange hat es gedauert, bis dein Wunsch in Erfüllung ging?« Obwohl ich die Frage ganz beiläufig gestellt hatte, hatte ich den Eindruck, dass alle im Raum kurz die Luft anhielten, um Arthur anzuschauen.

Aber der schien das gar nicht zu bemerken. »Wir wahren Stillschweigen über unsere Wünsche«, sagte er, ohne vom Buch aufzublicken. Ah, er war bereits in den Schwulst-Modus übergegangen. Das sollte ihm vielleicht mal jemand sagen: Er sah zwar wunderschön aus im Licht der Kerzen, aber diese Sprechweise war absolut nicht sexy. »Das ist allein eine Abmachung zwischen dir und dem Schattenfürsten.«

»Verstehe.« Mein Blick wanderte zu Henry hinüber, doch ich musste sofort wieder wegschauen, weil er seinen Kopf leicht schräg gelegt hatte, so dass gleich über seinem Ohr in pinkfarbenen Buchstaben »Wildes Begehren« zu lesen war. Oh, Gott, ich hasste Mrs Grants Buchgeschmack. Wieso konnte sie nicht Thriller sammeln?

»Die Formeln, die du gleich nachsprechen sollst, sind größtenteils auf Latein«, fuhr Arthur fort. »Wir sollten also kurz ihre Bedeutung durchgehen, damit du gleich während der Zeremonie nicht danach fragen musst.« Er strich leicht über den Einband des Buches. »Es ist nicht viel. Im Wesentlichen schwörst du dem Herrn der Schatten deine Treue, bis dass das letzte Siegel gebrochen wird, und das schwörst du bei deinem Blut.«

»Im Wesentlichen«, wiederholte ich.

»Bei deinem jungfräulichen Blut«, spezifizierte Arthur. »Du bestätigst, Jungfrau zu sein und zu bleiben, bis das letzte Siegel gebrochen ist.«

»Und wann genau wird das der Fall sein? Ich meine, das mit dem letzten Siegel?«

»Das wird der Gebieter der Nacht uns rechtzeitig wissen lassen.«

Ich zog meine Augenbrauen in die Höhe. »Geht's vielleicht auch ein bisschen genauer? Ich möchte nicht wie meine Tante Gertrude enden.«

Ich hätte schwören können, Henry kichern zu hören, aber als ich zu ihm hinsah, betrachtete er eingehend seine Hände.

»Ich meine, nicht, dass ich es eilig hätte«, sagte ich schnell. »Ich will nur auf Nummer sicher gehen.«

»Wir denken, dass das letzte Siegel an Halloween gebrochen wird«, antwortete Grayson an Arthurs Stelle. »An dem Tag, an dem alles begann ...« Na wunderbar, jetzt fing er auch noch an, so geschwollen daherzureden. »Hör zu, Liv.« Er griff nach meinem Arm. »Wenn du den Eid leistest, versprichst du, dich an die Regeln zu halten und bis zum Ende mitzuspielen.«

Ja doch, wollte ich sagen, aber seine Ernsthaftigkeit und sein Blick hielten mich zurück.

»Ich möchte, dass du das wirklich verstehst.« Er schaute hinüber zu Arthur. »Arthur hat vergessen, dieses winzige Detail zu erwähnen, aber im Gegenzug zur Erfüllung deiner Wünsche und der dir verliehenen Macht bietest du dem Dä... – nun ja, dem Herrn der Schatten – ein Pfand. Du versprichst ihm das Liebste und Kostbarste, das du hast, das, an dem dein Herzblut hängt.« Er sah mich an, als erwarte er, dass ich nun alles hinschmeißen und zur Haustür rennen würde.

»Ich hab das nicht vergessen«, verteidigte sich Arthur und wirkte das erste Mal, seit ich ihn kannte, eine Spur nervös. »Ich wollte gerade dazu kommen.«

Plötzlich wurde ich von Mitleid überwältigt. Deswegen waren sie alle noch hier. Weil sie wirklich und wahrhaftig Angst davor hatten, der Dämon könne sein Pfand einlösen, wenn sie mit den Ritualen aufhörten.

»Das Liebste und Kostbarste«, wiederholte Grayson. »Wenn du es dir also anders überlegst ...«

Ich schüttelte den Kopf. Ich verstand, dass Grayson mir Angst machen wollte und es nur gut meinte, aber wenn ich jetzt ausstieg, war niemandem geholfen. Abgesehen davon, dass ich dann nie erfahren würde, was hinter all dem steckte.

Und was die Sache mit dem Pfand anging: So überraschend und niederträchtig war das nun auch wieder nicht. Wie sollte der Dämon die Leute denn sonst bei der Stange halten? Immerhin erfüllte er im Gegenzug Herzenswünsche und verlieh unermessliche Macht, und er war ein *Dämon*, herrje, kein Engel – was hatten sie denn erwartet? Am liebsten hätte ich das laut gesagt, aber das wäre vielleicht ein bisschen zu weit gegangen. Ich fing doch jetzt nicht an, einen Dämon zu verteidigen, den es gar nicht gab.

»Sonst noch was, das ich wissen müsste?«, fragte ich stattdessen. *Es gab keine Dämonen* – das war der Gedanke, an dem ich mich festhalten musste: Weil Dämonen nicht existierten, konnten sie einem auch nichts nehmen, egal, was man ihnen auch versprach. Basta.

Grayson schüttelte resigniert den Kopf. Er ließ meinen Arm los.

»Dann lasst uns beginnen. Es ist alles bereit«, sagte Arthur salbungsvoll und wies auf den kleinen Tisch in der Mitte des Drudenfußes. Darauf waren ein Kelch, Papier, Stift und ein Messer angeordnet.

Ein ziemlich großes Messer, wie ich fand.

Grayson, der meinem Blick gefolgt war, sagte: »Das Jagdmesser von Arthurs Vater, handgeschmiedet.«

»Dreihundertfünfzig Lagen wilder Damast«, ergänzte Jasper, der bisher überraschend still gewesen war. Nicht mal Drinks hatte er gemischt. »Scharf wie ein Skalpell.«

Ich schluckte.

»Je schärfer das Messer, desto geringer der Schmerz«, sagte Henry.

Das sollte mich wohl aufmuntern. »Sagte ich schon, dass ich kein Blut sehen kann?«, fragte ich.

»Ich auch nicht.« Jasper pustete das Streichholz aus, mit dem er die letzte Kerze angezündet hatte. »Ich mache einfach immer die Augen zu, das solltest du auch tun.«

»Stellt euch nun im Kreis auf, Brüder und Schwestern«, forderte Arthur.

Ich biss mir auf die Lippe. Das letzte Mal im Kreis aufgestellt hatte ich mich im Kindergarten. *Es tanzt ein Bi-Ba-Butzemann in unser'm Kreis herum …* Aber dann fiel mein Blick auf das Messer, und das Lachen, das aus mir herausblubbern wollte, verzog sich wieder.

»Fünf haben das Siegel gebrochen, fünf haben den Eid geleistet, und fünf werden das Tor öffnen, wie es geschrieben steht«, sagte Arthur. »Wir sind heute zusammengekommen, um den Kreis wieder vollkommen zu machen und unseren Eid zu erneuern.«

Und dann geschah etwas Merkwürdiges. Wenn man mir das Ganze vorher beschrieben hätte, ich hätte geschworen, dass ich mich vor Lachen am Boden gewälzt hätte. Aber so war es nicht. Ich weiß nicht, ob es an den vielen Kerzen lag oder an dem feierlichen Ernst oder vielleicht doch an Graysons Warnung von vorhin, aber irgendwie hatte ich einen Kloß im Hals, als ich nachsprach, was Arthur mir vorlas. Ich versuchte gar nicht erst zu übersetzen, was ich sagte, ich wusste nur, dass *sanguis* Blut hieß, und das Wort kam mit Abstand am häufigsten vor, in allen Deklinationsformen. Ab und zu mussten auch die anderen etwas nachsprechen, wobei sie dann eher tonlos vor sich hin murmelten, ganz anders als Arthur, der seinen Part in klaren Worten intonierte, so hingebungsvoll, als würde er auf einer Bühne stehen.

Schließlich musste ich an den Tisch treten und meinen Wunsch auf das Blatt Papier schreiben. Obwohl ich ziemlich lange dafür brauchte – ich wollte auf Nummer sicher gehen –, warteten die anderen geduldig, bis ich fertig war. *Ich wünsche mir, dass Dämonen nicht existieren und daher auch niemandem etwas antun können.* Gut, das war vielleicht nicht brillant, aber unter diesen Umständen trotzdem ziemlich schlau. Weil es ein Paradoxon war, jedenfalls für den unwahrscheinlichen

Fall, dass es den Dämon wirklich gab. Und mit Paradoxa konnte man übelwollenden, übersinnlichen Mächten immer beikommen, das wusste ich aus der einschlägigen Literatur.

Arthur hielt das zusammengefaltete Blatt in die Flamme einer Kerze und las einen lateinischen Satz aus dem Buch vor, während das Papier brannte und die Aschefetzen zu Boden schwebten.

Und dann war es auch schon vorbei. Viel schneller, als ich gedacht hatte, gingen wir zum unangenehmen Teil des Abends über.

»So schwören wir dir die Treue, dir, der du tausend Namen trägst und in der Nacht zu Hause bist«, sagte Arthur und reichte mir feierlich den Dolch. »Und das besiegeln wir mit unserem Blute.«

Ich hielt den Dolch unschlüssig in die Höhe. Wieso musste mir ausgerechnet jetzt dieser Schüttelreim durch den Kopf gehen? *Bist du deine Mutter leid, so halte einen Dolch bereit . . .*

»Wo genau?«, fragte ich.

»Am besten in die Handfläche«, sagte Henry. »Da heilt es schneller als an der Fingerkuppe. Aber nicht zu fest, das Ding ist wirklich höllisch scharf. Wenn du willst, helfe ich dir.«

»Nein, schon gut. Ich krieg das hin.« Ich holte tief Luft und drückte die Messerspitze gegen meinen Daumenballen. Sofort trat Blut aus. Aua. »Und jetzt?«

»Hier hinein.« Grayson hielt mir den Kelch hin, der bereits mit einer roten Flüssigkeit gefüllt war. Igitt. Mit flauem Magen sah ich zu, wie ein kleines Rinnsal von Blut aus dem Schnitt über meine Hand floss und in den Kelch tropfte, zwei, drei …

»Das genügt«, sagte Grayson, und Henry reichte mir ein Taschentuch, das ich auf die Wunde drücken konnte. Es brannte zwar ein bisschen, aber das war nicht weiter schlimm. Nicht ohne Stolz gab ich das Messer an Grayson weiter.

Als alle reihum ihr Blut in den Kelch hatten tropfen lassen — Jasper tatsächlich mit geschlossenen Augen —, kam der allerschlimmste Teil: Arthur schwenkte die Flüssigkeit im Kelch eine Weile herum, damit sich alles schön vermischte, dann musste jeder einen Schluck davon trinken und sagen *sed omnes una manet nox*, was immer das auch hieß. (Aber alle haben eine Nachthand? Bei Nacht sind alle Hände aber eins? Mein Latein war wirklich schlecht.)

Ich gab mir große Mühe, das Zeug zu schlucken, ohne es zu schmecken, aber das war gar nicht einfach. Beinahe hätte ich mich geschüttelt. Wenn das Rotwein sein sollte, war er mir hiermit für alle Zeit verleidet, auch ohne Blutbeigeschmack. Aber wenigstens musste ich nicht würgen.

Die anderen waren deutlich cooler als ich, da sah man die Routine. Und Jasper nahm sogar zwei Schlucke, vermutlich baute er auf die desinfizierende Wirkung.

»Nun ist der Kreis wieder vollständig, oh Herr der Schatten und der Finsternis«, sagte Arthur und machte ein zufriedenes Gesicht. »Wir warten auf deine Instruktionen, um das letzte Siegel zu brechen und unser Versprechen einzulösen.«

»Aber lass dir ruhig noch ein bisschen Zeit dafür.« Es war natürlich Jasper, der das feierliche Schlusswort verderben musste. Er fing an, die Kerzen auszupusten. »Was denn? Ist doch wahr. Er kann ruhig noch warten, bis wir die Hinrunde gewonnen haben.«

24

»Seid Ihr schön?«, fragte Hamlet, und Florence, eine fragile Erscheinung in einem schlichten Gewand, die braunen Locken mit Bändern hochgesteckt, fragte verwirrt zurück: »Was meint Eure Hoheit?«

»Toll, oder? Sie ist die perfekte Ophelia«, flüsterte Lottie neben mir, ohne den Blick von der Bühne zu lassen. Aber so perfekt war Florence gar nicht. Zu Hamlets Verdruss sprach sie nämlich dessen Text gleich mit: »Dass, wenn Ihr tugendhaft und schön seid, Eure Tugend keinen Verkehr mit Eurer Schönheit pflegen muss.«

»Ähm, genau, ja, Ophelia«, sagte Hamlet. »Das wollte ich auch gerade sagen!«

Florence lächelte fein. »Könnte Schönheit wohl besser'n Umgang haben als mit der Tugend?«

Hamlet runzelte die Stirn. »Ja, freilich …«

Weiter kam er nicht, denn Florence fiel ihm erneut ins Wort. »Denn die Macht der Schönheit wird eher die Tugend in eine Kupplerin verwandeln!«

»Ihr nehmt die Worte mir aus dem Munde!«, sagte Hamlet. »Ich liebte Euch einst, doch jetzt seid Ihr nichts als eine doofe Kuh, die mir den Text klaut.«

»Eine sehr … moderne Inszenierung«, flüsterte Lottie begeistert. »Auch das Bühnenbild ist avantgardistisch, diese Mischung aus Steam Punk, Folklore und Minimalismus … unglaublich extravagant.«

»Nicht dein Ernst«, flüsterte ich zurück. Das Bühnenbild war grauenhaft. Nichts passte zueinander und schon gar nicht zu Hamlet. Der jetzt stinkwütend auf Florence war, weil sie sich eine Hand auf die Brust legte und schadenfroh »Sein oder nicht sein!« rief.

»Jetzt reicht's! Ich sollte nicht den armen Polonius erdolchen, sondern Euch!«, brüllte Hamlet, fasste Florence an der Kehle und drückte sie mit dem Rücken gegen eine leuchtend grün lackierte Tür in der Kulissenwand. »Ach was, wozu brauche ich einen Dolch, ich erwürge Euch mit bloßen Händen.«

»Jetzt bekommt es einen Hauch von Othello«, sagte Lottie beeindruckt. »Hey, wo willst du hin, Liv? Und seit wann kannst du fliegen?«

»Das kann ich nur im Traum«, versicherte ich ihr und steuerte zielsicher durch die Luft auf meine grüne Tür zu, ganz ohne mit den Flügeln zu schlagen, denn ich hatte überhaupt keine.

Als ich auf der Bühne landete, klatschte Lottie laut Beifall, und Florence, deren Kehle immer noch vom wütenden Hamlet zusammengedrückt wurde, krächzte: »Ich bin *nicht* der Frauen Elendeste und Ärmste, du Arsch, wehe nicht mir, wehe dir!« Und dann rammte sie Hamlet ihr Knie in den Magen.

Eigentlich hätte ich ja schwören können, dass ich heute Nacht von blutigen Damastklingen träumen würde oder alternativ von Wesen mit Hörnern, die sich aus fremdartigen Kreidezeichen erhoben, um von mir das Liebste, das ich hatte, zu fordern, aber nein, stattdessen fand ich mich in dieser Endlosschleife alberner Hamlet-Träume wieder, die mich schon die ganze Woche gequält hatten. Was das über meinen Seelenzustand verriet, wollte ich lieber gar nicht wissen.

Nichts wie raus hier. Ich schob Florence und Hamlet beiseite, um den Eidechsentürknauf zu drehen und hinaus in den Korridor zu treten. Als ich die Tür hinter mir schloss, trat wohltuende Stille ein.

Vorsichtig sah ich mich nach allen Seiten um. Außer mir schien niemand hier zu sein, jedenfalls nicht, so weit ich blicken konnte. Henrys schwarze Tür befand sich wieder gegenüber meiner, in direkter Nachbarschaft zu Graysons Tür. Der Fürchterliche Freddy senkte majestätisch den Schnabel, als ich zu ihm hinüberwinkte. Ich hätte Grayson im Traum jederzeit einen Besuch abstatten können, denn ich war wieder im Besitz eines persönlichen Gegenstands. Am Nachmittag hatte ich mir eins von seinen T-Shirts aus dem Wäschekorb im Bad geangelt, eins von den dunkelblauen, die zur Schuluniform gehörten und von denen er sicher ein Dutzend besaß, so dass er das Fehlen dieses einen gar nicht bemerken würde. Aber ich glaubte nicht, dass Graysons Träume mich heute Nacht weiterbringen würden.

Unschlüssig schlenderte ich ein paar Schritte auf und ab, ohne so recht zu wissen, auf was ich eigentlich wartete. Oder auf wen. Ich hatte keine Ahnung, wie lange ich schon schlief. Grayson und ich waren kurz vor Mitternacht nach Hause gekommen und sofort ins Bett gegangen. *Nach Hause* – ein komisches Gefühl. So ganz war es bei mir noch nicht angekommen. Noch fühlte es sich an, als sei ich bei den Spencers nur zu Gast.

Im Traumkorridor rührte sich immer noch nichts. Neben der himmelblauen Tür mit den geschnitzten Eulen, die ich für den Eingang zu Mias Träumen hielt, entdeckte ich eine weihnachtlich geschmückte Ladentür aus Kiefernholz. Eine Tannengirlande mit roten Samtschleifen umkränzte den Türrahmen. Noch bevor ich das Schild entzifferte, wusste ich, wem die Tür gehörte. »Lotties Liebesbäckerei – Lieferanten bitte den Hintereingang benutzen«. Ich seufzte gerührt. Lottie war so süß! Ich wollte mich gerade auf ihrer Türschwelle niederlassen, direkt unter einem Mistelzweig – sehr praktisch, falls Henry einen Anlass brauchte, um mich noch einmal zu küssen (Herrlich, diese angelsächsischen Weihnachtsbräuche!), als ich Schritte näher kommen hörte.

Aber es war nicht Henry, wie ich insgeheim gehofft hatte, sondern Anabel.

»Ich hab dich gesucht«, sagte sie mit ihrer lieblichen Stimme.

Ich hätte sie auch gesucht, wenn ich nur gewusst hätte wo, denn seit unserer letzten Begegnung brannte ich darauf, mehr von ihr zu erfahren.

Wie beim letzten Mal sah sie einfach umwerfend aus. Zu Jeans und flachen Ballerinas trug sie einen tief ausgeschnittenen Pullover, der die gleiche Farbe hatte wie ihre Augen, ein intensives Türkisgrün.

»Tut mir leid, dass ich bei unserem letzten Treffen nicht mit dem nötigen Ernst bei der Sache war«, sagte ich. So richtig stimmte das nicht, aber es war mit Sicherheit eine kluge Idee, sich gut mit ihr zu stellen. Ich hoffte nur sehr, dass sie das Wort *Lulila* nicht noch einmal aussprechen würde, sonst konnte ich für nichts garantieren.

»Schon gut.« Anabel deutete ein Lächeln an, aber sie sah angespannt aus. »Hör zu, wir haben vielleicht nicht viel Zeit. Ich weiß, dass du heute Abend den Eid geleistet hast.« Sie blickte sich kurz um. »Deswegen wollte ich dich treffen. Ich finde das ... wirklich mutig von dir.«

»Na ja ...« Ich irgendwie auch.

»Mutig und selbstlos! Deinetwegen kann nun doch noch alles ein gutes Ende nehmen! Solange du nicht dieselben Fehler machst wie ich. Komm, ich zeig dir was.«

Ich spähte zu Henrys Tür hinüber.

»Wohin gehen wir denn?«, fragte ich misstrauisch.

»Es ist nicht weit.« Anabel war schon ein paar Schritte vorgelaufen. Ich folgte ihr ein Stück den Gang hinunter, um eine Ecke in einen weiteren Korridor bis zu einer doppelflügeligen Tür, die mit ihren mächtigen goldenen Beschlägen und dem gotischen Spitzbogen wie ein Kirchenportal anmutete. Rein äußerlich passte sie so gar nicht zu Anabel, bei der ich etwas Zarteres erwartet hätte. Aber sie drückte ganz selbstverständlich einen der Türflügel auf und drehte sich zu mir um. »Wo bleibst du denn?«

»Ist das der Eingang zu deinen Träumen? Aber ich dachte ... ich besitze doch gar keinen Gegenstand von dir.«

»Den brauchst du auch nicht, wenn ich dich persönlich einlade und über die Schwelle bitte«, sagte Anabel.

»Oh. Wie bei Vampiren?«

Anabel runzelte verständnislos die Stirn. Offenbar kannte sie sich mit den Gepflogenheiten von Vampiren nicht so gut aus. Na gut, ihre Kernkompetenz waren eben Dämonen. »Komm! Das wird dich interessieren. Und dir helfen, ein paar Zusammenhänge zu begreifen.«

Wenn das so war – nichts wollte ich lieber tun, als Zusammenhänge zu begreifen. Ich trat über die Schwelle in einen sonnenbeschienenen Garten: Bäume, Sträucher und bunte Rabatten umgaben eine große Rasenfläche, smaragdgrün, unkrautfrei und perfekt gestutzt, der typisch englische Rasen eben. Weiter hinten konnte ich ein Haus entdecken.

Ein kleiner weißer Hund brach aus dem Gebüsch und

schoss auf uns zu. Er hatte einen Ball im Maul und spuckte ihn erwartungsvoll vor Anabels Füße, bevor er schwanzwedelnd an ihr hochsprang.

»Schon gut, Lancelot, du kleiner Racker!« Anabel zerzauste sein Fell und lachte. Erst jetzt fiel mir auf, dass ich sie bisher nur angespannt, gehetzt und ängstlich kannte. Das Lachen stand ihr gut. Sie nahm dem Hund den Ball aus dem Maul und schleuderte ihn in eine Blumenrabatte. Der Kleine überschlug sich fast vor Eifer, sein Spielzeug zu erwischen, ein wirbelndes Fellknäuel auf dem grünen Rasen.

Ich schaute mich im Garten um. »Was wolltest du mir denn nun zeigen?«

Das Strahlen in Anabels Gesicht erlosch. »Ihn.« Sie deutete auf Lancelot, der sich den Ball geschnappt hatte und in vollem Tempo auf uns zugerast kam. »Er war mein allerbester Freund. Aber jetzt – sieh selbst!«

In diesem Moment stieß Lancelot ein Jaulen aus und brach mitten im Laufen zusammen. Zuckend blieb er auf dem Rasen liegen.

»Oh Gott, was hat er denn?« Ich wollte zu ihm, aber Anabel packte meinen Arm und hielt mich daran fest.

»Er stirbt.«

»Was?«, fragte ich entsetzt.

»Es ist meine Schuld. *Er* hat ihn mir genommen, verstehst du? Weil ich gegen die Spielregeln verstoßen habe. Ich zeige dir das, damit du nicht denselben Fehler machst.«

Mit »er« war wohl der Dämon gemeint. In diesem Moment hätte ich nicht mal gelacht, wenn sie ihn bei diesem komischen Namen genannt hätte. »Aber was … wie kann er … warum …?«, stammelte ich hilflos, während der kleine Hund sich in Krämpfen auf dem Boden wand. Er zuckte noch ein paarmal, dann streckte er die Beine aus und rührte sich nicht mehr.

»In Wirklichkeit hat es viel länger gedauert«, sagte Anabel dumpf. »Er lag zitternd vor der Zimmertür, als ich aufgewacht bin, er hatte schreckliche Schmerzen, und er hat die ganze Zeit in meinen Armen gelegen und mich angeschaut, als wollte er …« Ihre Stimme brach. »Der Tierarzt sagt, er sei innerlich verblutet.«

»Das ist … es tut mir so leid«, flüsterte ich. »Aber ich verstehe nicht … Du glaubst, der Dämon hat deinen Hund getötet?«

»Lancelot war mein Pfand.« Anabel wischte sich eine Träne von der Wange. »Das, was ich gegen meinen Herzenswunsch eingetauscht habe. Als ich gegen die Regeln verstoßen habe, hat er ihn mir genommen.«

Ich konnte meinen Blick nicht von dem kleinen schlaffen Körper im Gras wenden. Der Hund war das Liebste und Kostbarste, was Anabel hatte? Ich meine, ich liebte Buttercup heiß und innig, aber Mia, Mum und Lottie liebte ich noch mehr (wenn auch nicht zwingend in dieser Reihenfolge). Und Papa auch, wenn ich so drüber nachdachte. Aber selbst wenn Anabel kein so gutes Verhältnis zu ihrer Familie hatte, was war mit Arthur? Hatte sie bei unserer ersten Begegnung nicht gesagt, er sei ihre ganz, ganz große Liebe?

Ich versuchte mich zu konzentrieren. »Was genau ist denn passiert?«, fragte ich und schwor mir insgeheim, laut und ausgiebig zu schreien, wenn sie sich wieder in ihren üblichen Andeutungen und Halbsätzen erging, die sie niemals zu Ende führte.

Aber Anabel überraschte mich. »Ich hatte Sex«, sagte sie und sah mir dabei direkt in die Augen. »Ich hatte geschworen, meine Jungfräulichkeit bis zum Ende des Spiels zu bewahren, aber ... ich habe nicht gedacht, dass das so wichtig wäre. Und ich war auch überzeugt davon, niemand würde es je erfahren. Aber vor *ihm* kann man keine Geheimnisse haben. Er war so zornig, er hat mich ausgestoßen ...«

»... und deinen Hund ermordet«, vervollständigte ich den Satz. Und das alles nur, weil sie keine Jungfrau mehr war? Das erschien mir eine wirklich strenge Reaktion. Seit wann waren Dämonen denn katholisch? Unfair war es obendrein, schließlich gehörten immer zwei dazu. »Wieso war der Dä... äh ... *er* denn nicht zornig auf Arthur?«

»Arthur«, hauchte Anabel, und wieder traten Tränen in ihre Augen. »Das war das Schlimmste ... Dass ich Arthur weh getan habe. Ich werde nie vergessen, wie er mich angesehen hat.«

»Wieso Arthur ...?« Ich starrte sie verwirrt an. Und

dann begriff ich plötzlich. »Es war gar nicht mit Arthur!«, sagte ich. »Du hast mit jemand anderem geschlafen!« Jetzt ergab ihr ganzes Rumgedrucke endlich Sinn, und es war so simpel: Anabel hatte heimlich Sex gehabt, der Dämon hatte es gemerkt und gepetzt. Die Frage war nur, mit wem sie geschlafen hatte. Und warum, wenn Arthur doch ... wie hatte sie es noch formuliert? ... der Tsunami ihres Lebens war?

Dann war wohl doch etwas an den Gerüchten dran, die der Tittle-Tattle-Blog über die sprühenden Funken zwischen ihr und ihrem verstorbenen Ex-Freund vermeldet hatte.

Anabel sah mich durchdringend an. »Wie gesagt – ich wollte, dass du Bescheid weißt. Das bin ich dir schuldig. Denn ich bin es ja schließlich, die das den Jungs und jetzt auch dir alles eingebrockt hat.«

Ja doch! Das hatte ich inzwischen wirklich verstanden. *Das ist alles meine Schuld* gehörte in jedem Fall zu Anabels Lieblingssätzen.

Aber offenbar tat es ihr gut, darüber zu sprechen. Sie wirkte seltsam erfrischt. Mit einer Handbewegung ließ sie den toten Hund vom Rasen verschwinden und zauberte aus dem Nichts eine Picknickdecke herbei, die sie auf dem Rasen ausbreitete. Ein Picknickkorb und ein paar Kissen vervollständigten das Ensemble.

»Was ...?«, murmelte ich.

»Glaub mir, wenn ich es irgendwie rückgängig machen könnte, würde ich es tun«, sagte Anabel, während sie eine

kleine Vase mit Blumen auf die Picknickdecke platzierte.
»Ich bereue es jeden Tag. Arthur und ich sind wie diese Lie-
bespaare aus der Literatur, unabänderlich füreinander bestimmt, über den Tod hinaus. Romeo und Julia, Tristan und
Isolde …«

Sie hätte bestimmt auch eine gute Ophelia abgegeben, sie
hatte genau die richtige Dosis Tragik in der Stimme. Weil sie
gerade so abgelenkt wirkte, schien mir der richtige Augenblick für eine Fangfrage gekommen zu sein. Ich stellte die
erstbeste, die mir einfiel.

»Dieses Buch, das du bei euch zu Hause im Keller gefunden hast, wo kommt das eigentlich her?«

Anabel hob den Kopf. »Oh, das Buch! Arthur wusste sofort, dass wir auf einen echten Schatz gestoßen waren. Dass
das Buch unser Leben verändern würde.«

Okay. Darauf musste ich später unbedingt noch einmal
zurückkommen. Aber vorher gab es da noch ein Detail, das
ich klären wollte.

»Dein Exfreund, dieser Tom …«, begann ich.

»Oh, *Tom*?« Anabel sah erstaunt aus. Dann nickte sie.
»Verstehe, du hast sicher im Tittle-Tattle-Blog darüber gele-
sen, und jetzt denkst du …« Sie machte eine kleine Pause.
»Na klar, alle denken das. Auch Arthur.«

Wie jetzt? Hieß das, dass sie gar nicht mit Tom geschlafen
hatte? Mit wem dann? Und außerdem …

»Arthur war immer schon schrecklich eifersüchtig auf

Tom, er hat ihn gehasst«, sagte Anabel. »Weil er der erste Junge war, der mich geküsst hat.«

»Und jetzt ist Tom *tot*?« Als ich das sagte, kroch eine Gänsehaut über meine Arme.

»Ja«, bestätigte Anabel leise. »Er ist im Juni bei einem Autounfall ums Leben gekommen. Es war nicht seine Schuld, ein betrunkener LKW-Fahrer hat ihn erwischt.«

Die Gänsehaut breitete sich über meinen ganzen Körper aus.

All die anderen Ereignisse mal herausgerechnet, erschien mir das nun doch ein merkwürdiger Zufall zu viel.

Anabel rückte die Picknickkissen gerade. »Wie gesagt, ich bereue zutiefst, was ich getan habe«, sagte sie. »Und ich versuche seitdem alles, damit es zwischen Arthur und mir wird wie früher. Er behauptet zwar, er hat mir verziehen, aber manchmal, wenn ich in seine Augen sehe …« Sie schlang die Arme um sich. »Ich erkenne darin immer noch den Schmerz, den ich ihm zugefügt habe. Und eine Kälte, die mir wie ein Messer ins Herz fährt.« Augenscheinlich hatte sie dieselbe Vorliebe für pathetische Formulierungen wie Arthur. Trotzdem tat sie mir leid. Sie machte einen wirklich zutiefst unglücklichen Eindruck. »Und dann habe ich Angst, dass er mich nie wieder so ansehen wird wie früher«, flüsterte sie. »Ich … Oh, da kommt er ja!«

Ich drehte mich um. Es war tatsächlich Arthur, der gerade durch das Portal auf den Rasen trat, eine Flasche Wein in seiner Hand. Die Sonne ließ sein Haar wie pures Gold glänzen. Und irgendwie verspürte ich plötzlich das Bedürfnis wegzulaufen.

»Sag ihm bitte nicht, worüber wir geredet haben!« Mit einem nervösen Lächeln strich Anabel sich eine Locke aus dem Gesicht.

»Ist das jetzt der echte Arthur, oder träumst du nur von ihm?«

Sie lachte. »Der *echte* Arthur liegt in seinem Bett in Hampstead, hoffe ich doch.« »Und zwar allein!«, versicherte Arthur.

Anabel lief ihm drei Schritte entgegen und fiel ihm um den Hals. »Guck mal, wer hier ist«, sagte sie dann und zeigte auf mich. »Ich wollte mich bei ihr bedanken.«

»Hi, Liv.«. Bildete ich mir das nur ein, oder blitzte da so etwas wie Triumph in seinen Augen auf? »Wie fühlt man sich denn als Heldin der Stunde?« Arthur hatte die Weinflasche abgestellt und Anabel mit beiden Händen von hinten umfasst. Zärtlich schob er ihr schweres Haar aus dem Nacken und begann, ihre Halswirbel mit Küssen zu bedecken. »Ich hab dich so vermisst, meine Süße.«

Ich schaute peinlich berührt zur Seite.

»Entschuldige, Liv«, sagte Anabel. »Es ist nur … ich wohne seit drei Wochen in in der Schweiz, über tausend Kilometer entfernt. Wir können uns lediglich in unseren Träumen treffen.«

»Ja, aber das ist so viel besser, als zu skypen.« Mit einem Lachen zog Arthur Anabel noch fester an sich. »Möchtest du mit uns picknicken?«

»Ähm, nein, ich will wirklich nicht stören.« Ich hatte zwar noch jede Menge offene Fragen, aber fürs Erste auch genug Stoff zum Nachdenken.

Arthur zog Anabel auf die Picknickdecke herab. »Sehr vernünftige Einstellung«, sagte er, und Anabel schickte noch ein »Bis bald, Liv« hinterher. Davon, wie ich die Tür öffnete und durch Anabels Portal wieder in den Korridor hinaustrat, bekamen sie beide nichts mehr mit.

25.

Schon von weitem sah ich Henry vor der grünen Tür stehen und hörte ihn mit Lottie diskutieren, die im Türrahmen stand und ihn augenscheinlich nicht eintreten lassen wollte. Sie hatte die Hände in ihre Hüften gestemmt und trug ihr Festtagsdirndl mit der schwarzen Taftschürze.

»Die Anwesenheit der Götter?«, fragte Henry.

Lottie schüttelte den Kopf. »Sehr hübsch, aber nein. Nicht so was Elegisches. Versuch es noch einmal. Also, was ist nicht gewiss?«

Henry seufzte. »Ist es was von Goethe?«

»Nein.« Lottie legte den Kopf schief und zupfte kokett an der monströsen Taftschleife in ihrer Taille. »Weder Goethe noch Schiller.«

»Du sollst bloß die Frage stellen, Lottie, keine Hinweise geben«, wies ich sie zurecht, während Henry zu mir herumwirbelte und »Da bist du ja endlich« sagte.

»Ach, ich unterhalte mich gern mit ihm. Er ist so ein höflicher Junge …« Lottie strahlte mich an. »Und er kommt jede Nacht her. Dieser hinterhältige Türknauf von Eidechse hat ihn in den Finger gebissen, also musste ich ihn ein bisschen verarzten, und so sind wir Freunde geworden.«

»Ja, das ist wirklich ein heimtückisches Detail deiner Barriere«, sagte Henry zu mir. »Seit wann haben Eidechsen Zähne?«

»Seit sie Unbefugte daran hindern müssen, in meine Träume einzudringen«, antwortete ich. »Es ist eine Vampir-Eidechse. Eine Killer-Vampir-Eidechse. Und offensichtlich ein verlässlicherer Torwächter als mein Kindermädchen.«

»Wusstest du, dass Henry gerne bäckt?« Lottie schenkte Henry ein Lächeln voller mütterlichem Stolz. »Er war äußerst interessiert an meinen ganzjahrestauglichen Vanillekipferln, im Gegenzug hat er mir sein Rezept für Nusskuchen verraten. Außerdem hat er gefragt, ob ich Walzer tanze und es ihm beibringen kann. Ist das nicht süß?«

Für eine Sekunde verschlug es mir die Sprache. Jetzt war wohl der Moment gekommen, meine Augenbraue hochzuziehen und Henry spöttisch anzusehen.

Er kratzte sich verlegen an der Nase. »Was man nicht alles tut, um ein Rätsel zu lösen«, murmelte er.

»Nicht aufgeben, Kleiner. Du musst ein bisschen robuster denken, oder besser noch, volkstümlicher«, sagte Lottie aufmunternd. »Also, versuch es noch einmal: Was ist nicht gewiss?«

Ich schnappte empört nach Luft. »Du bist nicht die echte Lottie, du bist nur eine Traumlottie, die ich als meine Türwächterin angestellt habe. Wenn du deiner Aufgabe nicht richtig nachkommst, feuere ich dich und engagiere Mr Wu.

Der beherrscht nicht nur die Tigerprankentechnik, er lässt sich auch bestimmt nicht so einfach einwickeln. Nusskuchen. Pah!«

Lottie war beleidigt. »Ich dachte, ich hätte dich zu mehr Höflichkeit und Respekt erzogen«, sagte sie. »Willst du jetzt reinkommen? Es zieht nämlich.«

»Nein, ich bleibe noch ein bisschen. Mach die Tür zu«, befahl ich streng. »Und lass niemanden rein, hörst du?«

»Der Dank der Deutschen?«, fragte Henry schnell, bevor Lottie hineingehen und die Tür schließen konnte.

Lottie schüttelte bedauernd den Kopf. »Volkstümlicher, habe ich gesagt.«

»Lottie!«

»Schon gut! Wiedersehen, Henry.« Sehr langsam und unter vielen Protestseufzern schloss sie die Tür.

»Der Dank der Deutschen?«, wiederholte ich, als wir endlich allein waren.

Henry winkte ab. »Das habe ich im Netz in irgendeinem Churchill-Manifest gefunden. Da war die Rede vom Undank der Deutschen, der gewiss war.«

»Also dachtest du, dann könnte im Umkehrschluss der Dank der Deutschen nicht gewiss sein?« Ich kicherte. »Darauf muss man erst mal kommen. Aber was hat das mit Hans zu tun?«

»Ach, verdammt, das ist ein wirklich schweres Rätsel. Ich habe *Hans* und *nicht gewiss* hundertmal in Suchmaschinen eingegeben, aber … oh!« Ihm schien etwas eingefallen zu sein, denn seine Augen begannen zu leuchten.

»Was?«

»Aber nicht auf Deutsch!« Er schlug sich mit der Hand gegen die Stirn. »Dass ich da noch nicht drauf gekommen bin.«

»Und? Was willst du jetzt tun? Aufwachen und den Computer anschmeißen? Oder dein Traumhandy aus der Hosentasche nehmen und gleich hier nachschauen?« Ich lachte, und Henry stimmte mit ein.

»Du bist ganz schön gut gelaunt für jemanden, der gerade dem Club der verlorenen Seelen beigetreten ist«, sagte er dann.

»Und du bist ganz schön pessimistisch, wenn du deine Seele jetzt schon verloren gibst«, gab ich zurück. »Obwohl …« Schlagartig erinnerte ich mich an das, was ich gerade von Anabel erfahren hatte, und mein Lachen erstarb. »Kanntest du eigentlich Anabels Exfreund, diesen Tom?«

»Tom Holland? Na klar, der war eine Klasse über mir. Wieso?«

»Na ja, weil …« Weil Arthur ihn gehasst hat und er jetzt tot ist. Nein, das konnte ich unmöglich sagen. Ich kaute unschlüssig auf meiner Unterlippe.

»Sollen wir nicht irgendwo hingehen, wo es gemütlicher ist?« Henry sah mich fragend an. »Zum Beispiel durch diese grüne Tür?«

»Netter Versuch«, sagte ich.

»Dann lass uns wenigstens ein Stück spazieren gehen.«
Henry lächelte und hielt mir seine Hand hin. Ich zögerte
eine Sekunde, dann legte ich meine Hand in seine. Es war
einfach ein zu gutes Gefühl.

Langsam schlenderten wir den Gang hinunter. Als wir an
die Ecke kamen, an der ich vorhin mit Anabel abgebogen
war, fragte ich: »Was, meinst du, wird passieren, wenn das
letzte Siegel gebrochen ist?«

Henry zuckte mit den Schultern. »Hast du doch heute
selber gehört: Der Herr der Schatten wird seine Ketten
sprengen, aus dem vergossenen Blut emporsteigen und sich
dankbar gegenüber jenen zeigen, die ihm die Treue gehalten
haben.«

Wann bitte sollte ich das denn gehört haben?

»Das ist mir wohl entgangen«, sagte ich.

»Ja, stimmt, du kannst ja kein Latein. Jedenfalls bedeutet
cruor Blut – aber anders als *sanguis* meint es mit Gewalt ver-
gossenes Blut ...«

»Glaubst du nicht, das ist nur metaphorisch gemeint? So
wie das mit den gesprengten Ketten – ich meine ... was war
das?« Ich hatte ein Geräusch gehört, wie das leise Quietschen
einer Türangel.

»Keine Ahnung«, sagte Henry, ließ meine Hand los und
spähte über meine Schulter. »Aber vielleicht sollten wir besser irgendwohin gehen, wo wir ungestört reden können. Zu
dir, zum Beispiel.«

Ich drehte mich um. Türen, so weit das Auge reichte. Doch nirgendwo konnte ich eine Bewegung ausmachen. Warum nur fühlte ich mich trotzdem so beobachtet?

»Komm!« Henry packte mich am Arm, eine Spur zu grob, wie ich fand, und zog mich wieder in Richtung unserer eigenen Türen. Normalerweise hätte ich protestiert, aber jetzt folgte ich ihm gern.

»Hier ist aber niemand, oder?«

»Das kann man nie wissen«, erwiderte er, und zum ersten Mal, seit ich ihn kannte, klang seine Stimme eine Spur verbissen. »Wenn man nur genügend Vorstellungs- und Konzentrationsvermögen hat, kann man im Traum jede beliebige Form annehmen.«

»Ich weiß.« Ich war schließlich schon eine Schleiereule gewesen. Mein Vorstellungsvermögen war ausgezeichnet, nur die Konzentration ließ zu wünschen übrig. Trotzdem – der Korridor war vollkommen leer.

Die Frage war nur, warum ging Henry dann immer schneller? Und wieso flüsterte er? Das trug nicht gerade dazu bei, mich zu beruhigen.

Noch einmal blickte er über seine Schulter. »Wenn du gut genug bist, kannst du dich in einen anderen Menschen verwandeln oder in einen Tiger, in eine Stechmücke, eine Deckenlampe, einen Baum, einen Lufthauch … Ich könnte zum Beispiel nur aussehen wie Henry, aber in Wirklichkeit jemand ganz anderes sein.«

Oh Gott. Das war nun wirklich das Falscheste, was er zu meiner Beruhigung sagen konnte. Im Gehen sah ich prüfend zu ihm auf und tastete mit meinen Blicken die Konturen seines Gesichts nach, die grauen, dichtbewimperten Augen, die gerade Nase, die fein geschwungenen Lippen, die kleinen Kringel in den Mundwinkeln.

Nein, das war Henry. Ganz bestimmt.

»Pssst.« Er blieb stehen.

Ich hatte es auch gehört. Eine Art Rascheln. Wie von einem Vorhang, der beiseitegezogen wurde. Ich klammerte mich an Henrys Arm. Da war es wieder. Ja, das klang nach Stoff. Oder als ob jemand mit zusammengebissenen Zähnen Luft holte. Schwer zu sagen, woher es kam. Aber egal woher – es war schon viel zu nah.

Henry zog mich wieder vorwärts, und ich war sehr froh, dass er das tat, weil meine Knie drohten, ihren Dienst zu versagen. Das war typisch: Immer, wenn ich im Traum von jemandem verfolgt wurde, neigten meine Knie dazu, sich in Wackelpudding zu verwandeln. Und der Boden bestand dann auf einmal aus Sand oder tiefem Schnee, und ich kam nur noch in Zeitlupe vorwärts. Ich hasste solche Träume.

Wieder dieses merkwürdige Rascheln. Wie war das eben noch mit dem Lufthauch? Konnte man wirklich von einem Lufthauch verfolgt werden? Von einem raschelnden Lufthauch ... mit Zähnen?

»Findest du nicht auch, dass es irgendwie dunkler geworden ist, Henry?«

Henry antwortete nicht. Wir waren wieder bei unseren Türen angelangt, aber er blieb nicht stehen, sondern zog mich ein paar Meter weiter vor eine pinkfarben lackierte Holztür, die über und über mit bunten Blumen bemalt war. Sogar der Türknauf hatte die Form einer Blume.

»Und kälter wird es auch.« Ich merkte selber, dass ich allmählich ein wenig hysterisch klang. »Oder bilde ich mir das nur ein? Bitte sag, dass ich mir das alles nur einbilde.«

»Viel besser: Du träumst das hier alles nur.« Henry fuhr mit den Fingern über eine gelbe Blume. Es sah aus, als ob er sie kitzelte, jedenfalls war ein Kichern zu hören. Der Türbolzen fuhr zurück, und Henry drückte die Türklinke hinunter.

Ich zögerte kurz.

»Komm schon, das wird dir gefallen.« Mit einem Ruck zog Henry mich über die Schwelle, während die Tür mit einem satten Klacken hinter uns ins Schloss fiel und den Korridor und das, was sich möglicherweise in ihm befand, aussperrte.

Ich seufzte erleichtert auf. Allerdings nur etwa eine Sekunde lang.

Etwas Feuchtes ploppte direkt in mein Gesicht, und ich stieß einen kleinen Schreckensschrei aus.

Dann sah ich die Seifenblasen. Hunderte! Sie schwebten

über eine grasbewachsene, hügelige Landschaft, über der der blauste Himmel prangte, den ich jemals gesehen hatte. Überhaupt waren die Farben hier so intensiv, als hätte jemand den Farbregler des Fernsehers bis zum Anschlag aufgedreht. Überall blühten Blumen, die Blätter der Bäume waren nicht nur grün, sondern manchmal auch gelb und pink, und in der Ferne konnte man die Türme eines Schlosses erkennen. Goldene Türme.

Nur ein paar Meter vor uns drehte sich ein Karussell zu den zarten Spieluhrklängen des Disneysongs *It's a small world*. Auf einem der buntbemalten Karussellpferde saß, selbstvergessen vor sich hin lächelnd, ein kleines, blondes Mädchen und ließ sich im Kreis herumfahren. Trotz meines Schreis schien sie unsere Anwesenheit nicht registriert zu haben.

»Wo sind wir, in Oz?«, fragte ich und wischte mir die Feuchtigkeit von der Wange, die die Seifenblase dort hinterlassen hatte. »Aber wieso grast dann da vorne Shaun das Schaf? Oh, und sieh mal! Ein Luftballonbaum.«

»Ich sagte doch, es würde dir gefallen.« Henry lachte. »Willkommen in Amys rosaroter Traumwelt. Ist das nicht wunderbar hier?« Er lotste mich vom Karussell weg in den Schatten eines gewaltigen Apfelbaums, der gleichzeitig blühte und rotbackige Äpfel trug. Und ein paar Apfelsinen, wie ich bemerkte.

»Wer ist Amy?«

»Meine kleine Schwester.« Stolz wies er hinüber zum Karussell. »Sie ist vier, und sie hat die entspanntesten Träume der Welt, wie du siehst. Ich komme manchmal her, wenn mir alles zu viel wird oder ich das Gefühl habe, die Welt ist einfach nur schlecht. Hier ist sie auf jeden Fall immer in Ordnung. Es passiert rein gar nichts. Apfel?«

Ich schüttelte den Kopf. »Die kann man doch im Traum gar nicht schmecken.«

»Das kommt ganz auf dein Vorstellungsvermögen an.« Henry grinste. »Aber ich bin auch nicht gut im Schmecken und Riechen«, gab er dann zu. Unvermittelt beugte er sich vor und schnupperte an meinem Haar. »Schade eigentlich.«

Ich spürte, wie die Röte in mein Gesicht schoss, und seufzte. »Was war das da draußen?«

»Nichts Gutes, vermutlich.« Mit einem Schulterzucken ließ er sich unter dem Baum auf einem weichen Moospolster nieder.

»Und wieso konnte ich durch diese Tür gehen? Ich kenne deine Schwester nicht und besitze auch keinen persönlichen Gegenstand von ihr.«

»Wie praktisch, dass du mit mir unterwegs warst.« Eine große Seifenblase landete in Henrys Haaren, ohne zu zerplatzen. »Sonst würdest du vielleicht jetzt noch da draußen herumirren, verzweifelt an Türklinken rütteln und dich fürchten.«

»Mach dich nicht lustig. Das war *wirklich* unheimlich.« Ich setzte mich neben Henry und schlang die Arme um meine Knie. »Meinst du, es wartet vor der Tür auf uns? Wenn ja, wie kommen wir dann wieder zurück nach Hause?«

»Wer sagt denn, dass wir da wieder rausmüssen? Wir können einfach hier bleiben, bis wir aufwachen.«

Die Seifenblase war immer noch da.

»*There is one moon and one golden sun*«, sang Amy drüben auf ihrem Karussell. »*And a smile means friendship to everyone.*«

»Sie ist echt süß«, sagte ich.

»Du bist auch echt süß«, sagte Henry, den Blick auf mein Gesicht gerichtet. »Manchmal kann ich gar nicht fassen, *wie* süß.«

Mein Herz begann, schneller zu klopfen. Und nicht besonders gleichmäßig.

»Schon als ich dich das erste Mal gesehen habe, am Flughafen mit deinem Käse, fand ich dich süß.«

Na toll, jetzt fiel mir auch noch das Atmen schwer. Und als er sich zu mir vorbeugte, setzte die Atmung ganz aus. Der Gedanke, der mir gerade noch durch den Kopf geschossen war, löste sich in seine Bestandteile auf. Irgendwas mit Flughafen … Zürich … Lag Sankt Gallen nicht ganz in der Nähe von Zürich? Und … mein Gott, hatte Henry schöne Augen. Wenn er mich jetzt küssen wollte … sollte ich vielleicht vorher … besser … Schnell streckte ich meine Hand aus und piekte mit dem Zeigefinger in die Seifenblase auf seinem Haar.

Seine Augen weiteten sich verwundert.

»Entschuldige, aber das sah komisch aus, wie eine umgestülpte Dessertschale auf deinem Kopf«, murmelte ich und seufzte enttäuscht, als er sich wieder gerade hinsetzte. So als hätte er niemals vorgehabt, mich zu küssen.

Hatte er ja auch vielleicht gar nicht.

Und was hatte ich gerade gedacht? Es war irgendwie wichtig gewesen.

Hinter uns hörte ich Hufgetrappel, und gleich darauf galoppierten zwei Ponys vorbei, eins braun-weiß gefleckt, eins ganz weiß. Beim Anblick ihrer wehenden Mähnen lachte Amy perlend, so herzlich, wie es nur Kleinkinder können.

Meine Atmung beruhigte sich ein bisschen, aber in meinem Kopf wirbelten die Gedankenfetzen weiter wild durcheinander. Plötzlich war mir alles zu viel. All diese Geheimnisse, die mit jedem Tag immer noch mehr zu werden schienen. Die Träume, die sich jeglicher Logik entzogen. Henry, der mein Gehirn in rosa Zuckerwatte verwandelte, sobald er in meiner Nähe war. Anabel und ihr merkwürdiges Geständnis. Arthur, der wie ein Engel aussah, mir aber aus irgendeinem Grund Angst einjagte. Und dieses … *Etwas* da eben im Korridor.

Ich rieb mir über die Augen. Mit einem Mal fühlte ich mich entsetzlich müde. und das, obwohl ich doch gerade schlief.

»Alles in Ordnung?«, erkundigte sich Henry.

Ich holte tief Luft. Dann griff ich willkürlich nach einem der Gedankenfetzen, die durch meinen Kopf wirbelten, und zerrte ihn ans Licht.

»Tom Holland«, sagte ich. »Stimmt es, dass Arthur ihn gehasst hat?«

Henry zog eine Augenbraue hoch. »Das nenne ich mal einen eleganten Themenwechsel«, sagte er. »Gehasst – ich weiß nicht, so weit würde ich nicht gehen. Aber er konnte ihn nicht leiden, das stimmt. Ehrlich gesagt war Tom auch nicht gerade ein großer Sympathieträger, eher ein arrogantes Arschloch. Arthur war ziemlich eifersüchtig auf ihn, weil er vor ihm mit Anabel zusammen war. Tom hat das ausgenutzt und Arthur provoziert, wann immer er konnte. Einmal haben sie sich so heftig geprügelt, dass Grayson, als wir dazwischengingen, ein blaues Auge kassiert hat. Wenn es um Anabel geht, ist Arthur irgendwie nicht ganz zurechnungsfähig. Er liebt sie wirklich abgöttisch.«

»Hm«, machte ich. »Jetzt auch noch? Anabel hat mir von ihrem ... äh ... Regelverstoß erzählt. Meinst du, er hat ihr das verziehen? Dass sie ihn betrogen hat, meine ich?«

Henry sah mich stirnrunzelnd an. »Liv – Arthur ist einer meiner besten Freunde. Ich werde mit dir ganz sicher nicht über ihn reden, schon gar nicht über so intime Sachen. Und wo, bitte, hast du Anabel getroffen?«

Nein, nein, nein – keine Gegenfragen! Ich hatte zuerst gefragt. Und ich war sehr froh, dass ich zur Abwechslung mal wieder klar denken konnte. »Aber … findest du es nicht seltsam, dass Tom Holland tot ist?«, hakte ich nach.

Henry schaute zur Seite. »Der LKW-Fahrer soll betrunken gewesen sein. Das ist schlimm, aber so was kommt vor.«

»Ich weiß. Aber könnte es nicht sein, dass mit diesem Autounfall Arthurs Herzenswunsch in Erfüllung gegangen ist?«

An seinem Zögern merkte ich, dass ihm dieser Gedanke sehr wohl vertraut war. Dann schüttelte er langsam den Kopf. »Arthur konnte Tom nicht leiden, ja, das stimmt, aber ihm deshalb den Tod wünschen – nein. Das ist nicht Arthurs Art.«

In diesem Augenblick gab es einen ziemlich lauten Rums, und eine schrille Frauenstimme übertönte die Spieluhrmusik des Karussells. »Wer von euch verdammten Mistbälgern hat diese verdammten Legosteine hier liegen gelassen?«

Ich hielt nach der Person Ausschau, die das gesagt hatte, oder vielmehr gebrüllt. Aber es war niemand zu sehen.

»Wollt ihr, dass ich mir den Hals breche? Das würde eurem Vater gefallen!«, tobte die Stimme. Sie schien von allen Seiten gleichzeitig zu kommen. »Dann wäre er mich für immer los und könnte mit diesem Flittchen glücklich werden.«

Das Karussell hatte aufgehört, sich zu drehen, und Amy sah nun nicht länger selbstvergessen aus, sondern ein wenig besorgt.

»Was ist …?«, begann ich, aber als ich mich zu Henry umdrehte, bemerkte ich, dass er verschwunden war. Ich sprang auf. Wo zur Hölle war er denn hin? Weit und breit nicht die geringste Spur von ihm.

»Henry? *Henry?*«, rief ich, während Panik in mir aufstieg. »Bitte komm zurück! Das ist nicht lustig.«

Aber Henry war und blieb verschwunden.

»Geh weg! Lass mich verdammt nochmal hier liegen und sterben!«, schrie die Frauenstimme, und Amy drüben auf dem Karussell zuckte zusammen. »Es wird mich sowieso niemand vermissen, niemand!«

Und dann, als hätte jemand einfach den Stecker gezogen, wurde es um mich herum dunkel. Der Boden gab unter meinen Füßen nach, und ich stürzte in die Tiefe.

Tittle-Tattle

★ B L O G ★

Der Frognal Academy Tittle-Tattle-Blog mit dem neusten Klatsch, den besten Gerüchten und brandheißen Skandalen unserer Schule

ÜBER MICH:
Mein Name ist Secrecy – ich bin mitten unter euch und kenne all eure Geheimnisse

UPDATE   ACTIVITY

18. September

Florence Spencer wird mit Callum Caspers zum Herbst-ball gehen. Nun, wenn ihr jetzt »Callum WER?« gefragt habt, dann ist es euch genauso ergangen wie mir. Ich musste erst mal nachschauen, ob Callum überhaupt auf unsere Schule geht. Tut er aber. Seit sechs Jahren. Ups.

Ich habe für euch mal ein Foto aus dem Jahrbuch herausgekramt, darauf zu sehen: die Mitglieder der Mathe-AG vom letzten Jahr – Callum ist der zweite von links.

Also, liebe, unscheinbare Jungs mit uncoolen Hobbys und komischen Ponyfrisuren: grämt euch nicht länger, auch für euch gibt es Hoffnung. Eines Tages könnte euch das hübscheste und beliebteste Mädchen der Schule fragen, ob ihr mit ihr zum Ball gehen wollt. Und dann streicht ihr euch einfach lässig den Deppenpony aus der Stirn und sagt ja. Das nämlich hat Callum Caspers getan (wir könnten ihn C. C. nennen, wäre das besser?) – und der Pony ist bis heute nicht zurückgerutscht. Überhaupt sieht Callum mit Florence an seiner Seite plötzlich gar nicht mehr so unscheinbar und uncool aus.

Ich verstehe es trotzdem nicht. Florence hätte wirklich JEDEN haben können. Na ja, bis auf einen … Und vielleicht ist ja genau das der Knackpunkt: Hat Florence ihr Herz an Arthur Hamilton verloren? Hat sie sich Chancen ausgerechnet, Anabel als Ballkönigin als Arthurs Seite abzulösen? Und hat sie in einer Kurzschlusshandlung einfach nur den Erstbesten gefragt, ob er mit ihr zum Ball geht, als sie erfahren hat, dass Anabel dafür extra aus der Schweiz anreisen wird?

Nun, wenn das so war, dann hatte unser C. C. hier wohl einfach Glück.

Ich bleibe im Übrigen bei meiner These, Fernbeziehungen im Allgemeinen und im Besonderen betreffend: Arthur und Anabel mögen sich vielleicht für den Ball noch einmal zusammenraufen, aber früher oder später wird trotzdem Schluss sein. Denkt an meine Worte: Noch lange vor Weihnachten werden die beiden ihren Beziehungsstatus bei Facebook in »Single« ändern – und dann ist wieder alles offen. Bis dahin: Genieß es, C. C. Und Kopf hoch, Florence.

Wir sehen uns
Eure Secrecy

P.S. Nach zähem Ringen mit dem Feuerschutzbeauftragten meldet das Ballkomitee jetzt grünes Licht für Bühnenfeuerwerk und Bodennebelmaschinen – ich hab ein gutes Gefühl, Leute! Sobald der offizielle Teil überstanden ist und Direktorin Cook und Mrs Beckett sich mit ihrer Walzermusik verzogen haben, wird gerockt! Das wird die rauschendste Ballnacht, die wir an der Frognal je hatten.
P.P.S. Untenstehend findet ihr eine Liste mit allen Jungs aus der Oberstufe, die bisher noch keine Ballpartnerin gewählt haben. Unter anderem Sahneschnittchen Jasper Grant. Ich würde sagen: Auf ihn mit Gebrüll, Mädels. (Obwohl er beim Tanzen eine Katastrophe ist. Aber wen stört das?)

26

Mit wild pochendem Herzen und schweißüberströmt fuhr ich hoch. Gott sei Dank, ich war aufgewacht. In der Luft hing noch der Nachhall eines Schreis. Das Mondlicht erhellte mein neues Zimmer, und unter mir spürte ich voller Dankbarkeit die weiche Matratze – so viel besser als ein Sturz ins Bodenlose, umgeben von nichts als schwarzer Leere.

Aber ich durfte die Erleichterung nur etwa einen Wimpernschlag lang genießen, dann begann es im Flur zu poltern, meine Zimmertür wurde aufgerissen, und Mum stürzte an mein Bett. »Was ist passiert, Mäuschen? Hast du dir weh getan?«

»Was?« Ich blinzelte verwirrt ins Licht.

Im Abstand von nur wenigen Sekunden kamen auch Mia, Butter, Grayson, Florence und ganz zum Schluss auch Ernest ins Zimmer gerannt.

»Ein Einbrecher?«, rief Mia.

»Hast du einen Geist gesehen?«, fragte Florence gleichzeitig. »Ist Spot auf dein Bett gesprungen?«

»Eine Fledermaus, richtig?« Ernest knotete sich den Bademantelgürtel vor dem Bauch zusammen. (Sehr gut, er lief also nachts nicht halbnackt durchs Haus.) »Kein Grund zur

Panik. Um diese Jahreszeit verirren sie sich manchmal ins Haus ... Oh, aber das Fenster ist geschlossen.«

Der Einzige, der nichts fragte (von Butter mal abgesehen), war Grayson. Er sah mich nur an, als wisse er ganz genau, was passiert war.

Ich brauchte Zeit, um mich zu sammeln und meinen Atem einigermaßen unter Kontrolle zu bekommen. Aus aufgerissenen Augen angestarrt und mit Fragen überschüttet zu werden war dabei nicht wirklich hilfreich. Was machten sie alle hier?

»Du hast geschrien«, erklärte Mia.

Es musste ein fürchterlicher Schrei gewesen sein, wenn er auch noch zwei Zimmer weiter zu hören gewesen war. Nur Lottie, im Stockwerk über uns, war offensichtlich nicht davon aufgewacht.

»Ich habe nur was Blödes geträumt«, murmelte ich, wobei ich Graysons Blick mied. Butter leckte tröstend meine Hand.

»Was denn? Dass man dich bei lebendigem Leib gehäutet hat?« Florence schaute mich an, als habe sie noch nie etwas Erbärmlicheres gesehen – zu Recht: mit wirrem, verschwitztem Haar und meinem ausgeleierten Schlafshirt war ich ganz bestimmt keine Augenweide. »Oh, oh, sagt man denn nicht, dass das, was man in der ersten Nacht im neuen Zuhause träumt, in Erfüllung geht?«

Sagte man das? Na, das waren ja wunderbare Aussichten.

»Das wäre schlimm.« Mia bedachte Florence mit einem

vernichtenden Blick. »Vor allem, wenn Liv von einem Axt-mörder geträumt hat, der dich niedermetzeln wollte.«

»Mein armes Mäuschen. Bitte träum ab jetzt was Schö-nes, ja?« Mum gähnte und streichelte über mein Haar.

»Und wenn nicht, dann sei wenigstens leise dabei«, setzte Florence grummelnd hinzu. »Ich habe beinahe einen Herz-stillstand erlitten.«

»Es ist erst halb vier. Ich schlage vor, wir gehen alle wieder in unsere Betten und versuchen, noch etwas Schlaf zu be-kommen«, sagte Ernest. »Aber du lässt vielleicht besser die Nachttischlampe an, ja, Liv?«

Darauf konnte er wetten. Ich zog die Bettdecke bis zum Kinn, weil mir plötzlich eiskalt war.

»Entschuldigt«, sagte ich erschöpft. »Ich wollte euch wirklich nicht wecken. Gute Nacht.«

Einer nach dem anderen schickte sich an, mein Zimmer zu verlassen. Nur Grayson drehte sich an der Tür noch ein-mal zu mir um und sah mich an.

»Was?«, fauchte ich, als er nach zirka zehn Sekunden immer noch schwieg. Er trug nur eine Pyjama-Hose und obwohl ich so neben der Spur war (oder vielleicht gerade deswegen), konnte ich nicht umhin, seinen durchtrainierten Oberkörper zu registrieren.

»Es tut mir leid«, sagte er. »Ich hätte dich da nicht rein-ziehen sollen.« Bevor ich ihm widersprechen konnte, schloss er die Tür.

Müde ließ ich mich in die Kissen zurückfallen. Es war nicht seine Schuld, es war ganz allein meine Schuld. Ich hatte gedacht, ich hätte die Sache im Griff. Hatte ich aber nicht. Und Spaß machte es auch keinen mehr.

Im Schnelldurchlauf erinnerte ich mich an die Angst in Anabels Stimme, den sterbenden Hund auf dem Rasen, den triumphierenden Glanz in Arthurs Augen und das unsichtbare Etwas, das Henry und mich im Korridor verfolgt hatte. Sollte das jetzt jede Nacht so weitergehen?

Die Geschichte mit Tom Holland hatte mir wirklich zu denken gegeben und brachte meine Überzeugung, die Nichtexistenz von Dämonen betreffend, ganz schön ins Wanken. Angenommen, Henry täuschte sich, und Arthur hatte sich letztes Jahr an Halloween doch Toms Tod gewünscht – wie groß war dann die Wahrscheinlichkeit, dass er, jung und gesund, wie er gewesen war, tatsächlich innerhalb der nächsten neun Monate starb? Unter einem Prozent, würde ich mal schätzen, weit unter einem Prozent. Es würde erklären, warum Arthur so ernst, ja fast verbissen bei der Sache war: Er war davon überzeugt, dass Toms Unfall das Werk des Dämons war. Und ich konnte das sogar verstehen.

Ich wälzte mich auf die andere Seite und schloss erschöpft die Augen. Ich musste die grüne Tür in den nächsten Tagen einfach so gut es ging ignorieren, sonst wurde ich noch wahnsinnig. Lieber jede Nacht von Hamlet träumen, als noch einmal von unsichtbaren Verfolgern oder einem Sturz ins Nichts. Und von Jungen mit grauen Augen, die einfach so verschwanden, wenn es romantisch wurde. Es wurde höchste Zeit, die Regie wieder meinem gesunden Menschenverstand zu überlassen.

Henry schien allerdings nicht nur im Traum verschwunden zu sein, er tauchte Montag auch nicht in der Schule auf, egal, wie sehr ich nach ihm Ausschau hielt. Erst wurde ich nur unruhig, aber als er am Dienstag immer noch nicht auftauchte, schlug die Unruhe in leichte Hysterie um. Was wusste ich denn schon von diesen Träumen und ihren Gesetzen? Vielleicht hatte dieses raschelnde Grauen ihn erwischt und … Oder Henry war einfach nur krank und ich im Begriff, vollkommen durchzudrehen. Weil ich ernsthaft darüber nachdachte, ob man sich in zugigen Traumkorridoren einen Schnupfen holen konnte. So viel zum Thema gesunder Menschenverstand.

Als am Mittwochmorgen immer noch keine Spur von Henry zu entdecken war, obwohl ich extralang bei den Spinden herumtrödelte, begriff ich schlagartig, wie sehr ich ihn vermisste. Und dass ich diese Ungewissheit nicht länger aushielt. Ich würde meinen Stolz überwinden und Grayson fragen müssen.

Wenn Grayson mir nicht weiterhelfen konnte, würde ich heute Nacht durch die grüne Tür gehen, allen guten Vorsätzen zum Trotz. Vielleicht konnte ich Henry wenigstens da finden.

In diesem Augenblick hörte ich seine Stimme.

»Hat der Spind dich hypnotisiert, Käsemädchen? Du starrst seit einer Minute auf dieselbe Stelle.«

Ich war so erleichtert, ihn zu sehen, dass meine Beine fast unter mir nachgaben. Natürlich fiel mir absolut keine schlagfertige Antwort ein.

»Henry!« Ich konnte gerade noch einen Stoßseufzer unterdrücken.

Er lächelte. »Du hast mir auch gefehlt«, sagte er. Seine Augen glänzten, aber die dunklen Schatten unter ihnen waren nicht zu übersehen.

»Wo warst du?«, brachte ich heraus.

Er öffnete seinen Spind und nahm ein paar Bücher heraus. »Ich musste mich zu Hause um etwas kümmern.« Etwas zögernd setzte er hinzu: »Meine Mutter hatte eine schwierige Phase. Aber jetzt ist alles wieder gut.«

War es die Stimme seiner Mutter gewesen, die durch Amys bunten Kleinmädchentraum geschallt war? *Verdammte Mistbälger* – das war nicht unbedingt etwas, das man aus dem Mund seiner Mutter hören wollte.

»Du warst plötzlich einfach verschwunden, und dann war alles schwarz«, murmelte ich und unterdrückte den Impuls, ihn zu berühren, um mich zu vergewissern, dass er es wirklich war. Sicherheitshalber verschränkte ich meine Arme vor der Brust.

Es klingelte zum Unterrichtsbeginn.

»Tut mir leid – ich bin aufgewacht … Und Amy dann auch.« Ein bisschen heftiger als nötig schloss er seine Spindtür wieder. »Ich hätte es dir gerne erklärt, aber die letzten Nächte hast du dich nicht im Korridor blicken lassen.«

»Du hättest einfach anrufen können«, sagte ich. »Tagsüber, meine ich.«

Er betrachtete mich nachdenklich. »Ja, das hätte ich wohl«, sagte er dann. »Ich muss los – Biologie-Test. Aktive und passive Transportvorgänge in der Biomembran. Drück mir die Daumen.«

Im nächsten Moment war er im Gewühl verschwunden, und ich fing schon wieder an, ihn zu vermissen. Wenn Persephone nicht aufgetaucht wäre, um mir ihr Handy mit einem Foto von sich in einem schilfgrünen Ballkleid unter die Nase zu halten, wäre ich ihm vielleicht sogar hinterhergelaufen. Zum ersten Mal war ich dankbar für Persephones Anwesenheit.

In den Nächten rettete mich allerdings niemand davor, über Henry und mich nachzugrübeln. Ich brauchte ewig, um einzuschlafen, und wenn es mir endlich gelang, hatte ich zwar keine Albträume mehr (und nur noch einmal musste ich mir »Hamlet« mit Florence in beiden Hauptrollen antun), aber überall tauchte die grüne Tür auf. Immer wieder war ich kurz davor, sie zu öffnen, um dann doch zurückzuweichen.

Nein, so einfach würde ich es ihm nicht machen! Wenn Henry mit mir reden wollte, dann konnte er das auch tagsüber tun. Er wusste ja, wo ich zu finden war … Abgesehen davon konnte man nie wissen, wen oder was man in diesem Korridor sonst noch antraf.

Aber Henry schien mir aus dem Weg zu gehen. Ein paarmal traf ich Arthur und Jasper, aber weil ich dabei stets in Begleitung von Persephone war, lächelten sie nur und warfen mir bedeutungsschwangere Blicke zu. Das brachte Persephone zwar jedes Mal einem Herzinfarkt nahe, aber mich heiterte es ein bisschen auf. Die Träume waren das eine, aber wenn ich an das Ritual bei Jasper im Wohnzimmer dachte, musste ich lachen.

Die Nächte zogen sich ewig hin, die Tage hingegen vergingen überraschend schnell, nicht zuletzt, weil es so eigenartig und neu für uns alle war, bei den Spencers zu wohnen. Doch es funktionierte besser, als ich gedacht hatte. Vielleicht lag es daran, dass Mum und Ernest so offensichtlich glücklich miteinander waren. Um ehrlich zu sein, hatte ich Mum noch nie glücklicher gesehen. Unter diesen Umständen fiel es Mia und mir zunehmend schwer, so zu tun, als würden wir Ernest immer noch verabscheuen. Wir vermieden zwar nach wie vor die direkte Ansprache, aber manchmal, wenn wir nicht aufpassten, rutschte uns doch ein »Ernest« heraus anstelle eines »Mr Spencer«. Und ein Lächeln.

Auch an Grayson konnte man sich schnell gewöhnen. Er hatte zwar zwei, drei unangenehme Eigenschaften, wie die, die Milch nicht zurück in den Kühlschrank zu stellen oder fette Zahnpastakleckse im Waschbecken zu hinterlassen, aber ansonsten war er ein angenehmer Mitbewohner. Vor allem Butter liebte ihn heiß und innig, weil er jeden Tag mit ihr im Garten herumtobte und auch dann noch begeistert von ihrer Fähigkeit zu apportieren war, als sie seinen Basketball kaputtbiss. Unter der Woche schien er nicht viel Zeit mit Emily zu verbringen, aber man hörte sofort, wenn sie am Telefon war, denn dann wurde seine Stimme ganz merkwürdig, und er verschwand so schnell er konnte in seinem Zimmer. (Wofür alle sehr dankbar waren, uns reichte das verliebte Gesäusel von Mum und Ernest vollkommen.)

Jeden Morgen auf dem Weg zur Arbeit setzte Ernest zuerst Florence, Mia und mich vor der Schule ab, dann machte er mit Mum das Gleiche am Bahnhof. Grayson fuhr mit dem Fahrrad, was gut war, denn im Wagen wäre ja kein Platz mehr für ihn gewesen.

Lottie machte es Spaß, drei Menschen (und einen Kater) mehr zu bemuttern als bisher; sie kaufte sämtliche Lebensmittel ein, kümmerte sich um das Abendessen, sorgte für Ordnung und Kuchenduft im ganzen Haus und verbreitete wie immer ausschließlich gute Laune.

Sogar Spot und Buttercup lagen am Ende der Woche friedlich nebeneinander auf dem Sofa.

Wenn nicht wenigstens Florence ab und an fürchterlich genervt hätte, wäre es geradezu verdächtig harmonisch gewesen. Aber zum Glück konnte man sich diesbezüglich auf sie verlassen. Mit der Ausrede »doch nur helfen« zu wollen, mischte sie sich in alles ein: Hausaufgaben, Hundeerziehung, Kleiderauswahl, Schlafenszeiten – und die Planung zu meinem 16. Geburtstag.

Dabei gab es da überhaupt nichts zu planen. Um Geburtstage wurde bei uns nie besonders viel Aufhebens veranstaltet. Es gab ein paar Geschenke, eine Torte, den obligatorischen Anruf von Papa, und abends pflegten wir ganz gemütlich ins Kino zu gehen – der perfekte Tag! Florence, Grayson und Ernest konnten gern ein Stück Torte abkriegen, ansonsten sah ich keinen Grund, es in diesem Jahr anders zu machen als sonst.

Aber da hatte ich die Rechnung wohl ohne Florence gemacht.

Freitagnachmittag stürmte ich wutentbrannt von der Schule nach Hause, um sie eigenhändig zu erwürgen. Florence saß gerade mit Mum, Mia und Lottie in der Küche und brachte ihnen Bridge bei. Dieser idyllische Anblick gab mir den Rest. Ich wischte die Karten beiseite und stützte mich mit beiden Hände vor ihr auf.

»Wie kommt es, dass Persephone Porter-Peregrin behauptet, zu meinem Geburtstag eingeladen zu sein?« Ich wollte es brüllen, aber es kam kaum mehr als ein gepresstes Zischen aus meinem Mund.

Zum ersten Mal, seit ich sie kannte, sah Florence eingeschüchtert aus. Für etwa eine Sekunde.

»Aber, Mäuschen«, sagte Mum. »Ich habe Florence gebeten, ein paar von deinen neuen Freunden einzuladen.«

»Und mit Persephone verbringst du eindeutig die meiste Zeit in der Schule«, sagte Florence. »Da dachte ich …«

»Bist du irre?« Jetzt kam ich einem Brüllen schon näher. »Persephone treibt mich in den Wahnsinn! Sie verfolgt mich auf Schritt und Tritt und redet ununterbrochen auf mich ein! Wenn sie wenigstens irgendwas Interessantes sagen würde! Aber nein – sie beschreibt mir detailliert alle Ballkleider, die sie *nicht* gekauft hat! Das kann doch kein Mensch aushalten. Wenigstens an meinem Geburtstag möchte ich davon verschont bleiben!«

»Mäuschen«, sagte Mum wieder. »Man wird nur einmal sechzehn, hat Florence gesagt. Und sie hat recht. Deshalb haben wir uns gedacht, dass wir den Tag ein bisschen mehr feiern als nur mit einer Torte.«

»Die es natürlich trotzdem geben wird«, warf Lottie ein. »Und Luftballons!«

»Wir veranstalten nämlich ein Picknick«, sagte Mum stolz. »Ein original englisches Picknick im Park mit der Familie und all deinen neuen Freunden! Wir haben uns lauter schöne Sachen und Spiele überlegt. Emily wird ein Krocketspiel mitbringen …«

»… *Emily*?« Ich schnappte nach Luft.

»Ja, als Graysons Freundin ist sie selbstverständlich auch eingeladen. Sie gehört ja praktisch zur Familie.«

»Und ich muss Daisy Dawn anschleppen«, sagte Mia und zwinkerte mir zu. »Äh, *darf*, meine ich natürlich.«

»Das wird großartig!« Mum strahlte mich an. »Henry hat auch schon zugesagt, und Charles wird vielleicht einen Grill ...«

»*Henry?*«

»Ja, Mäuschen, der Junge, mit dem du zum Ball gehst. Ich freue mich schon so, ihn kennenzulernen.« Mum runzelte die Stirn. »Bitte sag jetzt nicht, dass er dich auch in den Wahnsinn treibt.«

»Nein!« Doch. Nein. Nur ein bisschen. Ich atmete schwer. Wen hatte Florence denn noch alles eingeladen? Ihren aus den anonymen Tiefen der Mathe-AG gezerrten Ballpartner? Emilys gestörten Bruder Sam? Himpelchen und Pimpelchen? Jasper und Arthur? Das London-Symphony-Orchestra? Und vielleicht Secrecy für die Erinnerungsfotos?

»Wir meinen es doch nur gut«, sagte Mum. Sie spürte, dass meine Wut im Schwinden begriffen war, und legte ihre Hand auf meine. »Und jetzt verrat mir doch bitte mal, worüber du dich so aufregst. Das wird ein herrlicher Tag, und den hast du dir auch verdient!«

»Aber ... aber ... ihr könnt doch nicht einfach ... das ist ...«, stammelte ich.

»Ich weiß. An deiner Stelle wäre ich auch überwältigt.« Florence lächelte bescheiden. »Aber nichts zu danken, ich hab das wirklich gern getan.«

»Man wird eben nur einmal sechzehn«, wiederholte Mum.

Und Lottie sagte: »Wir freuen uns schon alle so!«

Ich gab auf. Sie hatten gewonnen. Mit etwas Glück würde es an meinem Geburtstag regnen, und das Picknick würde ins Wasser fallen. Wir waren hier schließlich in England, und es war Herbst.

»Ich packe dann mal meine Sachen für den Kung-Fu-Unterricht«, sagte ich resigniert.

27

Allen Hoffnungen zum Trotz dämmerte an meinem Geburtstag am 30. September ein klarer Herbsttag herauf, mit strahlend blauem Himmel, ein Tag wie aus dem Bilderbuch. In der Sonne erwärmte sich die Luft ab Mittag noch mal auf über fünfundzwanzig Grad, und wir waren wahrhaftig nicht die Einzigen, die auf die Idee mit dem Picknick gekommen waren. Weil Lottie, Florence, Ernest und Mum mit Charles' Hilfe aber schon seit den frühen Morgenstunden damit beschäftigt waren, den halben Hausstand in den Park zu schaffen, hatten wir uns einen der schönsten Plätze reservieren können, mit einem beeindruckenden Blick hügelabwärts hinunter auf die Stadt. Ich durfte erst kommen, als alles fertig war, und nachdem ich mich aus Persephones inniger Umarmung befreit hatte (ihr Geburtstagsgeschenk war ein Armband mit der Prägung *Best friends forever*, sie hatte das gleiche), musste ich zugeben, dass sich die Mühe wirklich gelohnt hatte. Das Szenario hätte jeder Hochglanz-Lifestyle-Zeitschrift zur Ehre gereicht, mit dem üppigen Decken- und Kissenlager, den gasgefüllten Luftballons und den Köstlichkeiten, die Lottie kunstvoll auf einem weißgedeckten Gartentisch arrangiert hatte. Es gab sogar eine farblich passende

Wimpelkette mit der Aufschrift *Sweet Sixteen*, die zwischen zwei Bäumen im Wind wehte.

Na gut, vielleicht hatten sie es hier und da ein bisschen übertrieben.

»Ach Gottchen«, hörte ich Emily zu Grayson sagen. »Sind das etwa eure silbernen Kerzenleuchter?«

Yap, waren sie, und der üppige Blumenstrauß steckte in einer Vase aus echtem Kristall. Gegessen wurde vom guten Wedgwood-Porzellan, und in einem silbernen Kühler stand Champagner bereit, den es selbstverständlich aus richtigen Sektgläsern geben würde.

Grayson rieb sich mit der Hand über die Stirn. »Man wird nur einmal sechzehn«, erklärte er dann. Offensichtlich hatte er Florences Mantra auch schon verinnerlicht. Emily schnaubte abfällig.

»Ich mag sie nicht«, flüsterte mir Mia zu und stibitzte sich ein Gurkensandwich mit Lachscreme. »Aber ich werde sie gleich mal gezielt mit ein paar Falschinformationen füttern. Wenn etwas davon in den nächsten Tagen im Tittle-Tattle-Blog auftaucht, wissen wir, dass sie Secrecy ist.«

Ich wollte etwas Zustimmendes erwidern, aber in diesem Augenblick sah ich Charles den Hügel heraufkommen, einen Sonnenschirm unter den Arm geklemmt. Dahinter entdeckte ich Henrys hochgewachsene Gestalt, und mein Magen schlug einen Purzelbaum.

Ich schluckte. »Fändest du es sehr schlimm, wenn ich

nicht mehr immun gegen Jungs, wäre, Mia?« Es war wohl zwecklos, es länger zu leugnen.

Mia betrachtete mich von der Seite und seufzte. »Ist es denn wenigstens ein gutes Gefühl?«

Schwer zu sagen. Im Augenblick ja. Einfach nur, weil Henry da vorne auf der Wiese im Sonnenschein direkt auf mich zukam und weil niemand auf der ganzen Welt so lächeln konnte wie er. Und weil …

»Liv, hör auf damit«, zischte Mia. »Du guckst wie ein verliebtes Schaf!«

Ich zuckte zusammen. »So schlimm? Das ist ja schrecklich.« Und dann sagte ich etwas, das ich im Laufe des Tages noch sehr bereuen würde: »Sollte ich heute noch mal so gucken, musst du mich sofort anstupsen oder etwas nach mir werfen, versprichst du mir das?«

»Mit Vergnügen«, sagte Mia, und weil sie ihre Versprechen immer zu halten pflegte, war ich drei Stunden später um die Rippengegend grün und blau und außerdem nacheinander von diversen Wurfgeschossen getroffen worden: mehreren Kastanien, einer Teelichthülle und einem Blaubeer-Muffin. Oder »Maubeer-Bluffin«, wie Lottie zu sagen pflegte, sobald Charles zuhörte.

Immer, wenn ich Lottie ansah, wusste ich ganz genau, was Mia mit dem verliebten Schaf gemeint hatte.

Ansonsten ertappte ich mich dabei, die Picknickparty langsam aber sicher zu genießen. Das Essen war phantastisch, vor allem die Scones und die indischen Curry-Häppchen, die Lottie gezaubert hatte. Dank geschickten Umarrangierens der Sitzordnung (schließlich war ich das Geburtstagskind) war es mir sogar gelungen, Persephone als Bollwerk zwischen Mum und Henry zu platzieren. So konnte Mum Henry keine peinlichen Fragen stellen – oder noch schlimmer, ihm blutige Details von meiner Geburt erzählen. Wobei Henry sowieso völlig fasziniert von Lottie war, wahrscheinlich weil sie der Traumlottie so ähnelte. Beim Personenraten amüsierten wir uns sehr über Ernest, der sich für Winston Churchill hielt, obwohl er in Wirklichkeit Britney Spears war, und Grayson legte als Frodo eine überraschend gekonnte pantomimische Darstellung hin. Wir wälzten uns vor Lachen auf dem Boden, nur Emily nicht. Wie sich herausstellte, kannte die »Der Herr der Ringe« gar nicht, weil sie Fantasy für pure Zeitverschwendung hielt. Ermittlerin Mia Silber war mittlerweile zu der Ansicht gelangt, dass es Emily an Charme und Leichtigkeit fehlte, um die Rolle der Secrecy ausfüllen zu können. Aber vielleicht war das etwas Steife, Spaßbefreite ja auch nur geschickte Tarnung.

Als anschließend alle »*Happy Birthday*« für mich sangen, sogar die Leute, die neben uns picknickten, musste ich zugeben, dass es alles in allem ein wirklich gelungener Geburtstag war. Ich würde später nicht vergessen dürfen, Florence dafür zu danken. Obwohl, nun übertrieb sie es schon wieder, indem sie alle zum Krocketspiel hochscheuchte.

Ich verzichtete und half stattdessen Charles und Lottie, das schmutzige Geschirr zusammenzutragen und in die Kisten zu packen, während Mum und Ernest mit Buttercup eine Runde durch den Park drehten und Mia und Daisy aufdringliche Eichhörnchen mit Apfelstückchen fütterten.

Charles betrachtete versonnen einen halb angegessenen Blaubeer-Muffin. »Ich habe zwar noch nie etwas von Maubeeren gehört, aber ich liebe sie.«

»Maubeeren?« Lottie sah ihn verwirrt an. »Kenn ich gar nicht. Aber mein Cousin Golfwang wohnt in einem Ort namens Maubeerhofen.«

Ich beschloss, die beiden allein zu lassen und lieber die leeren Gläser einzusammeln.

»Kann ich dir vielleicht helfen?«, erkundigte sich eine Stimme hinter mir, und fast hätte ich vor Schreck ein Champagnerglas fallen gelassen. Wo zur Hölle hatte Henry gelernt, sich so anzuschleichen?

Er lächelte mich an. »Drüben beim Krocket ist es nicht auszuhalten. Florence pfuscht, Emily nörgelt an Graysons Schlägerhaltung herum, und Persephone hat mir gerade dein Ballkleid beschrieben. In allen Einzelheiten.«

Ich fühlte, wie mir das Blut in die Wangen schoss. Über den Ball hatte ich noch immer nicht mit ihm geredet …

»Unglaublich, wie viel Kram an so ein Kleid passt, Taft, Tüll, Perlen, Rüschen, Rosen, vier verschiedene Schattierungen von Rauchblau …« Er sah mich fragend an. »Und was zur Hölle ist eine Duchesse-Linie?«

»Dass ich ein Ballkleid habe, heißt nicht, dass ich wirklich zu diesem Ball gehen muss«, sagte ich schnell, und als er eine Augenbraue hochzog, setzte ich noch hastiger hinzu: »Es ist nur … weil … Florence hat Mum erzählt, dass du mich gefragt hast … und plötzlich hatte ich dieses Kleid … und ich habe selber keine Ahnung, was Duchesse-Linie bedeutet.« Ich holte tief Luft. Nein, so ging das nicht. »Wie dem auch sei«, versuchte ich einigermaßen würdevoll zu schließen. »Du sollst nur wissen, dass es nichts zu bedeuten hat. Der Ball ist mir wirklich völlig egal.«

»Das ist ja schade«, sagte Henry. »Weil ich schon den Orden rausgesucht habe, den mein Urgroßvater für Tapferkeit im Angesicht des Feindes verliehen bekommen hat. Grayson ist furchtbar neidisch auf dieses stilechte Accessoire an meinem Frack. Ich und der Mann vom Festtagsmodenverleih haben versucht, ihn zu einem Zylinder zu überreden, damit er sich auch ein bisschen von der Masse abhebt, aber da war nichts zu machen.«

Ich konnte ihn nur anstarren. Prompt flog mir ein Apfelstückchen an den Kopf.

»'tschuldige!«, rief Mia.

»Gehen wir eine Runde spazieren?« Henry hielt mir seine Hand hin, und ich griff danach, bevor Mia ein weiteres Apfelstückchen werfen konnte. Henrys Hand fühlte sich seltsam vertraut und ungewohnt zugleich an. Im Traum war seine körperliche Nähe nicht mal halb so beunruhigend.

Eine Weile gingen wir schweigend nebeneinanderher, und ich versuchte, meinen Atem unter Kontrolle zu kriegen. Wir bogen auf einen sandigen Weg ein, der zwischen den Bäumen hindurchführte. Die Sonne fiel durch das Herbstlaub und warf goldene Kringel auf den Boden.

»Das hat mir gefehlt«, sagte Henry unvermittelt und räusperte sich. »*Du* hast mir gefehlt.«

Wenn mich in diesem Moment eines von Mias Wurfgeschossen getroffen hätte, ich hätte es nicht mal gespürt. Ich blieb mitten auf dem Weg stehen. Henry drehte sich zu mir um und strich mir eine Haarsträhne aus dem Gesicht.

»Ohne dich hat es irgendwie gar keinen Spaß gemacht zu träumen«, sagte er. Und dann beugte er sich vor und küsste mich vorsichtig auf den Mund.

Für ein paar Sekunden vergaß ich zu atmen, dann spürte ich, wie sich meine Arme ganz ohne mein Zutun hoben und um seinen Hals schlangen, um ihn näher an mich zu ziehen. Jetzt küssten wir uns nicht länger vorsichtig, sondern sehr viel intensiver. Henry legte eine Hand in meine Taille, die andere umfasste meinen Hinterkopf und grub sich zärtlich in mein Haar. Ich schloss die Augen. Genau so mussten sich Küsse anfühlen, da war ich mir sicher. Mein ganzer Körper begann zu prickeln, als er mich plötzlich losließ und ein Stück von sich wegschob.

»Wie gesagt, ich habe dich vermisst«, sagte er leise und griff wieder nach meiner Hand, um mich weiterzuziehen.

Ich konnte es nicht fassen, wie er einfach so weitergehen konnte, als wäre nichts geschehen, während ich Mühe hatte, überhaupt aufrecht stehen zu bleiben. Es war, als hätte der Kuss die Knochen in meinen Beinen in Lakritzstangen verwandelt. Sehr weiches Lakritz. Glücklicherweise wollte Henry nur bis zur nächsten Bank, ein paar Meter entfernt, und bis dahin schaffte ich es gerade noch so. Erleichtert ließ ich mich neben ihn fallen.

Er legte seinen Arm hinter mir auf der Banklehne ab. »Fast so eine schöne Aussicht wie in Berkeley, oder?«, sagte er und zeigte mit der anderen Hand den Hügel hinunter.

»Mmmmh«, machte ich zustimmend. »Wir haben schon an so vielen Orten auf der Welt gewohnt – dieser hier ist wirklich nicht der Schlechteste.«

»Besser als Oberammergau?«, fragte er.

»Was?« Ich rückte erschrocken von ihm ab.

Er lachte. »Ob er aber über Oberammergau oder aber über Unterammergau oder ob er überhaupt nicht kommt, ist nicht gewiss«, sagte er auf Deutsch und lachte. »Sind deutsche Volkslieder eigentlich immer solche Zungenbrecher? Traumlottie wollte, dass ich es singe, aber dann hat sie es doch gelten lassen. Hey, sieh mich nicht so entsetzt an, Liv – hast du wirklich geglaubt, ich würde das nicht herausfinden? Nachdem du mir so viele Hilfestellungen gegeben hast? *Heut'*

kommt der Hans zu mir, freut sich die Lies' ... Hast du dieses
lustige Video auf Youtube gesehen, von dem Typen mit
der Lederhose und der Mandoline? Ich hab mich wegge-
schmissen ...«

»Du kanntest die Antwort also schon die ganze Zeit?«,
fragte ich empört.

»Nicht die ganze Zeit. Erst seit ich *Hans* und *nicht gewiss*
auf Deutsch in die Suchmaschine eingegeben habe.« Er runzelte die Stirn. »Warum habe ich plötzlich das Gefühl, ich
sei dieser Tausendfüßler in Hyderabad? Ich wünschte, du
könntest deinen geschockten Blick sehen.«

Das brauchte ich gar nicht. Ich war nämlich wirklich ge-
schockt. Und enttäuscht. Und wütend. »Was fällt dir ein?«,
rief ich. »Mir vorzuspielen, dass ... und dann einfach hinter
meinem Rücken ...«

Henry lehnte sich zurück. »Worüber regst du dich bitte
so auf? Ich hab nur dein Rätsel gelöst, ich dachte, das wolltest du.«

»Das *wollte* ich?« Ich funkelte ihn zornig an. »Hast du sie
noch alle? Wobei hast du mir im Traum zugesehen? Was hast
du mit mir gemacht?«

»Ich habe überhaupt nichts gemacht«, sagte er gekränkt.
»Ich bin nicht mal durch diese Tür gegangen.«

»Woher solltest du das mit dem Tausendfüßler sonst
wissen?«

»Lottie hat mir davon erzählt. Sie redet gern über dich.

Ich weiß, dass du Bananen auf den Tod nicht ausstehen kannst, mit drei nicht mehr an den Weihnachtsmann geglaubt hast und bei ›Findet Nemo‹ immer an derselben Stelle anfängst zu heulen.«

»Lottie?«

»Die Traumlottie.« Er seufzte. »Die übrigens eine lausige Tanzlehrerin ist. Ich fürchte, wir müssen uns diesen Formationswalzer schenken, wenn wir uns nicht kolossal blamieren wollen.«

»Du bist also nicht heimlich in meinen Träumen gewesen?« Meine Wut verrauchte so plötzlich, wie sie gekommen war.

Er seufzte noch einmal und schüttelte den Kopf. »Nein, bin ich nicht. Frag Traumlottie. Ich bin brav vor der Tür geblieben und habe auf dich gewartet. Aber du bist nie gekommen.« Der Blick aus seinen grauen Augen war aufrichtig.

»Entschuldige«, sagte ich zerknirscht. »Und es tut mir auch leid, dass du auf mich gewartet hast. Mir ist das irgendwie alles zu viel geworden. Diese Träume verwirren einen doch nur. Man beginnt, an seinem gesunden Menschenverstand zu zweifeln. Und ich hasse es, wenn immer mehr und noch mehr Fragen aufgeworfen werden und es niemals Antworten darauf gibt.«

»Ach ja? Und was ist mit *Psychologie und Wissenschaft?*«, fragte er spöttisch. »Hattest du nicht gesagt, die Träume lassen sich völlig rational erklären?«

Ich zuckte mit den Schultern. »Ich hab gesagt, es handelt sich um noch unerforschte Gebiete der Psychologie. Und um ehrlich zu sein, sind es auch gar nicht die Träume, die mir solche Kopfschmerzen bereiten, ja, nicht mal die unheimlichen raschelnden Wesen in Korridoren.«

»Sondern?«

»Das, was *tatsächlich* passiert ist. Und das, was noch passieren wird.« Jetzt war ich an der Reihe zu seufzen. »Menschen, die ernsthaft an Dämonen glauben, bereiten mir Kopfschmerzen.«

»Du meinst Arthur?«

Ich nickte. »Du glaubst vielleicht nicht, dass er sich Tom Hollands Tod gewünscht hat, aber ich bin davon überzeugt, dass es so war. Er denkt, der Dämon habe Tom für ihn aus dem Weg geräumt. Und er macht mit diesem ganzen Beschwörungskram nicht weiter, weil er unsicher ist und Angst hat, er macht weiter, weil er den Dämon *wirklich* aus der Unterwelt befreien will. Er ist mit echter Leidenschaft bei der Sache, das musst du doch auch merken.«

In seinen Augen flackerte es. »Ich gebe zu, dass er sich verändert hat, seit wir dieses Spiel spielen. Und die Sache mit Anabel hat ihn wirklich mitgenommen. Aber er ist kein böser Mensch.«

Nein, vielleicht nicht böse, aber möglicherweise im Begriff, verrückt zu werden. »Anabel hat angedeutet, dass es gar nicht Tom Holland war, mit dem sie Arthur betrogen hat.« Ich zögerte, aber dann sprach ich es doch aus. Ich musste einfach auf Nummer sicher gehen. »Im Tittle-Tattle-Blog stand, dass du und Anabel euch gut verstanden habt, und wenn Tom es nicht war ...«

Henrys Augenbrauen hoben sich. »Unterstellst du mir gerade, dass ich was mit Anabel hatte?« Fassungslosigkeit schwang in seiner Stimme mit. »Hältst du mich tatsächlich für jemanden, der etwas mit der Freundin seines Freundes anfängt?«

Tat ich das? Nein, nicht wirklich. Andererseits war Anabel unglaublich attraktiv, welcher Junge würde da nicht in Versuchung geraten? »Schon gut, schon gut«, lenkte ich ein. »Ich glaub dir ja. Aber du warst im selben Flieger wie wir, und da habe ich gedacht ...« Okay, vielleicht sollte ich nicht immer so viel denken.

»Ich habe Anabel beim Umzug geholfen.« Er schüttelte den Kopf. »Ich habe mir Sorgen um sie gemacht. Sie war ziemlich durcheinander seit dem Tod von Tom und nachdem das mit ihrem Hund passiert ist ...«

Von irgendwoher erklang Kindergeschrei, zwei kleine Jungs mit einem Fußball jagten an uns vorbei und verschwanden hinter einer Baumgruppe. Ich schaute ihnen nach.

»Arthur ist dein Freund«, sagte ich. »Und du glaubst, du kennst ihn gut. Aber weißt du wirklich, was in ihm vorgeht? So selbstverständlich, wie er sich zum Oberdämonenbeschwörer ernannt hat — was glaubt er, was passiert, wenn

das letzte Siegel gebrochen wird? Redet er mit euch darüber?«

»Ich … Arthur will doch auch nur, dass es endlich vorbei
ist«, sagte Henry, aber ich bemerkte, dass er unsicher war.
Nachdenklich starrte er auf die Stadt hinunter. Plötzlich
tat es mir leid, dass wir darüber geredet hatten. Wir hätten
uns einfach weiter küssen sollen. Zaghaft streckte ich meine
Hand aus und streichelte über sein Haar. Das hatte ich schon
so lange mal tun wollen. Dafür, dass es so wild vom Kopf abstand, fühlte es sich ziemlich weich an.

Sofort drehte er sich wieder zu mir.

»Du hast ziemlich schöne Augen«, sagte ich leise.

Auf seinem Gesicht breitete sich ein Lächeln aus. »Und
an dir ist so ziemlich alles schön«, erwiderte er, und ganz
sicher hätte er mich geküsst, wenn in diesem Augenblick
nicht Mia und Daisy Dawn vor uns gestanden hätten, wie
aus dem Boden gewachsen.

»Wir wollen jetzt die Luftballons steigen lassen!«, sagte
Daisy Dawn, und Mia machte: »Määääh!«

Auf dem Weg zurück schwiegen Henry und ich, aber
ungefähr auf der Hälfte griff er entschlossen nach meiner
Hand, und ein heftiges, vollkommen irrationales Glücksge-
fühl bemächtigte sich meiner. Das war wirklich der schönste
Geburtstag aller Zeiten.

Und ohne diese schwarzen Gedanken in meinem Kopf
wäre er noch um ein Vielfaches schöner gewesen.

Die Sonne stand schon ziemlich tief und hüllte alles in warmes, herbstlich-goldenes Licht ein, und ich musste wieder an den Berkeley-Traum denken. Und mir fiel ein, was Henry mir in dieser Nacht gesagt hatte: »Nirgendwo lernt man einen Menschen besser kennen als in seinen Träumen, und nirgendwo kann man mehr über seine Schwächen und Geheimnisse erfahren.«

Plötzlich war glasklar, was ich als Nächstes tun musste. Es gab sehr wohl einen Weg herauszufinden, was in Arthur vorging. Dafür musste ich ihn nur erst mal beklauen.

Und meine Traumabstinenz hiermit für beendet erklären.

28

Mist. Das war eine Sackgasse. Arthur hatte seine Tür mit einem vierstelligen Zahlencode gesichert, genau wie die Spinde in der Schule.

Bis hierhin war alles reibungslos verlaufen. Es hatte zwar die halbe Woche gedauert, bis sich endlich eine Gelegenheit geboten hatte, Arthur einen persönlichen Gegenstand zu klauen, aber dann war das überraschend einfach gewesen: Ich hatte mir in der Bibliothek einen Bleistift von ihm geliehen und einfach »vergessen«, ihn wieder zurückzugeben. Kurz zuvor hatte er noch auf dem Stift herumgekaut, persönlicher ging es also gar nicht.

Es war ein beinahe feierlicher Moment gewesen, als ich nach so vielen Tagen wieder durch meine grüne Tür in den Korridor getreten war, der still und friedlich dalag. Aber ich hatte mir vorgenommen, mich auch von raschelnden unsichtbaren Präsenzen nicht beirren zu lassen. Das war nur ein Traum, und ich hatte eine Mission. Und obwohl ich Arthurs Tür nicht kannte, hatte ich eine Ahnung, wo ich sie finden würde. Schließlich lag Henrys Tür auch direkt gegenüber von meiner.

Die anderen Türen hatten wieder mal ihr Türchen-wechsel-dich-Spiel gespielt, trotzdem fand ich Anabels Tür ziemlich schnell in einem Nebengang. Gegenüber ihrem prunkvollen Gotik-Portal befand sich eine schlichte, glatte Metalltür, ganz schmucklos, bis auf die eingehämmerten Buchstaben in der Türmitte: CARPE NOCTEM.

Sogar ihre Türen passten auf merkwürdige Art zusammen. Beide hatten etwas absolut Humorloses. Ich erinnerte mich mit Schaudern an das Traumzusammentreffen mit Arthur und Anabel und fragte mich wieder, ob ich das Richtige tat. Ich meine, die beiden waren wirklich sonderbar – wollte ich auch noch wissen, was so ein Typ wie Arthur träumte?

Nun, vielleicht würde ich es auch nie erfahren. Denn ich kam sowieso nicht weiter, es war zum Verzweifeln. Vier blöde Zahlen! So was Phantasieloses aber auch. Ich hatte mit schwülstigen Rätseln gerechnet, vielleicht auch einem Türwächter mit einem Krummsäbel oder so, aber nicht mit einem so simplen Schloss. Am liebsten hätte ich vor Frust gegen die Wand getreten. Möglicherweise wäre man dem Metall mit einem Schneidbrenner beigekommen, aber ehrlich gesagt wusste ich gar nicht, wie ein Schneidbrenner eigentlich aussah, also konnte ich ihn mir auch nicht herbeiträumen. Wahllos tippte ich irgendwelche Zahlenkombinationen ein, als jemand direkt hinter mir sagte: »Versuch es mit siebzehn null vier.«

»Henry!« Ich wirbelte herum. »Spinnst du, mich so zu erschrecken?«

»Ich freue mich auch, dich zu sehen.« Henry grinste mich an. »Siebzehn null vier«, wiederholte er. »Anabels Geburtstag. Beeil dich ein bisschen.« Er warf einen bedeutungsvollen Blick auf Anabels Tür hinter uns, und ich begriff, dass jetzt nicht die Zeit für eine romantische Begrüßung war, und wandte mich wieder dem Zahlenschloss zu.

»Cooles Outfit, übrigens«, sagte Henry. »Eine elegante Mischung aus Catwoman und Ninja-Krieger.«

Unter meiner schwarzen Katzenmaske errötete ich. Um ehrlich zu sein, hatte ich zuerst versucht, mich in einen Lufthauch zu verwandeln, das hier war nur die nächstbeste Alternative gewesen. Für einen Lufthauch war ich definitiv noch nicht fortgeschritten genug. Aber in dieser Verkleidung würde Arthur mich wenigstens nicht sofort erkennen, wenn ich in seinem Traum auftauchte.

Das Schloss klackte. Siebzehn null vier entpuppte sich tatsächlich als die richtige Kombination.

Vorsichtig schob ich die Tür auf, aber ich zögerte, über die Schwelle zu treten.

»Was hast du Arthur geklaut?«, fragte ich, nahm meine Maske ab und ließ sie auf den Boden fallen. Sie kam mir plötzlich unendlich albern vor. Außerdem hatte ich ja jetzt Gesellschaft bekommen.

»Gar nichts«, sagte Henry. »Wir haben gegenseitig unser Blut getrunken, schon vergessen? Das ist sehr viel persönlicher als ein Gegenstand.«

»Oh.« Dann wäre mein Diebstahl gar nicht nötig gewesen. Und ich hatte mir schon Gedanken gemacht, was passieren würde, wenn ich im Schlaf den Bleistift loslassen würde, den ich beim Einschlafen fest umklammert hatte. Ich war kurz davor gewesen, ihn zur Sicherheit mit Klebeband zu fixieren.

Ich zögerte immer noch.

»Komm schon.« Henry trat neben mich und drückte die Tür weiter auf. »Jetzt ziehen wir das auch durch.« Er griff nach meiner Hand, und gemeinsam traten wir über die Schwelle.

Im nächsten Moment standen wir inmitten einer weiten, wüstenähnlichen Landschaft, in einem breiten Graben, der wie ein Flussbett aussah, das schon lange kein Wasser mehr geführt hatte. Die Erde war rötlich, staubig und trocken, überall lagen Gesteinsbrocken und Geröll herum, am Rand des Flussbetts wuchsen ein paar dürre Büsche und Bäume und riesige Kakteen. In der Ferne konnte man die Silhouette von Bergen erkennen.

»Träumt Arthur gerade einen Western?«, fragte ich und kletterte über einen Felsbrocken auf den Uferrand zu. Obwohl weit und breit niemand zu sehen war, flüsterte ich.

»Keine Ahnung«, flüsterte Henry zurück, während er sich nach allen Seiten umsah.

»Hier gibt es garantiert Klapperschlangen.« Ich überlegte, ob ich mir robuste Stiefel imaginieren sollte. Die hatte ich bei meinem Catwoman-Outfit vergessen. In diesem Augenblick hörten wir ein merkwürdiges Donnern, ein lautes Brausen, das die Luft erfüllte und näher kam. Der Fels unter meinen Füßen bebte.

»Komm«, stieß Henry hervor, packte meine Hand und zerrte mich über die Steine weiter zum Uferrand, während das Brausen und Donnern lauter und lauter wurde. Scheiße! Arthur musste von einem verdammten Erdbeben träumen oder einem unterirdischen Atomversuch oder …

»Flussbettfeger!«, brüllte Henry. Das Donnern war jetzt ganz nah, und mit einem Mal sah ich es: Eine riesige Flutwelle brandete auf uns zu, eine Wasserwand von mindestens zwei Metern Höhe, vor der es kein Entkommen gab. Die Wassermassen rissen alles mit, was im Weg lag, Äste, Steine und in einer halben Sekunde auch Henry und mich. Wir würden jämmerlich ertrinken, für diese Erkenntnis reichte die halbe Sekunde gerade noch aus.

Aber anstatt von den gewaltigen Wassermassen erfasst zu werden, hob sich der Felsbrocken unter unseren Füßen und wuchs blitzschnell mehrere Meter in die Höhe, wie ein Pilz aus Stein. Ich hatte Mühe, das Gleichgewicht zu halten, und klammerte mich an Henrys Hand fest. Das Wasser schoss an uns vorbei und wirbelte das Flussbett hinab, während wir nicht mal nasse Füße bekamen.

»Was …?« Mein Herz raste. Der Fels, auf dem wir standen, veränderte wieder die Form, er wuchs jetzt in die Breite und bildete eine Brücke zum Ufer, über die Henry mich zog, während das Wasserrauschen unter uns langsam leiser wurde. Das Ganze hatte nur wenige Sekunden gedauert. Als wir am Ufer anlangten, klatschte jemand Beifall.

Es war Arthur.

»Nicht schlecht«, sagte er. Er stand reglos neben einem verdorrten Baum und hatte noch nie schöner ausgesehen. »Du wirst immer besser, Henry.«

Henry erwiderte nichts, während ich versuchte, Puls und Atmung zu beruhigen und einen klaren Gedanken zu fassen.

»Entschuldige die rüde Begrüßung, Liv.« Arthur verzog den Mund zu einem Lächeln, das seine Augen aber nicht erreichte. »Normalerweise pflege ich meine Besucher nicht zu ertränken. Nur die ungebetenen.«

Okay. Unser Plan, ihn zu überraschen, war wohl gescheitert.

»Ich frage mich, warum mein bester Freund versucht, sich heimlich in meinen Traum zu schleichen.« Arthur machte einen Schritt auf uns zu und fixierte Henry mit durchdringendem Blick. »Würdest du mir das bitte erklären, Henry?«

»Ich wollte nur ein paar Antworten«, sagte Henry ruhig.

Arthur schüttelte den Kopf. »Was hast du geglaubt, hier zu erfahren, dass du mich nicht einfach hättest fragen können?« Er klang verletzt.

»Ach, komm schon, Arthur! Wann hast du das letzte Mal

offen mit mir geredet?« Henry schwieg einen kleinen Moment, dann setzte er leise hinzu: »Ich mache mir Sorgen um dich.«

Arthur gab ein verächtliches Schnauben von sich. »Sei nicht so verdammt selbstgerecht, Henry! Ausgerechnet du! Oh ja! Ich weiß, was du nachts tust, glaub nicht, dass mir das entgeht. Gerade eben hast du wieder bewiesen, wie gut du das mittlerweile beherrschst. Aber du bist eine Verpflichtung eingegangen, wir alle sind das.« Er machte eine Handbewegung, die das gesamte Traumtal umfasste. »Für das hier. Für unermessliche Macht. Für die Erfüllung unserer Herzenswünsche.« Ein Schatten glitt über sein Gesicht. »Anabel ist die Einzige, die das begreift.«

Na klar, unser Musterpärchen. Saß ganz vorn in der Schule der Dämonenbeschwörung.

»Weil du und der Dämon Anabels Exfreund auf dem Gewissen habt. Und ihren Hund«, sagte ich. »Ist doch logisch, dass sie daran glaubt.« Ein bisschen zu spät fing ich Henrys warnenden Blick auf. Okay, das war nicht gerade die subtilste Art, einen Verdächtigen auszufragen. Sherlock Holmes wäre nicht stolz auf mich gewesen.

Arthur kniff die Augen zusammen. »Kleine Liv«, sagte er überheblich. »Du bist noch zu frisch dabei, um auch nur annähernd zu verstehen, worum es hier geht.«

Ich verschränkte die Arme. Wenn mich jemand »kleine Liv« nannte, wurde ich bockig.

»Vielleicht ist es aber auch genau umgekehrt, und im Gegensatz zu dir habe ich meinen gesunden Menschenverstand noch beisammen und mich noch nicht durch das Zeichnen von Drudenfüßen und das Murmeln nebulöser Sprüche total irre machen lassen.« Ich funkelte ihn an. »Was passiert denn bei dem letzten Ritual? Was willst du an Halloween tun? Noch ein paar schwarze Kerzen anzünden? Einen Altar bauen und ein Lamm schlachten? Oder hey, wenn du schon dabei bist, meinst du nicht, ein Menschenopfer wäre noch ein bisschen effektvoller?« Ich hätte beinahe gelacht, so sehr hatte ich mich in Rage geredet, aber eine Regung in Arthurs Miene ließ mich innehalten. Bei meinen Worten war etwas in seinen Augen aufgeflackert, etwas Dunkles, Wildes …

Mir wurde schlagartig übel. Nein! Hatte ich damit etwa ins Schwarze getroffen?

Unsinn, das konnte einfach nicht sein. Das *durfte* nicht sein.

»*Pugio cruentus* – der blutbefleckte Dolch«, murmelte Henry.

Arthur nickte. »Da hast du deine Antworten, Henry. Und im Grunde deines Herzens hast du es die ganze Zeit gewusst. Du hast dich nur geweigert, der Wahrheit ins Auge zu sehen.«

»Das ist nicht euer Ernst«, flüsterte ich.

Arthur beachtete mich gar nicht mehr. Für ihn schien nur noch Henry zu zählen. »Anabel ist bereit«, sagte er.

»Sie möchte wieder gutmachen, was sie beinahe angerichtet hätte. Und sie will die Sache zu einem Ende führen. Für uns alle!«

Während er sprach, hatte sich die Landschaft verändert, erst unmerklich, dann immer schneller, bis wir in einer ganz anderen Kulisse standen. Die Landschaft ringsrum wurde grüner und dunkler, das Flussbett, die Felsen, die rote Erde verblassten, stattdessen wuchs ein Dickicht aus Gräsern, Farn und Efeu zu unseren Füßen. Die Farbe des Himmels hatte von strahlendem Wüstenblau in ein verhangenes Grau gewechselt.

Arthurs Stimme zitterte kaum merklich, als er sich einem monumentalen Grabmal zuwendete, das von zwei Engeln bewacht wurde. »An Halloween wird sie sich opfern, um den Fürsten der Finsternis aus seinem Schattenbann zu erlösen.« Er hob den Arm. »Und zwar genau hier.«

Ich starrte die Engel an, ohne sie wirklich zu sehen. »Aber ... du liebst Anabel«, stammelte ich. »Und sie dich. Du kannst doch nicht wirklich wollen ... siehst du denn nicht, wie krank das ist?«

Ich drehte mich zu Henry herum. Wieso stand er so ruhig da? Arthur hatte soeben erklärt, dass er dafür sorgen wollte, dass sich seine Freundin – die auch Henrys Freundin war – für einen nichtexistenten Dämon umbringen ließ!

Henrys graue Augen waren starr auf Arthur gerichtet. »Du glaubst, weil es im Traum stattfindet, würdest du das fertigbringen, richtig? Du glaubst, weil es nur ein Traum ist, könntest du das tatsächlich durchziehen.«

Arthur nickte wieder.

Ich keuchte beinahe vor Erleichterung. Ein Traum, natürlich. Anabel sollte nur im Traum sterben. Aber – war es damit weniger schrecklich?

Henry trat auf Arthur zu und stand nun direkt vor ihm. Gleich neben Arthur lehnte eine Engelsfigur an einem moosbeckten Grabstein, und hinter ihm im Dickicht erkannte ich noch weitere Grabsteine, die wie abgebrochene Zähne aus dem Efeu ragten. Wir waren wieder mal auf dem Highgate Cemetery gelandet.

»Ihr glaubt, das ist der Weg, diese Sache zu beenden, ohne dass jemand zu Schaden kommt?« Henry sprach sehr langsam, fast wie zu einem Kind.

»Das ist der *einzige* Weg«, stieß Arthur hervor. Er schwieg einen Moment. »Kann ich auf dich zählen, Henry?«, fragte er dann.

Henry antwortete nicht sofort. Er und Arthur sahen einander in die Augen. Es schien, als würden sie sich mit Blicken duellieren.

Ich schluckte. Wenn Arthur und Anabel vorhatten, das Ritual im Traum zu vollenden, bauten sie darauf, dass sie die Möglichkeit hatten, aus ihrem selbst inszenierten Albtraum unbeschadet wieder aufzuwachen. Aber was, wenn sie sich irrten?

Ich tastete nach einem Grabstein neben mir. Diese Träume hier waren anders. Ich hatte Henrys Berührungen auf meiner Haut ganz genau gespürt, jeden Lufthauch, den Druck seiner Hand, seinen Kuss, und auch jetzt spürte ich die raue Oberfläche des alten Grabsteins unter meiner Hand. Wie würde sich erst ein Dolch auf der Haut anfühlen, ein Schnitt, Blut …

»Das könnt ihr nicht tun«, sagte ich und merkte, dass ich kurz davor war, die Nerven zu verlieren. »Ihr habt keine Ahnung, was dann mit Anabel passieren wird.«

»Sie hat recht, Arthur. Das geht zu weit«, sagte Henry.

»Du verstehst es immer noch nicht, Henry. Wir haben keine Wahl!« Arthur sah zornig und verzweifelt zugleich aus. »Er lässt uns keine andere Möglichkeit, und wir haben einen Eid geleistet.«

»Man hat immer eine Wahl«, sagte Henry eindringlich. Er legte eine Hand auf Arthurs Schulter. »Wir müssen das nicht tun. *Du* musst das nicht tun.«

Arthur biss sich auf die Lippe. »Lass mich jetzt nicht im Stich.«

»Das tue ich nicht«, erwiderte Henry sanft. »Uns fällt eine andere Lösung ein. Bis Halloween ist es noch fast einen Monat hin.«

»Eine andere Lösung«, wiederholte Arthur, und in seinen Augen glomm so etwas wie ein Hoffnungsfunke auf. Für eine Sekunde hatte ich das Gefühl, alles würde gut werden.

Henry hatte das hier im Griff. Oder vielmehr hatte er Arthur im Griff.

Aber dann hörte ich das Knurren. Direkt hinter mir.

Ich drehte auf dem Absatz herum und starrte in die leeren Augen einer Statue. Es war ein riesiger Hund aus Stein, der auf einem Sockel vor einem moosbewachsenen Grabmonument lag, im Schatten einer efeuberankten Eiche.

Wieder ein Knurren, dann zuckte eine der steinernen Pfoten. Und langsam, ganz langsam hob das Vieh seinen Kopf.

»Henry?« Okay, jetzt keine Panik.

»Lass das, Arthur«, sagte Henry, aber Arthur schüttelte den Kopf.

»Ich mache gar nichts.« In seiner Stimme schwang Furcht mit, dieselbe Furcht, die sich auch meiner bemächtigt hatte. »Ich bin das nicht.«

In diesem Moment richtete sich das Vieh zu voller Größe auf. Als es knurrte, entblößte es eine Reihe gewaltiger Reißzähne. Gleich würden wir vermutlich wissen, wie es sich anfühlte, im Traum von solchen Zähnen zerfleischt zu werden. Oh verdammt. Wir mussten raus hier, so schnell wie möglich!

Arthurs Tür! Wo zur Hölle war sie? Mein Blick raste über die verwitterten Kreuze und Grabsteine. Da – die Metalltür! Eingelassen in die Mauer des monumentalen Grabmals, bewacht von den beiden Engelstatuen.

»Henry, schnell! Da rüber!«, rief ich, und Henry griff nach meinem Arm.

»Zurück, Liv!« Er hatte den Blick auf die Krone der Eiche gerichtet.

Der Hund setzte zum Sprung an, aber bevor er uns erreichte, donnerte der Baum auf ihn nieder.

Ich wartete nicht ab, ob Henry das Vieh wirklich erwischt hatte, sondern zerrte ihn hinüber zu den steinernen Engeln. Mit einem Ruck riss ich die Metalltür auf und taumelte in den Korridor.

Doch Henry drehte sich noch einmal um. »Wach verdammt nochmal auf, Arthur«, rief er seinem Freund zu, der immer noch auf derselben Stelle stand und mit weitaufgerissenen Augen auf die riesige Baumkrone starrte. »Wach auf!«

In dem Moment, als er die Tür krachend ins Schloss fallen ließ, fühlte ich etwas Warmes, Feuchtes auf meiner Wange. Und das Nächste, was ich sah, war Buttercups Hundeschnauze und ihre raue Zunge, die liebevoll über mein Gesicht fuhr. Vor dem Fenster dämmerte bereits der Morgen herauf. »Danke, dass du mich geweckt hast, Butter«, murmelte ich und versuchte zu Atem zu kommen, während ich mich an ihr warmes, weiches Fell drückte. »Ich habe gerade von einem wirklich bösen Hund geträumt.«

Und von ein paar anderen wirklich beunruhigenden Dingen.

29.

»Hi.« Das »Käse…« brachte Henry gerade noch heraus, aber das »…mädchen« schaffte er nicht mehr.

Er stand, angetan mit Frack und Abendschuhen, in der Einfahrt der Spencers, und das erste Mal, seit ich ihn kannte, hatte es ihm offenbar die Sprache verschlagen. So jedenfalls sah er aus. Hinter ihm schimmerten die Straßenlaternen und warfen ein warmes Licht auf die kiesbedeckte Auffahrt, und wenn eine Kutsche mit weißen Schimmeln um die Ecke gebogen wäre, um mich zum Ball abzuholen, dann hätte ich mich nicht weiter gewundert. Ha! Cinderella war nichts dagegen.

Alle hatten mir versichert, dass mir das Kleid großartig stand, und als ich vorhin ein letztes Mal in den Spiegel geschaut hatte, hatte ich das Gefühl gehabt, mein breites Lächeln gar nicht mehr aus dem Gesicht zu bekommen. So idiotisch dieses Tüllgemenge auf dem Bügel auch aussah, irgendwie musste ich zugeben, dass es aus mir einen anderen Menschen machte. Einen schöneren Menschen. Und dieser Blauton passte tatsächlich exakt zu meiner Augenfarbe, genau wie Mum gesagt hatte. Sie hatte in zwei Stunden schätzungsweise vierhundert Fotos von mir geschossen (»Dass ich diesen Tag noch erlebe!«), Lottie hatte geweint (»Mein wunderschönes Elfenkind!«), Florence zufrieden genickt (»Vera Wang ist immer eine gute Wahl«), und Mia hatte bewundernd in die Hände geklatscht (»Du wirst das schönste Schaf im Ballsaal sein«). Einzig Ernests Reaktion dämpfte meinen Höhenflug ein bisschen, weil er behauptete, dass ich meiner Mum bis aufs Haar gliche. Aber es sollte wohl ein Kompliment sein.

Lottie hatte heute Nachmittag meine Haare mit dem Lockenstab aufgedreht und auf dem Hinterkopf festgesteckt, und ich war überrascht, wie gut mir das stand. Es hatte einen kleinen Moment der Panik gegeben, als ich mein Kontaktlinsenschälchen nicht gefunden hatte und befürchtete, mit der Nerdbrille zum Ball gehen zu müssen, aber dann stellte sich heraus, dass Florence es beim Aufräumen aus Versehen zu den Putzmitteln in den Badezimmerschrank gestellt hatte.

Es war allerdings das eine zu wissen, dass man gut aussah; das andere war es, Henrys Augen leuchten zu sehen. Er machte selbst eine ziemlich gute Figur im Frack, auch wenn er seine Frisur der formellen Kleidung nicht angepasst hatte: Die Haare standen wie immer wild nach allen Seiten ab. Wir kamen trotzdem unbehelligt an Mrs Lawrence und Pandora Porter-Peregrin vorbei, die den altehrwürdigen Eingang zur Frognal Academy bewachten, der mit den Feuerschalen und Fackeln heute einen auf »Downton Abbey« machte. Standesgemäß ließen Pandora und Mrs Lawrence nur passieren, wer sich an den Dresscode gehalten hatte.

»Bodenlang und Frack«, sagte Mrs Lawrence unbarmherzig zu einem Pärchen in Cocktailkleid und Smoking. »Versucht es nach dem offiziellen Teil noch einmal oder geht nach Hause und zieht euch um.«

»Die härteste Tür Londons«, kommentierte Henry, der auf dem Weg hierher seine gewohnte Lässigkeit zurückgefunden hatte, und ich musste kichern.

Wer hätte an meinem ersten Schultag an der Frognal gedacht, dass ich tatsächlich auf diesen albernen Herbstball gehen würde, nur knappe fünf Wochen, nachdem ich vor dem Plakat gestanden und Persephone verächtlich »Vergiss es!« gesagt hatte? Und vor allem, wer hätte gedacht, dass mir das sogar Spaß machen würde?

Das Ballkomitee hatte wirklich beeindruckende Arbeit geleistet. Das Schaffen des perfekten viktorianischen Ambientes war allerdings kein großes Kunststück gewesen, denn der Ballsaal der FrognalAcademy stammte noch aus der Gründungszeit der Schule. Die großen Bogenfenster an der Längsseite verliehen dem Raum etwas Herrschaftliches, genau wie die Wandgemälde und der Stuck an der Decke. Das Parkett war auf Hochglanz poliert, und die riesigen Kronleuchter warfen ihr Licht auf die bunten Blumenarrangements und die schimmernden Kleider der Gäste, die in kleinen Grüppchen zusammenstanden. Dass in einer Ecke nur ein mickriges Streichquintett spielte, enttäuschte mich fast, ich hätte bei Florence' Organisationstalent mindestens die Londoner Philharmoniker erwartet. Aber die machten vielleicht gerade eine Auslandstournee.

Florence empfing als Ballkomitee-Vorsitzende jedes einzelne Paar persönlich. Als wir an die Reihe kamen, lotste sie uns energisch in die Fotoecke, die auf einer Empore eingerichtet worden war. Wir versuchten, möglichst stilecht in die Kamera zu gucken, und ich schaffte es zumindest einmal, ohne vor Lachen loszuprusten. Jasper, der gleich nach uns kam, hatte solche Probleme nicht. Ganz Rasierspaß-Ken, hatte er gleich zwei Mädchen eingehakt, und vermutlich hatte er noch eins auf dem Mädchenklo als Reserve deponiert. Auch sonst machte er einen ziemlich aufgedrehten Eindruck, vor allem, als er seine Ex-Freundin Madison erblickte.

»Tja«, sagte er und trat zu mir an den Rand der Empore. »Das ist dann wohl der traurigste Tag in ihrem Leben. Sie wird Nathan die ganze Zeit anstarren und denken, dass sie stattdessen auch mit mir hätte hier sein können, wenn sie nur nicht so eine blöde Kuh gewesen wäre.«

»Ja, ganz bestimmt«, sagte ich und ließ Henry mit Jasper allein, um mich an die schwierige Aufgabe zu machen, mitsamt meinen Röcken heil von der Empore zu kommen, was nur zu bewerkstelligen war, wenn man die Blicke starr auf die Stufen richtete. Ich hatte es fast geschafft, als ich am Fuß der Treppe mit einem Mädchen zusammenstieß.

»Anabel!«

Sie war es tatsächlich, zierlich und wunderschön anzusehen in einem schwarz-cremefarbenen Korsagenkleid, an dessen Rock genauso wenig mit Tülllagen gespart worden war wie bei meinem. Genau wie in meinen Träumen wirkte sie nervös und angespannt und ein bisschen traurig. Kein Wunder. Arthur hatte besitzergreifend die Hand auf ihre Schulter gelegt. Immerhin schien er unbeschadet aus dem Traum vergangene Nacht erwacht zu sein.

»Liv Silber«, sagte Anabel, und ihre glänzenden, türkisblauen Augen glitten an mir hinab. »Hübsches Kleid. Du und Henry, ihr seht großartig zusammen aus.«

»Ihr kennt euch?«, fragte Florence, die mit ihrem Klemmbrett neben der Treppe stand, überrascht.

»Äh, nein«, sagte Anabel und lächelte. »Nur aus dem Tittle-Tattle-Blog. Secrecy scheint ein besonderes Interesse an uns zu haben, nicht wahr, Liv?«

Ich nickte. »Geht es dir gut?«, fragte ich besorgt.

Anabel senkte den Blick.

»Es geht ihr bestens«, antwortete Arthur an ihrer Stelle und schob sie die Empore hinauf.

Henry und ich schauten ihnen nach. »Hast du noch mal mit ihm gesprochen? Er sieht irgendwie mitgenommen aus«, flüsterte ich Henry zu. »Und Anabel ist ja bleich wie eine Leiche.«

Bei dem Wort *Leiche* zuckte Henry eindeutig zusammen.

»Ich hatte keine Zeit, mit Arthur zu sprechen, ich musste mich zu Hause um ein paar Sachen kümmern und verdammte Lackschuhe auftreiben und …« Er seufzte. »Hör zu, Halloween ist erst in dreieinhalb Wochen, bis dahin wird uns etwas einfallen. Aber heute sollten wir einfach mal an was anderes denken. Heute ist ein besonderer Abend. Denn, bei Gott, heute werden keine Dämonen gejagt …«, er warf sich in die Brust, und ich musste lachen, weil ich jetzt erst sah, dass er tatsächlich den Orden angesteckt hatte, »bei Gott, heute wird getanzt!«

»Das hast du aus einem Film geklaut!«, sagte ich vorwurfsvoll, obwohl ich gerade nicht drauf kam, aus welchem.

Er schüttelte grinsend den Kopf. »Nicht, dass ich wüsste.«

So oder so, er sollte recht behalten. Denn, bei Gott, es *wurde* getanzt. Und mit dem Tanzen war es so eine Sache. Die erste Stunde wurde nämlich nur klassische Musik gespielt, allerdings nicht vom Streichquartett, das sich nach den offiziellen Fotos zurückzog, sondern aus der Anlage, dafür aber vom London-Symphony-Orchestra. Der traditionelle Eröffnungswalzer, angeführt von Direktorin Cook und einem weißbärtigen Lehrer mit sehr viel Pomade in Bart und Haar, war nur etwas für Hardcore-Ballfans und Bewunderer des Wiener Opernballs.

Henry und ich waren uns einig, dass es viel lustiger war, den anderen Paaren dabei zuzusehen, wie sie sich in einer

Reihe aufstellten und zu den feierlichen Klängen von Johann Strauß' Hommage an Königin Viktoria über die Tanzfläche schritten, inklusive einiger Verbeugungen und – das absolute Highlight, zumindest für Henry und mich – Hebefiguren. Bei Graysons angsterfülltem Blick, kurz bevor er Emily in die Luft hievte, mussten wir sehr lachen, allerdings wurde uns dabei auch klar, warum sich Florence mit ihrem Talent dafür, die perfekte Entscheidung für den entsprechenden Anlass zu treffen, Callum Caspers geangelt hatte. Der sah zwar wirklich so unscheinbar aus, wie Secrecy ihn beschrieben hatte, aber er konnte ganz hervorragend tanzen, vielleicht am besten von allen. Ganz im Gegensatz zu Persephone. Sie winkte mir im Vorbeischweben huldvoll zu, brachte dann aber die ganze Formation durcheinander, weil sie bei Jaspers Anblick wie üblich zur Salzsäule erstarrte.

Arthur und Anabel tanzten nicht. Sie standen oben auf der Empore, hielten sich an den Händen und wirkten irgendwie abwesend.

»Sollten wir nicht …?«, fragte ich Henry, aber der schüttelte nur den Kopf.

Später wagten wir uns auch auf die Tanzfläche, und ich bereute ein wenig, dass ich nicht auf Mum gehört und längst einen Tanzkurs belegt hatte. Im Gegensatz zu Henry, der mich mit seiner Fähigkeit, Wiener Walzer zu tanzen, ziemlich überraschte. Nicht, dass es ihm bei mir besonders viel half. Meine Tanzfähigkeiten beschränkten sich leider auf das, was Mum, Lottie und Youtube mir beigebracht hatten, überdies musste ich die ganze Zeit »eins, zwei, drei«, vor mich hin murmeln, um nicht aus dem Takt zu kommen, was wiederum der Kommunikation nicht besonders zuträglich war. Zugegeben, an der Stelle hätte Cinderella vermutlich eher gepunktet, die konnte von Natur aus tanzen.

Ich war ganz froh, als Henry vorschlug, die Zeit bis zur »richtigen Musik« zu überbrücken, indem wir etwas vom vielgepriesenen Buffet zu uns nahmen, das im Vorraum aufgebaut war. Dort trafen wir auch Jasper wieder, der es irgendwie geschafft hatte, beschwipst zu werden, obwohl es überhaupt keine alkoholischen Getränke gab.

Ich hatte mir gerade eine Blätterteigstange genommen, als Henry plötzlich neben mich trat, mir die Stange aus der Hand nahm und meinen Arm packte. »He«, beschwerte ich mich. »Tanzen macht mich immer hungrig.«

»Mich auch«, murmelte er und zerrte mich hinter eine der Säulen, die den Vorraum vom Eingangsbereich abtrennten. Er legte mir die Hände auf die Schultern, zog mich zu sich und sah mir in die Augen. »Weißt du eigentlich, wie verdammt schön du bist, Liv Silber?«, fragte er und fing an, zuerst meinen Mund und dann meinen Hals mit kleinen Küssen zu bedecken. Schlagartig hatte sich mein Appetit auf Essen gelegt. Wer hätte denn ahnen können, dass Küsse eine derart erstaunliche Wirkung ...

Ich schmolz förmlich in seine Arme. Keine Ahnung, wie

er das anstellte, aber wenn er mich küsste, war mir alles andere egal. Meine Hand glitt in seinen Nacken. Ich konnte die Wärme seiner Haut spüren. »Vielleicht sollten wir die Sache mit dem Dämon und seinem blöden jungfräulichen Blut heute ein für alle Mal ad acta legen«, murmelte ich.

»Du meinst, damit du nicht wie deine Tante Gertrude endest?« Henry rückte einen Moment von mir ab, bevor er mich noch enger an sich zog und wieder küsste, diesmal deutlich heftiger. »Gleich hier und jetzt?«, erkundigte er sich dann.

Ich schaffte es nicht mehr zu antworten, weil in diesem Augenblick Grayson um die Säule herumkam. »Ach, hier seid ihr«, sagte er und musterte uns stirnrunzelnd, während ich hastig einen Schritt zurücktrat und hoffte, dass meine Haare nicht so zu Berge standen wie Henrys.

»Ich suche euch schon überall. Henry, Jasper ist da drinnen kurz davor, sich mit Nathan anzulegen. Er hat ihn gerade schon *kleine Knackwurst* genannt. Du musst mir helfen, ihn ein bisschen auszunüchtern.«

»Diese blöde Knackwurst.« Widerstrebend ließ Henry mich los. »Ist das okay, wenn ich dich mal kurz allein lasse, Liv?«

»Ich wollte sowieso gerade mal ... ähm ... auf die Toilette«, sagte ich verlegen.

»Ja«, sagte Grayson, und ich konnte nicht umhin, den missbilligenden Ton in seiner Stimme zu registrieren. »Ein bisschen kaltes Wasser könnte dir sicher auch nicht schaden.«

Was fiel ihm ein? Hatte er nicht neulich auf Arthurs Party noch viel heftiger rumgeknutscht? Da hatte ich ja auch nichts gesagt. Ich bedachte ihn mit einem kühlen Blick, raffte meine Röcke zusammen und rauschte möglichst würdevoll davon.

Im Mädchenklo musste ich beim Blick in den Spiegel über dem Waschbecken allerdings feststellen, dass Grayson recht hatte: Ich sah wirklich so aus, als könnte ich eine Ladung kaltes Wasser im Gesicht gebrauchen. Vom Lipgloss keine Spur mehr, dafür waren die Wangen unnatürlich rot. Ich hätte mich gern ein bisschen abgepudert, aber Puder hatte nicht mehr in die Tasche gepasst. Es war wirklich ein winzig kleines Abendtäschchen: Lipgloss, Taschentuch, Pfefferminzdrops, zwei Zehn-Pfund-Noten und der Hausschlüssel hatten gerade so reingepasst. Und ich hatte gar nicht erst versucht, auch noch mein klobiges Handy einzupacken. Hinter mir klappte eine Klotür ins Schloss, und Emilys Gesicht tauchte über meiner Schulter im Spiegel auf.

»Hi«, sagte ich und rang mir ein Lächeln ab. Ich mochte sie nicht besonders, und möglicherweise war sie ja auch Secrecy, das boshafteste Wesen unter der Sonne, aber sie war immerhin die Freundin meines zukünftigen Stiefbruders, also musste ich mir wenigstens Mühe geben.

»Ach, hier bist du, Liv«, sagte sie, schien aber nicht besonders erfreut. Sie trug ein schlichtes schwarzes Ballkleid, mit Sicherheit das düsterste und hochgeschlossenste Modell an diesem Abend, sehr passend für eine viktorianische Witwe. »Grayson hat dich schon überall gesucht. Aus irgendeinem Grund denkt er, er müsse auf dich aufpassen. Na ja, man kann es ihm nicht verdenken, schließlich bist du mit Henry Harper unterwegs ...«

»Was willst du damit sagen?« Nein, ich mochte sie kein bisschen.

»Ich weiß, ihr Mädchen steht auf diese Typen.« Emily öffnete ihr Abendtäschchen und nahm einen Lippenstift heraus. »Jungs wie Arthur, Jasper und Henry, selbstsicher, lässig, leichtsinnig, egoistisch, oberflächlich und absolut verantwortungslos. Die klassischen Herzensbrecher, eben. Ich werde das wohl nie verstehen.«

»Und ich dachte, du bist auch ein Mädchen«, sagte ich. Ich fand es lustig, dass sie Jasper, Henry und Arthur in einen Topf warf: Unterschiedlicher konnten Menschen doch gar nicht sein.

»Ja, aber eins mit Verstand«, sagte Emily. »Und einem guten Geschmack. Grayson ist der einzig Vernünftige in seiner Clique. Ich wünschte wirklich, er würde sich andere Freunde suchen. Nimm zum Beispiel Jasper – er hat heute literweise Alkohol in die Schule geschmuggelt, um sich und seine Begleiterinnen abzufüllen. Arthur und Anabel waren auch mit dabei. Wahrscheinlich müssen sie sich ihre sterbende Beziehung schönsaufen. Letztes Jahr noch Ballkönig und Ballkönigin, heute irgendwie nur noch bemitleidenswert.« Sie verzog verächtlich das Gesicht. »Jedenfalls ist Anabel betrunken an mir vorbeigewankt und hat irgendetwas gelallt, von wegen, ich soll dich von ihr grüßen. Ich meine, hallo, wie zugedröhnt kann man sein? Sie will schließlich noch das ganze Wochenende in London bleiben, dann kann sie das ja immer noch selbst tun.«

Ich starrte Emily an. Sämtliche Alarmglocken, die bei den Worten »sterbende Beziehung« leise angefangen hatten zu bimmeln, schrillten nun in voller Lautstärke.

»Wo sind sie hin?«

Emily sah mich verwundert an, vermutlich, weil ich sie vor Schreck am Arm gepackt hatte.

»Arthur und Anabel?« Sie zuckte mit den Schultern. »Weg.«

»Weg?«

»Sie haben sich vorhin verabschiedet, Anabel konnte kaum mehr aufrecht stehen, Arthur musste sie sogar stützen, so betrunken war sie. Sie sah aus wie ein Lamm, das man zur Schlachtbank führt.«

»Was?« Die Worte »Lamm« und »Schlachtbank« setzten bei mir eine wilde Gedankenkette in Gang.

»Anabel und Arthur haben den Ball verlassen«, wiederholte Emily geduldig, als sei ich eine Vollidiotin. »Ohne Zweifel, um sich betrunken den Dingen zu widmen, von denen sie am meisten verstehen. Ich kann nur hoffen, dass sie wenigstens so vernünftig sind, ein Taxi zu nehmen.«

Der Schreck war mir direkt in den Magen gefahren, zusammen mit der Erkenntnis, dass wir möglicherweise vollkommen falschgelegen hatten. Und dass wir keine Zeit mehr hatten bis Halloween.

Scheiße. Scheiße, scheiße, scheiße.

Was, wenn Arthur uns gestern Nacht ganz bewusst in die Irre geführt hatte? Wenn er gar nicht vorhatte, das Ritual im Traum zu vollziehen? Wenn er …

»Ist heute vielleicht Neumond?«, schrie ich Emily an.

»Äh«, machte sie konsterniert.

»Wann war das genau? Wann sind Arthur und Anabel los?«

Emily starrte mich an. »Na ja, gerade eben, halt.«

Oh nein. Nein! Ich packte Emily an beiden Schultern und schüttelte sie.

»Sag Henry, dass ich versuche, sie aufzuhalten! Sag ihm, er soll das mit Halloween vergessen, es findet heute Nacht statt! Und zwar in echt! Kannst du dir das merken? Es ist wirklich wichtig! Henry soll …« Ich ließ sie los, schnappte mir meine winzig kleine Abendtasche vom Waschbeckenrand und rannte zur Tür. »Er soll sich verdammt nochmal was ausdenken!«

Um schneller vorwärtszukommen, zog ich meine Schuhe aus und rannte barfuß weiter. Vielleicht lag ich ja falsch, vielleicht war ich jetzt diejenige, die durchdrehte, aber wenn ich recht hatte, wenn die Erkenntnis, die mich vorhin mit voller Wucht getroffen hatte, nicht meiner blühenden, überreizten Phantasie entsprach, dann würde heute Nacht etwas Schreckliches passieren. Und das musste ich verhindern. Ich schlidderte mit gerafften Röcken und in einem Affenzahn durch die Gänge, ohne Rücksicht darauf, was die anderen dachten. Bitte, bitte, lass sie noch da sein, flehte ich in Gedanken.

Aber Anabel und Arthur hatten die Schule schon verlassen. Als ich aus der Eingangstür stürzte, sah ich sie bereits unten an der Straße. Sie waren soeben im Begriff, in ein Taxi zu steigen.

»Hey!«, schrie ich. »Anabel! Arthur! Wartet!«

Anabel wandte den Kopf und schaute in meine Richtung, aber dann folgte sie Arthur in den Wagen und schloss die Tür.

Verdammt.

Ich rannte die Treppenstufen hinab und überquerte den Schulhof. Das Taxi setzte sich langsam in Bewegung. Gleich hinter ihm wartete ein zweites Taxi, offensichtlich bestimmt für den älteren Herrn, der vorhin mit der Direktorin den Eröffnungstanz angeführt hatte, denn er wackelte zielsicher darauf zu. Aber darauf konnte ich jetzt keine Rücksicht nehmen. Ich schob ihn beiseite und riss die Taxitür auf.

»Junge Dame!«, sagte der Weißbart empört.

»Ich weiß, so etwas gehört sich nicht, Santa, aber das

ist ein Notfall«, entgegnete ich, wartete seine Antwort gar nicht ab, sondern ließ mich auf die Rückbank fallen und rief etwas, das ich nie über die Lippen gebracht hatte, wäre ich nicht so außer mir gewesen. »Folgen Sie dem Wagen, bitte. Schnell.«

30.

Ich hätte wirklich alles dafür gegeben, einfach nur aufzuwachen.

Aber das hier war kein Traum, in dem ich mitten in der Nacht im Ballkleid und barfuß über den Highgate-Friedhof schlich. Es war leider die Wirklichkeit. Sicher waren die Seidenstrümpfe längst hin, aber um ehrlich zu sein, fühlte ich meine Füße kaum. Das musste das Adrenalin sein. Arthur und Anabel hatten eine Taschenlampe, mit der sie die umwucherten Pfade ausleuchteten und es mir nicht allzu schwermachten, ihnen zu folgen. Sie hielten sich an den Händen und liefen so zielstrebig voran, als seien sie diese Strecke schon hundertmal gegangen.

Ob Henry schon unterwegs war? Und ob Emily ihm meine Botschaft auch richtig übermittelt hatte?

Ich hatte so gehofft, mich zu täuschen, und dass Arthur Anabel einfach nur nach Hause bringen würde, damit sie ihren Rausch ausschlafen konnte. Aber das Taxi war dem von Arthur und Anabel direkt bis vor den Eingang des Friedhofs gefolgt, und als ich die beiden durch das kirchenähnliche Portal hatte verschwinden sehen, konnte ich mir nicht länger einreden, nur unter einer zu lebhaften Phantasie zu leiden, und war ihnen kurz danach durch das Tor gefolgt.

Und jetzt hetzte ich hier durch die Dunkelheit, wenn auch völlig planlos. Ich wusste nur, dass ich verhindern musste, dass Arthur Anabel etwas antat. Ob Anabel wirklich vorhatte, sich freiwillig zu opfern, oder war das eine Lüge von Arthur gewesen? Ich konnte mir immer noch nicht vorstellen, dass jemand, dass Anabel so weit ging, sich für diese Dämonensache umbringen zu lassen – Schuldgefühle hin, Liebes-Tsunami her.

In der Dunkelheit erkannte ich verwitterte Grabsteine und zerbrochene Kreuze, und überall schien es zu rascheln. Ratten, Eulen, Werwölfe.

Ich atmete schwer. Der kalte Nachtwind strich durch die Bäume, und mir wurde bewusst, dass das leise Klappern das Geräusch meiner Zähne war, die gegeneinanderschlugen.

Jetzt nur nicht panisch werden. Henry würde sicher gleich hier sein. Er konnte mit Arthur reden. Letzte Nacht im Traum hatte ich gemerkt, wie groß sein Einfluss auf ihn war. Er würde ihn davon abbringen, und gemeinsam würden wir Anabel retten und … wohin waren sie verschwunden? Da! Der Lichtkegel der Taschenlampe zuckte über ein Grabmonument und leuchtete eine Tür an. Die beiden steinernen Engel, die davor Wache standen, kamen mir bekannt vor.

Vor Schreck stolperte ich über eine Wurzel am Boden. Hätte ich mich nicht gerade noch rechtzeitig mit den Händen abgestützt, wäre ich mit der Stirn gegen eine Statue geprallt, die vor mir auf dem Sockel lag.

Ich rappelte mich hoch, und dann erst wurde mir bewusst, wo ich mich befand: Das hier war das Grab mit dem steinernen Gruselhund, der uns gestern Nacht im Traum angegriffen hatte. Jetzt sah er nicht weniger bedrohlich aus, mit seinen leeren Steinaugen, aber wenigstens blieben seine Pfoten, wo sie waren. Ich hatte schließlich auch genug andere Probleme.

Immerhin schienen Arthur und Anabel mich nicht gehört zu haben. Sie verschwanden im Mausoleum, und als die Tür sich hinter ihnen schloss, blieb ich allein im Dunkeln zurück.

Stille.

Und weit und breit keine Spur von Henry.

Oh Gott! Ich war so dämlich! Ich hätte Arthur auf dem Weg angreifen sollen, und zwar von hinten! Er hätte überhaupt keine Chance gehabt. Jetzt, im Innern dieser Gruft, würde es viel schwieriger werden.

Ich schloss kurz die Augen. Vielleicht reagierte ich ja total über und war in meiner Panik nur einem verliebten Pärchen hinterhergelaufen, das ungestört sein wollte.

Ja, genau. Nachts auf dem Friedhof. In einer Gruft.

Weil es hier so kuschelig war.

Es half nichts, ich konnte nicht länger warten.

Mit Arthur würde ich notfalls auch alleine fertig werden. Er mochte groß und durchtrainiert sein, aber ich konnte

Kung-Fu und hatte den Überraschungseffekt auf meiner Seite. Okay, es war möglicherweise leichtsinnig und nicht besonders schlau, sich jemandem allein in den Weg zu stellen, der ernsthaft vorhatte, einen Dämon aus der Unterwelt zu befreien – und dabei auch vor Menschenopfern nicht zurückschreckte –, aber hatte ich denn eine Wahl?

Ich starrte auf die Silhouette des schlafenden Steinhundes neben mir. Was, wenn Henry gar nicht kam? Wenn Emily ihm am Ende gar nichts gesagt hatte? Zuzutrauen war es ihr, so schlecht, wie sie vorhin über Graysons Freunde geredet hatte. Und vielleicht hatte sie auch einfach nur kein einziges Wort von dem verstanden, was ich geschrien hatte.

Ich musste eine Entscheidung treffen. Zurück zur Straße zu rennen und irgendwo Hilfe zu suchen, war keine echte Option. Bis Hilfe kam – wenn sie denn überhaupt kam –, würde es längst zu spät sein. Nein, ich konnte nicht länger warten. Wer wusste, was sich in diesem Mausoleum gerade abspielte? Ob Arthur überhaupt die Nerven hatte, Drudenfüße zu zeichnen und salbungsvolle lateinische Sprüche zu deklamieren? Vielleicht kam er auch ganz einfach schnell zur Sache, um es kurz und schmerzlos hinter sich zu bringen.

Ich streifte mir langsam meine Schuhe über. Zum Laufen waren sie vielleicht nicht die bequemsten, aber bei einem Kampf konnten sie sich durchaus als nützlich erweisen.

Meine Hand zitterte, als ich die Tür zum Mausoleum öffnete, vorsichtig eintrat und mich umsah. Die Gruft umfasste einen Raum von vielleicht drei mal vier Metern und war spärlich erhellt von brennenden Kerzen, die in Nischen in den Wänden aufgestellt waren. Anabel war im Begriff, eine Fackel anzuzünden, Arthur stand an der Längsseite des Raums und sah mir entgegen. Nicht erschrocken, nicht mal erstaunt, sondern ganz so, als hätte er mit meinem Erscheinen gerechnet. Das flackernde Licht beleuchtete die perfekte Kontur seines Gesichts.

»Liv«, sagte er und machte einen Schritt auf mich zu. Ich wartete nicht, bis er näher kam, ich sprang ihm entgegen. Seine Hände waren leer, keine Waffe, also schwang mein rechter Fuß hoch und traf ihn präzise unter dem Kinn, in der Luft drehte ich mich um 180 Grad, und noch während der Landung schwang mein linker Unterarm in seinen Magen. Der Tritt gegen das Schienbein wäre gar nicht mehr nötig gewesen – wie ein gefällter Baum sank Arthur zu Boden. Das hässliche Geräusch, das meinem ersten Tritt gefolgt war, ließ auf einen gebrochenen Kiefer schließen.

Okay, das hatte ich nicht geplant. Aber es war effektiv gewesen.

Die Sache mit dem Überraschungsmoment hatte tatsächlich funktioniert, dachte ich noch zufrieden, als etwas (die eiserne Fackelhalterung, wie sich später herausstellte) auf meinen Hinterkopf niedersauste. Erst als mein Kopf neben Arthurs auf dem Steinboden aufschlug und mir schwarz vor Augen wurde, begriff ich, dass ich einen Fehler gemacht hatte: Ich hatte Mr Wus Kampfgrundsatz Nummer eins nicht befolgt: den gefährlichsten Gegner immer zuerst ausschalten.

»Ich liebe es, wenn ein Plan funktioniert«, sagte Anabel, als ich wieder zu mir kam. Das war ebenfalls aus irgendeinem Film geklaut, aber mir fiel auch dieses Mal nicht ein, aus welchem. Mein Kopf schmerzte, als würde ein kleiner Bulldozer darin herumfahren, mein ganzer Körper tat weh, jetzt spürte ich sogar die geschundenen Fußsohlen. Ich lag auf dem harten Steinboden, und jemand – Anabel, nahm ich an – hatte meine Fuß- und Handgelenke mit Tape zusammengebunden, aber auch ohne das war ich nicht sicher, ob ich überhaupt ein Glied hätte rühren können. Selbst das Augenaufschlagen bereitete mir Schmerzen.

»Oh, wie gut«, sagte Anabel erfreut. »Ich hatte schon Angst, du würdest deine eigene Hinrichtung nicht erleben. Der arme Arthur wird es wohl verpassen, wofür ich dir allerdings nicht undankbar bin. Ich war mir sowieso nicht sicher, ob er das hier durchstehen würde.«

Meine Kehle war völlig ausgetrocknet, deshalb konnte ich nur krächzen. »Du? Warum ...?« Mehr brachte ich nicht heraus. Anabel hatte meine Hände über meiner Brust gekreuzt, und ich bekam nur schwer Luft.

Sie beugte sich über mich und kontrollierte meine Fesseln. »Warum ... *was?*« Obwohl die Gruft nur von Kerzenlicht erhellt war, wirkten ihre Pupillen unnatürlich klein, und für einen Moment, nur für einen Bruchteil einer Sekunde, kam mir der Gedanke, sie könne der Dämon höchstpersönlich sein. »Warum du heute Nacht sterben musst?« Sie lachte. »Das würde ich an deiner Stelle nicht so persönlich nehmen. Andererseits hast du es dir durch deine Neugier selber eingebrockt. Ich hatte durchaus ein paar andere jungfräuliche Kandidatinnen in petto. So selten, wie Jasper denkt, sind die nämlich gar nicht.« Sie schien wirklich blendender Laune zu sein. »Aber dann hast du dich in Graysons Traum geschlichen. Ich glaube ja nicht an Zufälle. Ich glaube, dass *er* dir höchstpersönlich den Weg in Graysons Traum gezeigt hat. Und heute Nacht wird er durch dein Blut wieder lebendig werden.«

Nein, sie war kein Dämon, sie war nur eine Wahnsinnige, die an Dämonen glaubte. Das war von meiner Warte aus betrachtet aber in etwa genauso schlimm. Vor allem, weil dort hinten auf dem Steinboden das Buch lag, aus dem Arthur beim Aufnahmeritual vorgelesen hatte, und gleich daneben das Jagdmesser, dessen Klinge im Kerzenlicht unheilvoll schimmerte. Verzweifelt sah ich zu Arthur hinüber, der immer noch reglos an derselben Stelle lag. Immerhin lebte er, seine Brust hob und senkte sich beim Atmen. Wie blöd war ich eigentlich? Während Anabel mich eiskalt in eine miese Falle gelockt hatte, hatte ich auch noch den Einzigen ausgeknockt, der mir vielleicht hätte helfen können.

»Das offene Friedhofstor – wie idiotisch kann man sein«,

murmelte ich. »Du hast die ganze Zeit geplant, dass ich euch folge.«

Anabel kicherte. »Tja, so richtig intelligent war das nicht. Aber falls du dich fragst, wie ich das mit dem Tor gemacht habe: Auch Nachtwächter träumen. Und wenn man ihnen einen persönlichen Gegenstand entwendet hat, kann man problemlos alles herausfinden, was man braucht: Wo die Ersatzschlüssel untergebracht sind, zum Beispiel. Überhaupt bieten diese Träume einem so viele Möglichkeiten.« Anabel seufzte schwärmerisch, während sie sich bückte, um das Buch aufzuheben. »Das ist übrigens das Mausoleum von Arthurs Vorfahren. Alle Hamiltons, die vor 1970 gestorben sind, wurden hier beerdigt. Ich wusste gleich, dass es der perfekte Ort sein würde, um dieses Ritual zu vollziehen.« Jetzt erst sah ich, dass die runden Dinger in den Nischen, die ich für Steine gehalten hatte, eigentlich Totenköpfe waren. »*Dein* Ritual! Du kannst dich wirklich geehrt fühlen. Denn dein Blut wird es sein, das das Angesicht dieser Welt verändert. Ein neues Zeitalter wird eingeläutet. Der Herr der Schatten wird sich erheben und sein Anrecht in dieser Welt einfordern.«

Wenigstens redete sie. Das kannte man ja aus einschlägigen Fernsehserien. Solange sie redeten, brachten sie einen nicht um. Ich musste dafür sorgen, dass sie nicht damit aufhörte.

»Du hast sie alle manipuliert«, versuchte ich es auf gut

Glück. An meinem Hinterkopf fühlte ich etwas Nasses. Blut? »Diese Sache mit dem jungfräulichen Blut ...«

Anabel lachte. »Das war einfach! Sie haben den Unterschied zwischen unschuldigem Blut – *innocens* – und jungfräulichem – *virginalis* – überhaupt nicht verstanden. Nirgendwo steht geschrieben, dass es jungfräuliches Blut braucht, um das erste Siegel zu brechen. Das wäre auch ein Problem gewesen, denn von uns war ja niemand jungfräulichen Blutes, ich am allerwenigsten. Und glaub mir, wenn einer das wusste, dann Arthur.« Sie kam auf mich zu.

»Aber ... er war eifersüchtig auf Tom ...«

»Ja, das war er tatsächlich. Und er war mehr als entsetzt, als Tom das Zeitliche gesegnet hat. Einer von vielen glücklichen Zufällen ... Obwohl, wir waren uns ja einig, dass es keine Zufälle gibt, nicht wahr?« Mit einem sonnigen Lächeln kniete sie neben mir auf dem Boden nieder. »Die Jungs haben angefangen, sich gegenseitig zu misstrauen. Als Henry bei mir in der Schweiz war, hat er allen Ernstes gefragt, ob Arthur mich gut behandelt ... Ich sag dir was: Es hat unglaublich viele Vorteile, zart und blond zu sein. Alle fühlen sich immer nur bemüßigt, einen zu beschützen.«

Ich zerrte an meinen Fesseln, aber so wahnsinnig Anabel auch sein mochte, so gründlich war sie auch. Reden! Ich musste sie unbedingt weiter dazu anhalten zu reden.

»Und wie war das mit deinem Hund ...?«

»Lancelot, der niedlichste kleine Hund unter der Sonne?

Was hat er denn?«, äffte sie meine Stimme nach. Sie schüttelte bedauernd den Kopf. »Das Rattengift war echt fies. Der arme Hund hat wirklich sehr gelitten. Aber ich musste das tun, um die Jungs bei der Stange zu halten. Damit sie begriffen, dass die Sache wirklich ernst war. Und damit sie sich so richtig ins Zeug legen konnten, um dich niedliche kleine Jungfrau in den Kreis zu holen.« Ihre Augen glänzten.

»Fast tut es mir leid, dass es heute schon vorbei ist. Ich hatte viel Spaß«, sagte sie versonnen. »So schöne und kluge Köpfe, diese Jungs! Bis auf Jasper natürlich, der ist nur schön.« Sie seufzte. »Ich hätte keine perfekteren Mitspieler finden können als sie.«

Verdammt! Ich brauchte einen Einfall, wie ich das hier irgendwie drehen konnte. Nur leider wollte der mir nicht kommen. Ich benötigte mehr Zeit. Und Superkräfte.

»Aber brauchst du nicht Henry, Arthur, Grayson und Jasper, um das Ritual zu vollenden?«

»Nein – eigentlich brauchte ich sie nur, um das erste Siegel zu brechen.« Anabel blätterte in dem Buch. »Warte, hier steht es: Der Kreis der Fünf, ein Kreis aus Blut, wild, unschuldig, aufrichtig, mutig, frei, gewährt dem Hüter der Schatten den Zugang zur ersten Dimension ... Alles andere hätte ich auch ohne sie tun können, aber ganz allein hätte es lange nicht so viel Spaß gemacht. Für das letzte Siegel braucht es jetzt nur noch dein Blut, das jungfräuliche Blut. Davon allerdings reichlich. Oder besser noch, *alles.*« Sie beugte sich wieder vor und legte mir ihre Finger auf den Hals.

Meine Kehle zog sich vor Angst zusammen.

»Hier ist sie irgendwo, die *Arteria carotis externa*«, murmelte Anabel. »Wenn ich die durchtrenne, geht es ganz schnell.« Das konnte es jetzt nicht gewesen, sein, oder? Ich mochte mein Leben. Sechzehn Jahre waren eine ziemlich kurze Zeit. Ich wollte noch nicht sterben.

Ich schielte nach unten. Zwar konnte ich meine Hände nicht bewegen, aber wenn es mir gelang, mich seitlich zu drehen, könnte ich mit den Füßen eine der Fackeln erreichen. Und mit etwas Glück könnte ich sie dann auf Anabel schleudern. Ganz sicher würde dieser Tüll brennen wie Zunder …

»Eine Sache noch«, sagte ich hastig, ohne zu wissen, was ich eigentlich fragen wollte.

»Ich verstehe, dass du nicht unwissend sterben möchtest«, sagte Anabel. Sie hatte das Buch an der Stelle aufgeschlagen, an dem das letzte Siegel zwei Seiten zusammenhielt und unheilvoll glänzte. »Aber so ganz allmählich müssen wir jetzt mal zum Ende kommen.« Mit einer geschmeidigen Bewegung stand sie auf. Oh Gott, nein! Jetzt holte sie das Messer. Das durfte nicht passieren.

»Anabel«, sagte ich flehend, und gleichzeitig spannte ich alle Muskeln an. Jetzt. Ich musste es jetzt tun, wo sie nicht zu mir schaute.

Als sie sich nach dem Messer bückte, warf ich mich mit

einem Ruck zur Seite herum und trat mit aller Kraft nach unten aus. Aber der Tritt reichte nicht aus, um die Fackel weit zu schleudern, er reichte gerade mal, um sie leicht anzustupsen.

Langsam, wie in Zeitlupe fiel die Fackel um. Gut einen Meter von Anabels Tüllröcken entfernt. So viel dazu. Ich schloss frustriert die Augen, während Anabel über meinen missglückten Versuch zu lachen begann.

Und dann hörte ich, wie jemand ihren Namen rief und wie sie zu kreischen begann, und riss die Augen wieder auf. *Henry!* Da war er! Endlich. Aber hätte er nicht eine Minute früher kommen können? Bevor Anabel das Messer in die Hand genommen und wie eine Besessene zu kreischen angefangen hatte?

Dann erst sah ich, warum sie so schrie: Es hatte gar nichts mit Henry zu tun. Die Fackel hatte das Buch in Brand gesteckt, ihr heiliges Dämonenbuch! Anabel ließ das Messer fallen und warf sich neben mir auf den Boden, um das Buch an sich zu reißen. Mit der bloßen Hand versuchte sie, die Flammen zu ersticken. Und dabei hörte sie nicht auf zu schreien.

Henry stürzte herbei und schlug ihr das Buch aus der Hand, und jemand – es war Grayson – umfasste Anabel von hinten und zog sie zurück.

Immer noch brüllte sie wie am Spieß. Es hatte beinahe nichts Menschliches mehr. Ihre Augen waren so verdreht, dass man nur noch das Weiße darin sehen konnte. Sie wehrte sich mit aller Macht, aber Grayson hielt sie fest umschlungen.

Henry trat mit den Füßen das Feuer aus, dann kniete er neben mir nieder und sagte: »Kann man dich nicht einen Moment allein lassen?«

Der Frognal Academy Tittle-Tattle-Blog mit dem neusten Klatsch, den besten Gerüchten und brandheißen Skandalen unserer Schule

ÜBER MICH:
Mein Name ist Secrecy – ich bin mitten unter euch und kenne all eure Geheimnisse

UPDATE   ACTIVITY

13. Oktober

Okay, Leute, vergessen wir die demokratische Abstimmung (ihr habt sie sowieso manipuliert: Wie bitte konnten bei 924 Schülern 2.341 Stimmen für Arthur Hamilton zusammenkommen? Ich schätze mal, da haben ein paar sehr verliebte Mädchen aus den unteren Klassen bis zu hundertmal von ihrem Stimmrecht Gebrauch gemacht ...) – und ich verkünde euch hiermit MEINE unangefochtene Ballkönigin. Meine Meinung ist sowieso als einzige ausschlaggebend ☺

Und ich sage, wenn jemand die Krone verdient hat, dann ist es Hazel Pritchard. Sie sah nicht nur umwerfend aus in ihrem zartgelben Korsagenkleid, sie bewies auch echte Klasse, als sie den Fleck (siehe Foto), der das Kleid zu vorgerückter Stunde auf der Rückseite verzierte, mit einem Achselzucken abtat und behauptete, sie habe sich aus Versehen in Schokoladentorte gesetzt. So, liebe Leute, handelt eine echte Ballkönigin. Dass es sich in Wirklichkeit um ein Missgeschick durch den übermäßigen Verzehr von Abführmitteln handelte, geht doch niemanden was an. Irgendwie musste Hazel ja die göttlichen Cupcakes von Bake-a-boo wieder loswerden, die sie in Anfällen prämenstrueller Fressattacken in sich hineingestopft hatte.

Dass Arthur Hamilton definitiv wieder zu haben ist, habe ich ja vorgestern schon berichtet, aber heute liefere ich euch endlich die Gründe dafür nach: Anabel Scott hat ihren Status bei Facebook von »in einer Beziehung« zu »in der Klapse« geändert.

Nein ernsthaft, da macht man keine Witze drüber: Bei der armen Anabel wurde eine »akute polymorphe psychotische Störung mit Symptomen einer Schizophrenie« diagnostiziert, und Insider sagen, sie kommt aus der Geschlossenen die nächsten Jahre nicht mehr raus. Und dass sie Arthur das Herz gebrochen hat.

Ernsthaft gebrochen – er war schon die ganze Woche nicht in der Schule, und niemand hat etwas von ihm gehört.

Aber auch ohne ihren Kapitän konnten die Frognal Flames heute ihre Tabellenführung ausbauen – mit einem sensationellen Sieg über die Hampstead Hornets. Herzlichen Glückwunsch, Jungs!

Und Kopf hoch, Arthur. Das wird schon wieder. Andere Mütter haben auch schöne Töchter. Und ich will schließlich auch noch was zu berichten haben.

Wir sehen uns

Eure Secrecy

P.S. Liv Silber, die ja auf dem Ball das Glück hatte, die Treppe hinunterzufallen und sich eine Gehirnerschütterung zuzuziehen, ist wieder gesund. Sie war heute beim Spiel, und, Leute, ich glaube fast, das mit ihr und Henry Harper ist was Ernstes. Der Junge hat heute jedenfalls sensationelle achtzehn Punkte gemacht.

31

In Amys quietschbunter Traumwelt hatte sich nicht viel verändert. Der Himmel war veilchenblau, die Sonne hatte ein lachendes Gesicht, und immer noch schwebten Seifenblasen durch die Luft, zusammen mit bunten Schmetterlingen. Das Karussell drehte sich heute zu der Melodie von *London bridge is falling down*, und Amy saß auf einer Schaukel, die am Ast einer riesigen Kastanie befestigt war und von ganz allein hin- und herschwang.

»In Wirklichkeit hat sie den Trick noch gar nicht raus«, sagte Henry. »Man muss sie stundenlang anschaukeln. Aber dafür kann sie seit vorgestern Rad fahren«, setzte er stolz hinzu.

Ich lächelte ihn an und blinzelte dann zufrieden in die Sonne. In London hatte in der Zwischenzeit das vielzitierte miese Wetter Einzug gehalten, seit Wochen schon regnete es scheinbar ununterbrochen, da tat es gut, sich wenigstens mal im Traum sonnen zu können. Es war Anfang November. Halloween war verstrichen, ohne dass etwas passiert war. Kein Dämon hatte sich blicken lassen, niemandem war das Liebste und Kostbarste genommen worden, alles war gut.

Henry zog mich in den Schatten eines Luftballonbaums,

damit zwei regenbogenfarbene Ponys an uns vorbeitraben konnten.

»Wie geht es Arthur?«, erkundigte ich mich. Seit ein paar Tagen ging er wieder zur Schule, aber wir hatten noch nicht wieder miteinander gesprochen. Und da er meinetwegen drei Wochen lang mit verdrahtetem und geschientem Kiefer hatte herumlaufen müssen, ging ich auch nicht davon aus, dass er mir etwas Nettes sagen wollte. So etwas wie »Entschuldigung, dass ich dich meiner wahnsinnigen Freundin ausgeliefert habe«, zum Beispiel.

Henry sah den Ponys hinterher und zuckte mit den Schultern. »Den Umständen entsprechend, nehme ich an. Wir haben uns nicht mehr viel zu sagen. Er schwört zwar, er hätte niemals zugelassen, dass Anabel dir etwas antut, aber ich ... ich kann ihm das einfach nicht verzeihen.«

Da war er nicht der Einzige. Auch Grayson hatte den Kontakt zu Arthur abgebrochen. Darüber reden wollte er nicht. Aber in der ersten Nacht nach dem Ball, als ich Angst gehabt hatte, meine Augen länger als eine Minute zu schließen, weil ich dann immer Anabel mit dem Messer vor mir gesehen hatte, war er ganz selbstverständlich in mein Zimmer gekommen. Er hatte sich einen Sessel an mein Bett gerückt und auf seine ernsthafte Art und Weise gesagt: »Du kannst einschlafen, Liv. Ich pass auf dich auf.« Wie ein richtiger großer Bruder. Grayson hatte mir auch geholfen, unserer Familie (und Emily) eine plausible Erklärung dafür zu liefern, dass sie mich in der Nacht des Balls in der Notaufnahme des Royal-Free-Hospitals hatten abholen müssen. Mum hatte glücklicherweise sofort geglaubt, dass ich auf der Treppe über mein langes Kleid gestolpert und hingefallen war. Und Secrecy hatte darüber in ihrem Blog berichtet, als habe sie es mit eigenen Augen gesehen. Die Platzwunde an meinem Hinterkopf war mit vier Stichen genäht worden, und wegen einer leichten Gehirnerschütterung hatte ich ein paar Tage das Bett gehütet.

Drüben auf der Schaukel fing Amy an zu singen. Unsere Anwesenheit schien sie nicht zu stören, eher im Gegenteil. Ab und zu schaute sie zu uns hinüber und winkte fröhlich.

»Woher kam das Buch überhaupt – ich meine, wie kam es in den Besitz von Anabels Familie?«, fragte ich.

»Ich nehme an, es stammt aus dem Nachlass von Anabels Mutter. Sie hat Anabels Vater verlassen, als Anabel noch ganz klein war, weil sie in die Fänge einer dubiosen satanischen Sekte geraten war. Es hat Monate gedauert, bis es Anabels Vater und seinen Anwälten gelungen ist, das Sorgerecht für Anabel zu bekommen und sie da rauszuholen. Die Mutter ist kurze Zeit später in eine psychiatrische Klinik gekommen, dreimal darfst du raten, mit welcher Diagnose. Und in dieser Klinik ist sie vor ein paar Jahren gestorben. Anabel hatte keinen Kontakt mehr zu ihr, aber irgendwas ist aus dieser Zeit wohl bei ihr hängengeblieben ...«

»Und woher weißt du das alles?«

Henry antwortete nicht. Er reckte sich nach einem Ast, um mir einen grünen Luftballon zu pflücken.

»Danke.« Ich hielt den Ballon hoch und ließ ihn in die Luft steigen. Ein paar Sekunden später war er nur noch ein kleiner grüner Punkt am blauen Himmel. Henry hatte sich nicht verändert. Er antwortete nur auf Fragen, die ihm gefielen. Aber das störte mich nicht besonders. Jeder Mensch braucht seine Geheimnisse, und Henry brauchte offenbar mehr als andere Menschen. Ich war nur froh, dass alles vorbei war und niemand mehr an einen Dämon glauben musste.

»Ich hab noch was für dich.« Henry zog ein kleines schwarzes Kästchen aus seiner Hosentasche und reichte es mir. »Warte.« Eine rote Schleife erschien auf dem Deckel. »Besser? Oder lieber blau?«

»Nein, rot ist prima«, sagte ich und rupfte die Schleife ab. »Geschenke im Traum sind ja so praktisch. Und preiswert. Du kannst mir einen Achtkaräter schenken oder den Koh-i-Noor-Diamanten, ohne einen Penny dafür auszugeben oder in die königlichen Schatzkammern einzudringen. Ich überlege, dir zum Geburtstag eine hübsche Segelyacht zu schenken. Zusammen mit dieser kleinen Karibikinsel …«

Henry grinste. »Mach schon auf.«

Mit einem Seufzer klappte ich den Deckel hoch. »Oh«, sagte ich und überlegte kurz, ob ich enttäuscht sein sollte. Es war ein kleiner, silberner Schlüssel an einem dünnen, schwarzen Lederbändchen.

»*Take a key and lock her up, lock her up, lock her up*«, sang Amy genau in dem Moment.

»Es ist der Schlüssel zu meiner Tür«, sagte Henry. »Damit du mich auch mal besuchen kannst.«

»Das ist ja …« Ich war gerührt. »Und der passt auf alle drei Schlösser?«

»Nein«, sagte Henry zögernd. »Er passt nur auf das mittlere. Aber ich werde die anderen beiden einfach nicht abschließen …«

Ich musste lachen. »Und wenn sie doch abgeschlossen sind, weiß ich, dass du gerade etwas träumst, bei dem du mich nicht dabeihaben willst, richtig?«

»Nicht sehr romantisch?« Er grinste mich schief an.

»Doch, irgendwie schon«, sagte ich und legte Henry beide Arme um den Hals. »Dankeschön.«

Henry schloss die Augen, noch bevor meine Lippen seinen Mund berührten. Ihn zu küssen, hatte nicht das Geringste von seinem Reiz verloren, eher im Gegenteil. Ich würde nie genug davon bekommen können. Henry legte seine Hände auf meine Hüften und drängte mich mit dem Rücken gegen den Luftballonbaum, nur um dann schwer atmend einen Schritt zurückzutreten und den Kopf zu schütteln. »Nein, so geht das nicht. Das ist jetzt wirklich nicht jugendfrei …«, sagte er und sah zu seiner kleinen Schwester hinüber. »Komm, raus hier.«

Energisch zog er mich durch die pinke Tür hinaus in den

stillen Korridor. Als er sich schließlich von mir löste, hatte er zum ersten Mal richtig Farbe auf seinen sonst so blassen Wangen.

»Ich bin dafür, auf der Stelle aufzuwachen«, sagte er etwas atemlos. »Ich könnte in zwanzig Minuten bei dir sein. In echt, meine ich.«

Ich lächelte ihn an. »Aber es ist mitten in der Nacht.«

»Ich könnte Steinchen an dein Fenster werfen ...«

»Oder du könntest in ein paar Stunden einfach zum Frühstück kommen.«

»Ja, auch gut.« Henry streichelte meine Haare und sah mich dabei so intensiv an, dass mir eine leichte Gänsehaut über den Rücken lief. »Weißt du, warum ich begonnen hatte, an diesen Dämon zu glauben?«, fragte er leise.

Ich schüttelte den Kopf.

»Weil mein Wunsch in Erfüllung gegangen ist, in genau dem Moment, in dem ich dich kennengelernt habe.«

»Du hattest dir gewünscht, jemanden kennenzulernen, der einen stinkigen Käse in seinem Koffer hat?«

Er lachte nicht über meinen zugegeben ein bisschen mageren Witz, sondern fuhr mit einem Finger die Konturen meiner Lippen nach. »Du bist wie ich«, sagte er ernst. »Du liebst Rätsel. Du spielst gern. Du gehst mit Vorliebe Risiken ein. Wenn es droht, gefährlich zu werden, wird es für dich erst richtig spannend.« Er beugte sich noch ein bisschen näher, und ich konnte seinen warmen Atem spüren.

»Das habe ich mir gewünscht. Dass ich jemanden treffe, in den ich mich verlieben kann. Du bist mein Herzenswunsch, Liv Silber.«

»Wie rührend!«, sagte eine glockenklare Stimme hinter uns, als unsere Lippen nur noch einen halben Zentimeter voneinander entfernt waren.

Erschrocken fuhren wir auseinander und wirbelten herum. Anabel lehnte an der Wand neben Henrys Tür. Ihre goldenen Haare flossen in schimmernden Wellen über ihre Schultern, ihre großen blauen Augen glänzten. Sie sah wunderschön aus, aber bei ihrem Anblick verzogen sich sämtliche Schmetterlinge, die in meinem Magen getanzt hatten, und machten einem mulmigen Gefühl Platz. Das letzte Mal, als ich sie gesehen hatte, hatte Anabel mir mit einem Messer die Kehle aufschlitzen wollen. In echt. Und vorher hatte sie mir eine Platzwunde und eine Gehirnerschütterung verpasst. Ebenfalls in echt. Das hatte ich ihr definitiv noch nicht verziehen. Die rasierte Stelle an meinem Hinterkopf erinnerte mich jeden Tag daran.

»Du störst, Anabel.« Henry legte einen Arm um meine Schulter.

Genau. Und jetzt zisch ab.

Anabel verzog verächtlich ihre Lippen. »Ihr denkt, ihr habt gewonnen, richtig? Ihr denkt, indem ihr das Buch verbrannt und Arthur und mich auseinandergebracht habt, ist die Sache beendet.«

Richtig.

»Obwohl die Tatsache, dass wir gerade hier in diesem Korridor miteinander sprechen, das Gegenteil beweist?« Anabel sah uns herausfordernd an.

»Nein«, sagte Henry ruhig. »Sondern weil du gerade in diesem Augenblick in Surrey in einem Klinikbett liegst, zugedröhnt mit Psychopharmaka, zu deiner eigenen Sicherheit ans Bett fixiert.« Er lächelte mitleidig. »Es ist vorbei, Anabel.«

Anabels Lippen zuckten, und für einen Moment sah es aus, als würde sie in Tränen ausbrechen. Aber dann warf sie den Kopf in den Nacken und lachte.

»Da täuschst du dich aber, Henry«, sagte sie. »Denn in Wirklichkeit hat es gerade erst begonnen.«

ANHANG

Secrecy, Tja … Das Rätsel wird wohl erhalten bleiben

Princess Buttercup, Mischling, mit richtigem Namen *Princess Buttercup formerly known as Doctor Watson* und seit neuestem Angehörige der seltenen Rasse der Entlebucher Biosphärenhunde

Spot, Kater der Spencers, sieht aus wie ein Sofakissen

Callum Caspers, Mathe-Genie und Florences Ballpartner

Einen kurzen Gastauftritt haben: diverse Lehrer (wer will sich da schon die Namen merken?); Amy Harper, Henrys vierjährige Schwester; Lancelot, Anabels verstorbener West Highland-Terrier; die arme Hazel Pritchard, die aber immer nur im Blog vorkommt; Mr Wu, Livs ehemaliger Kung-Fu-Lehrer; die vier gemeinen Mädchen aus der Junior High in Berkeley … und jede Menge namenlose Schatten.

Ein kleine Erläuterung des englischen Schulsystems zum besseren Verständnis

Die Frognal Academy, auf die Liv und Mia gehen, ist eine Secondary School, in der Schüler ab der 7. Klasse unterrichtet werden. Den ersten Abschluss (GCSE – *General Certificate of Secondary Education*) machen britische Schüler nach der 11. Klasse. Daran anschließend können zwei weitere Schuljahre absolviert werden, die sogenannte *Sixth Form*, die in *lower 6th* und *upper 6th* unterteilt ist. Der Abschluss, *A-Level*, ist dem deutschen Abitur vergleichbar. Wir haben in diesem Buch der Einfachheit halber die *Sixth Form* »Oberstufe« genannt, die Klassen 9 – 11 der »Mittelstufe« zugeordnet und die Klassen 7 und 8 der »Unterstufe«.

Hallo, ihr Träumer und Träumerinnen da draußen,
wenn euch die Geschichte von Liv Silber gefallen hat, dann
könnt ihr euch auf jeden Fall freuen, denn … es hat ja gerade
erst begonnen, wie Anabel ganz richtig bemerkt hat. (Ist die
gruselig oder ist die gruselig???)
Im nächsten Buch – dem zweiten Buch der Träume – gibt es
wieder ein Geheimnis, dem Liv auf die Spur kommen will.
Jemand wurde mit einem Fluch belegt … Wie gut, dass Liv
an diesen übersinnlichen Kram nicht glaubt. Na ja, bis auf die
Sache mit den Träumen, aber die sind ja auch zu praktisch.
Was man da nachts so alles herausfindet …
Und ihr wollt vielleicht wissen, ob Lottie und Charles ein
Paar werden oder ob es Mia gelingt, Lottie mit dem gutaus-
sehenden Tierarzt in der Pilgrim's Lane zu verkuppeln.
Und was Graysons und Florences Großmutter zu den Ver-
änderungen in der Familie sagen wird, wenn sie von ihrer
Weltreise zurückkehrt. Und ob Liv und Henry weiter so
verliebt bleiben, oder ob Henry in diesem Buch vielleicht ein
Geheimnis zu viel hütet …
Apropos Geheimnis: Hat schon jemand von euch einen
Verdacht, wer hinter Secrecy stecken könnte?

Wir sehen uns!
Eure Kerstin Gier

P.S. Wie sieht eigentlich eure Traumtür aus? Meine ist im
Moment schwarz und silbern mit roten Eulen und einer
richtig gefährlichen Vampir-Eidechse als Türknauf :-)

Wenn jemand stirbt, den du liebst – würdest du den retten, der ihn getötet hat?

Stell dir vor, du konntest fliehen – vor dem System, das dir befohlen hat, wie du leben und wen du lieben sollst. Unter Lebensgefahr hast du deine Liebe wiedergefunden – eine Liebe, die das System töten wollte.

Jetzt willst du das System besiegen, doch dafür musst du zurück. Zurück in dein altes Leben. Zurück zu einem Geheimnis, das tief in dir verborgen ist.

Es wird alles verändern. Dein Leben. Deine Liebe.

Ally Condie
Die Ankunft
Cassia & Ky / Band 3
Roman
Aus dem Amerikanischen
von Stefanie Schäfer
608 Seiten, Hardcover
mit Schutzumschlag

www.cassiaundky.de

 FJB

fi 6-2151 / 1